SCHIJNDOOD

THOMAS ENGER

Schijndood

VERTAALD DOOR LUCY PIJTTERSEN EN KIM SNOEIJING

AMSTERDAM · ANTWERPEN

2012

Deze vertaling is mede mogelijk gemaakt
door financiële steun van NORLA.

Q is een imprint van Em. Querido's Uitgeverij BV, Amsterdam

Oorspronkelijke titel *Skinndød*
Copyright © Gyldendal Norsk Forlag AS 2010 [All rights reserved]
Copyright vertaling © 2012 Lucy Pijttersen en Kim Snoeijing
via het Scandinavisch Vertaal- en Informatiebureau Nederland /
Em. Querido's Uitgeverij BV, Singel 262, 1016 AC Amsterdam

Omslag Wil Immink
Omslagbeeld Lisa Howarth/Trevillion Images
Foto auteur Rolf M. Aagaard

ISBN 978 90 214 4190 0 / NUR 305
www.uitgeverijQ.nl

Aan mijn reserveharten,
Benedicte, Theodor & Henry

Mijn leven, ik geef je mijn woord
pas na mijn dood zal het doven,
het vuur van mijn liefde voor jou
en de vreugde: jou toe te behoren.

Halldis Moren Vesaas, 'Ode aan het leven', 1930

schijndood: toestand waarbij de levensfuncties zo sterk zijn afgenomen dat de patiënt lijkt te zijn overleden. Deze toestand is zeldzaam en als de patiënt geen adequate behandeling krijgt (kunstmatige ademhaling, opwarming van het lichaam, hartmassage) zal de dood intreden.

Proloog

Hij denkt dat hij door duisternis is omgeven. Hij weet het niet, hij kan zijn ogen niet opendoen. Misschien is de grond onder hem koud. Misschien nat.

Hij gelooft dat het regent. Er valt iets op zijn gezicht. Misschien is het sneeuw die nu al valt. De eerste sneeuw.

Jonas houdt van sneeuw.

Jonas.

Een verschrompelde wortel in een wit gezicht vol gras en aarde. Nee, niet nu. Roepen, niet wegzakken.

Hij probeert zijn rechterarm op te tillen, maar het lukt niet. Handen. Heeft hij ze nog? Zijn duim, die beweegt.

Denkt hij.

Huid als dunne, broze vlokken. Overal vlammen. Zo warm. Gezichten die uitvloeien, als pannenkoekenbeslag in een hete koekenpan.

Jonas houdt van pannenkoeken.

Jonas.

De grond trilt. Stemmen. Stilte. Zo wonderlijk stil. Kun je me niet inkapselen? Jij die toekijkt?

Het komt goed, niet bang zijn. Ik zorg voor je.

Gelach dat verstomt. Geen ademhaling. Laat mij je stevig vastpakken. Maar waar ben je?

Daar. Daar ben je. Hier waren wij. Jij en ik.

Jonas houdt van jij en ik.

Jonas.

Horizons. Een vonkenregen op een eindeloze, blauwe spiegel. Een plop die het glazen oppervlak breekt, lijn en dobber zinken weg.

Koude planken onder onze voeten. Ogen die weer dicht kleven.

Het komt goed, niet bang zijn. Ik zorg voor je.

Hij voelt zijn voet op de balustrade. Hij staat stevig.

Denkt hij.

Lege handen. Waar ben je? Terugspoelen, alsjeblieft. Terugspoelen!

Een muur van duisternis. Alles is donker. Zingende geluiden komen dichterbij.

Nu lukt het hem zijn ene oog te openen. Het is geen sneeuw. Het is geen regen. Er is alleen maar duisternis.

Hij heeft de duisternis nooit gezien. Nooit gezien waar die plaats aan biedt.

Maar nu ziet hij het.

Jonas was bang voor het donker.

Hij houdt van Jonas.

Jonas.

Hoofdstuk 1

JUNI 2009

De witte krullen zijn nat, en niet alleen van bloed.

De grond heeft zich opengesperd en geprobeerd haar te verzwelgen. Alleen haar hoofd en bovenlichaam zijn zichtbaar. Het stijve lichaam is omgeven door vochtige aarde, alsof ze een eenzame, schrale roos met een lange steel is. Bloed uit smalle, langwerpige wonden op haar rug is omlaag gestroomd als tranen op een donkere wang. De blote rug lijkt een schilderij.

Hij betreedt de tent met voorzichtige stappen en kijkt om zich heen. Ga weg, zegt hij tegen zichzelf. Dit heeft niets met jou te maken. Keer om en ga weg, ga naar huis en vergeet wat je hebt gezien. Maar hij kan het niet. Hoe zou hij kunnen?

'H... hallo?'

Alleen het bos rondom de tent geeft met zwiepende takken antwoord. Hij zet opnieuw een stap. Er hangt een misselijkmakende, verstikkende lucht. De geur herinnert hem ergens aan. Maar waaraan?

De tent stond hier gisteren niet. Voor iemand als hij, die zijn hond elke dag in het uitgestrekte groen van de Ekebergsletta uitlaat, was de aanblik van de grote, witte tent te verleidelijk om te weerstaan. Die rare manier waarop het ding was neergezet. Hij móést wel binnen kijken.

Had hij het maar niet gedaan.

De hand zit niet vast, die ligt los naast de arm, alsof die bij de pols heeft losgelaten. Het hoofd hangt slap neer op de schouder. Nu ziet hij ze weer, de witte krullen. Hier en daar wat rode, kleverige haarsprieten. Het lijkt wel een pruik.

Hij loopt naar de jonge vrouw toe, maar blijft opeens staan, zijn ademhaling stokt. De spieren van zijn maag trekken samen, klaar om de ochtendkoffie en de banaan terug naar boven te sturen, maar het lukt hem de reflex tegen te houden. Hij deinst achteruit, langzaam, hij knippert met zijn ogen om vervolgens opnieuw naar haar te kijken.

Een oog bungelt uit de oogkas. De neus is platgedrukt, alsof die in de schedel is verdwenen. De kaak zit vol deuken, rode plekken en strepen. Dik, zwart bloed is uit een gat in het voorhoofd gestroomd, naar de ogen en de neusrug. Een tand hangt los aan een draad van gestold bloed aan de binnenkant van de onderlip. Verschillende tanden liggen op het gras, vlak voor de vrouw die ooit een gezicht heeft gehad.

Nu is het kapot.

Het laatste wat Thorbjørn Skagestad zich herinnert voor hij de tent uit wankelt, is de kleur van de nagellak op haar vingers. Bloedrood.

Dezelfde kleur als de zware stenen om haar heen.

*

Henning Juul weet niet waarom hij altijd op die ene plek zit. De planken zijn hard. Ze zitten vol splinters en doen pijn. Toch gaat hij daar altijd zitten. Op precies dezelfde plek. Nachtschade groeit tussen de houten banken van de tribune door, die schuin oploopt naar het clubhuis van sportpark Dælenenga. De hommels vliegen vlijtig rond tussen de giftige bessen. De planken zijn vochtig. Hij voelt het aan zijn achterwerk, bedenkt dat hij thuis andere kleren moet aantrekken. Maar hij weet niet of hij het kan opbrengen.

Vroeger zat Henning daar altijd te roken. Nu rookt hij niet meer. Dat heeft niets met zijn gezondheid of met gezond verstand te maken. Zijn moeder heeft COPD. Nee. Hij zou willen dat hij kon roken. Slanke, witte vrienden die altijd in een goed humeur zijn wanneer ze op bezoek komen, maar die nooit lang blijven. Maar hij kan het niet, het lukt hem niet.

Er zitten ook nog andere mensen, maar die zitten niet naast hem. Een voetbalmoeder op een fleecedeken kijkt naar hem. Ze wendt haar blik vlug af. Hij is eraan gewend dat andere mensen naar hem kijken en net doen alsof hun blik ergens anders op is gericht. Toch weet hij dat ze zich afvragen wie hij is, wat er met hem is gebeurd, waarom hij er zit. Maar niemand vraagt ernaar. Niemand durft.

Hij neemt het hun niet kwalijk.

Wanneer de zon moe wordt, komt hij overeind en loopt weg. Hij trekt een beetje met zijn ene been. De artsen zeiden dat hij er zo natuurlijk mogelijk op moest proberen te lopen, maar het lukt hem niet. Het doet te veel pijn. Of misschien is pijn niet het juiste woord.

Hij weet wat pijn is.

Hij slentert naar het Birkelundenpark, passeert het pas opgeknapte en met verse graffiti bespoten paviljoen. Een meeuw krijst. Er zijn veel meeuwen in Birkelunden. Hij heeft een hekel aan meeuwen en hij is niet de enige. Maar hij houdt van het park.

Met slepende tred passeert hij horizontale stelletjes, blote buiken, schuimende bierblikjes, walmende wegwerpbarbecues. Een oude man concentreert zich, werpt een zilverkleurige bal naar andere zilverkleurige ballen op het grind, waar een bronzen paard bij wijze van uitzondering van zijn rust geniet zonder door kinderen te worden lastiggevallen. De man mist. Hij doet niet anders.

Jij en ik, denkt Henning. We hebben veel gemeen.

De eerste regendruppel valt terwijl hij de Seilduksgaten in loopt. Na een paar stappen heeft hij de drukte van de wijk Grünerløkka achter zich gelaten. Hij houdt niet van rumoer. Hij houdt ook niet van Chelsea of van parkeerwachten, maar wat kan hij eraan doen? Er zijn veel parkeerwachten in de Seilduksgaten. Hij weet niet of sommigen van hen fan zijn van Chelsea. Maar de Seilduksgaten is zijn straat.

Hij houdt van de Seilduksgaten.

Terwijl de regen zachtjes op zijn hoofd trommelt, loopt hij recht de zon tegemoet die boven de oude zeilfabriek staat. Hij laat de druppels komen, knijpt zijn ogen tot spleetjes om de omtrekken te zien van wat hij tegemoet loopt. Een gigantische, gele hijskraan strekt zich uit naar de hemel. Die staat er nu al een eeuwigheid. De wolken achter hem zijn nog steeds donker.

Henning nadert het kruispunt waar het verkeer op de Markveien in volle vaart van rechts nadert en hij bedenkt dat alles morgen anders kan zijn. Hij weet niet of dat een originele gedachte van hemzelf is of dat iemand die in zijn hoofd heeft geplant. Maar misschien wordt het nooit anders. Misschien worden alleen de stemmen en geluiden anders. Misschien roept er iemand. Misschien fluistert er iemand.

Alles, misschien. Of niets. En in de spanwijdte daartussen zit een wereld in zijn achteruit. Hoor ik daar nog bij, vraagt hij zich af. Is er nog plaats voor mij? Kan ik het opbrengen om ze weer tevoorschijn te halen, al die woorden, herinneringen en gedachten waarvan ik weet dat ze ergens diep in mij begraven zitten?

Hij weet het niet.

Er zijn veel dingen die hij niet weet.

Hij gaat zijn appartement binnen na de drie hoge trappen te hebben beklommen die naar zijn etage leiden. Boven het aangekoekte vuil in het houtwerk zweeft stof. Die opgang past goed bij de woning. Hij woont in een krot. Daar geeft hij de voorkeur aan, hij vindt niet dat hij een grootse ingang verdient, met riante garderobekasten, een keuken waar kasten en lades blinken als vers schaatsijs en het witgoed zichzelf reinigt, met delicate vloeren die uitnodigen tot een langzame dans, wanden vol met klassiekers en naslagwerken, hij verdient geen klok van houtsnijwerk of een Lilia-kandelaar van Georg Jensen of een sprei waar kolibrievoorhuid in zit verwerkt. Alles wat hij nodig heeft is een bed van 90 x 200, een koelkast en een plek om te gaan zitten als de duisternis invalt. Want invallen doet die.

Elke keer dat hij de deur achter zich sluit, krijgt hij het gevoel dat er iets mis is. Zijn ademhaling gaat sneller, hij krijgt het warm, zijn handen worden klam. Direct rechts in de gang staat een trapleer. Hij zet hem neer, gaat erop staan, pakt het zakje van postorderbedrijf Clas Ohlson dat op de versleten groene hoedenplank ligt en haalt er een doosje batterijen uit, hij strekt zijn arm uit naar de rookmelder, haalt de batterij eruit en vervangt die door een nieuwe.

Hij controleert of die werkt.

Terwijl zijn ademhaling langzaam rustiger wordt, klimt hij naar beneden. Hij is van rookmelders gaan houden. Hij is er zo dol op dat hij er wel acht heeft.

Hoofdstuk 2

Als de wekker afloopt, draait hij zich misnoegd snuivend om. Hij bevond zich midden in een droom die oplost zodra zijn ogen openglijden en het ochtendlicht binnenlaten. Er was een vrouw in zijn droom. Hij weet niet meer hoe ze eruitzag, maar ze was de Droomvrouw in eigen persoon.

Hij vloekt, komt overeind en kijkt om zich heen. Zijn blik blijft steken bij het doosje lucifers en de potjes medicijnen die zoals altijd op het nachtkastje op hem wachten. Hij zucht, slingert zijn benen uit bed en denkt dat het hem vandaag – vandaag – zal lukken.

Hij haalt diep adem, wrijft met zijn handen over zijn gezicht en begint met het eenvoudigste. De tabletten. Droog en vies. Hij neemt ze zoals gebruikelijk zonder water in, omdat dat het ergst is, hij dwingt ze langs zijn gehemelte en keel, wacht tot de stukjes in zijn slokdarm verdwijnen en het werk doen dat voor Hennings eigen bestwil is, zoals dokter Helge met grote overtuigingskracht beweert.

Hij zet het potje onnodig hard neer op het nachtkastje, alsof hij zichzelf wakker wil maken. Met een ruw gebaar grijpt hij het doosje lucifers. Langzaam schuift hij het omhulsel opzij en bekijkt de inhoud. Magere houten soldaten uit de hel. Hij haalt er een uit, kijkt naar de zwavel, de rode puntmuts van geconcentreerde slechtheid. Veiligheidslucifers, staat op het doosje.

Wat een veiligheid.

Hij drukt het dunne stokje tegen het doosje en wil afstrijken, maar zijn handen staken, hij kan ze niet bewegen, hij doet zijn best, verzamelt al zijn kracht in zijn handen, maar dat verrekte stokje weigert zich te verplaatsen, het begrijpt het niet, het laat zich niet imponeren, het zweet breekt hem uit, er komt een knoop in zijn borst, hij probeert adem te halen, maar het lukt niet, hij probeert het opnieuw, brengt het kleine zwaard des onheils van het doosje vandaan en wil er weer op los, maar hij merkt onmiddellijk dat zijn vechtlust niet meer dezelfde is en dat ook zijn wilskracht taant, en hij staakt zijn poging al voordat hij probeert zijn gedachten in daden om te zetten, hij bedenkt dat hij nodig moet ademhalen en onderdrukt de drang om het uit te schreeuwen.

Maar dat komt alleen doordat het nog zo idioot vroeg in de ochtend is. Arne, zijn bovenbuurman, slaapt misschien nog, ook al pleegt hij op elk uur van de dag gedichten van Halldis Moren Vesaas te declameren.

Henning zucht en legt het doosje voorzichtig neer, op precies dezelfde plek. Langzaam strijkt hij met zijn handen over zijn gezicht, hij betast de plekken waar zijn huid anders aanvoelt, zachter maar onregelmatiger. De littekens aan de buitenkant zijn niets vergeleken met die aan de binnenkant, denkt hij terwijl hij opstaat.

De stad die slaapt. Daar wil hij zijn. En daar is hij nu. Grünerløkka vroeg in de ochtend, voordat de wijk explodeert en de cafés aan de straat volstromen, voordat de vaders en moeders naar hun werk gaan, de kinderen naar de crèche en naar school en de fietsers in de Toftes gate door zoveel mogelijk rode stoplichten rijden. Maar nu zijn de eeuwig hongerige duiven vrijwel de enigen die wakker zijn.

Hij loopt langs de fontein op het Olav Ryes plass en luistert naar het waterspel. Hij kan goed luisteren. En geluiden herkennen. Hij onderscheidt de stilte van het stromende water en denkt dat het vandaag de laatste dag van de aarde kan zijn. Als hij zijn best doet, weet hij zeker dat hij voorzichtige strijkinstrumenten kan horen en een donkere cello, die zich langzaam tegen elkaar aan vlijen en om elkaar heen wentelen, elkaar toestaan naderbij te komen en geleidelijk aan gezelschap krijgen van pauken die het naderend onheil voorspellen.

Maar hij heeft geen tijd om nu de ochtendmuziek op zich in te laten werken, want hij is op weg naar zijn werk. Die gedachte alleen al doet zijn benen aanvoelen alsof ze van rubber zijn. Hij weet niet of Henning Juul nog bestaat, de man die vier banen per jaar kreeg aangeboden, die zwijgende bronnen tot zingen wist te brengen, die een dag – alleen voor hem – vroeger kon laten beginnen, omdat hij op jacht was en licht nodig had.

Hij weet wat hij was.

Heeft Halldis Moren Vesaas ook een gedicht voor iemand als ik, vraagt hij zich af. Vast wel.

Halldis heeft voor iedereen een gedicht.

Hij blijft staan als hij de gigantische gele kolos aan het begin van de Urtegata ziet. Vanwege het enorme logo van Securitas op de gevel denkt iedereen dat het hele gebouw van het beveiligingsbedrijf is, maar ook particuliere firma's en overheidsinstanties hebben er kantoren. Dat geldt eveneens voor *123nieuws*, waar Henning werkt, een internetkrant die zichzelf promoot met de slogan 'Nieuws in 1 2 3'.

Hij weet niet of dat nu zo'n bijzonder goede slogan is, maar om dergelijke dingen maakt hij zich niet druk. Ze zijn aardig voor hem geweest, hebben hem de tijd gegeven om zijn draai weer te kunnen vinden, om zijn hoofd op orde te krijgen.

Een hek met drie meter hoge, zwarte punten rijst voor het gele gebouw op. De poort maakt deel uit van het hek en glijdt langzaam opzij terwijl een auto van Loomis naar buiten rijdt. Hij passeert een klein, leeg portiershok en wil de toegangsdeur nemen. Die zit dicht. Hij kijkt door de glazen deur naar binnen. Niemand in de buurt. Hij drukt op een knop van geborsteld staal waarboven RECEPTIE staat. Een bitse vrouwenstem roept: 'Ja.'

'Hallo,' zegt hij, en hij schraapt zijn keel. 'Kun je me binnen laten?'

'Heb je een afspraak?'

'Ik werk hier.'

Het blijft een paar seconden stil.

'Ben je je keycard vergeten?'

Hij moet nadenken. Wat voor keycard?

'Nee, die heb ik niet.'

'Iedereen heeft een keycard gekregen.'

'Ik niet.'

Het wordt weer stil. Hij wacht op een vervolg dat nooit komt.

'Kun je me binnenlaten?'

Een driftig gezoem doet hem opschrikken. De deur bromt. Hij trekt hem knullig naar zich toe, gaat naar binnen en kijkt omhoog naar het plafond. Zijn ogen vinden snel een rond dingetje. Hij wacht tot er een rood lampje oplicht.

De grijze leistenen op de vloer zijn sinds de vorige keer vernieuwd. Eigenlijk is het meeste nieuw, als hij erover nadenkt. Hij ziet grote planten in nog grotere potten, witgekalkte wanden met kunst waar hij niets van begrijpt. Ze hebben nu ook een kantine, ziet hij, die direct bij binnenkomst links van een glazen deur ligt. De receptie is daar tegenover, ook daar een glazen deur. Hij opent de deur van de receptie en gaat naar binnen. Nog een dingetje aan het plafond. Prima.

Een vrouw met rood haar in een paardenstaart zit achter de balie en maakt een beledigde indruk. Ze tikt geagiteerd op een toetsenbord. Het licht van het scherm schijnt op haar chagrijnige gezicht. Achter haar zijn postbakjes die uitpuilen van de papieren, brochures, pakjes en mailings. Een tv-scherm dat aan een pc gekoppeld zit, hangt aan de muur. De voorpagina van de krant knalt hem tegemoet. Hij leest de kop van het hoofdartikel:

VROUW DOOD GEVONDEN

Ook de lead pikt hij nog op:

Vrouw dood aangetroffen in een tent op de Ekebergsletta.
Politie gaat uit van moord.

De redactie heeft nog niets met het item gedaan, denkt hij, aangezien in de kop en de lead dezelfde informatie staat. De verslaggevers zijn ook nog niet uitgerukt. Het artikel is geïllustreerd met een foto van afzetlint op een heel andere plaats delict.

Origineel.

Henning wacht tot ze hem aankijkt. Dat gebeurt niet. Hij loopt naar voren, zegt hallo. Ze slaat haar ogen op. Eerst kijkt ze hem aan alsof hij naar haar uithaalt, vervolgens het onvermijdelijke. Haar mond valt open, haar blik neemt het in zich op, zijn gezicht, de brandwonden, de littekens. Ze zijn niet groot, niet aanstootgevend groot, maar groot genoeg om mensen een paar tienden van een seconde te lang naar hem te laten gluren als hij zich in dezelfde ruimte bevindt.

'Ik heb kennelijk een keycard nodig,' zegt hij, zo beleefd mogelijk. Ze staart hem nog steeds aan, maar dan drukt ze zichzelf uit de luchtbel waarin ze haar toevlucht heeft gezocht. Ze begint te rommelen in de papieren die voor haar liggen.

'Eh, ja. Eh... wat is de naam?'

'Henning Juul.'

Ze verstijft en kijkt hem weer aan. Het lijkt een eeuwigheid te duren voor ze zegt: 'Dus jij bent het.'

Hij knikt verlegen. Ze trekt een la open, rommelt in weer andere papieren en haalt ten slotte een kaarthouder en een keycard tevoorschijn.

'Je krijgt een tijdelijke. Het duurt even om een nieuwe te maken en je moet je laten registreren in het portiershok buiten zodat jezelf de poort

kunt openen en... nou ja, je weet wel. De code is 1221. Gemakkelijk te onthouden.'

Ze reikt hem de kaart aan.

'En dan moet ik nog een foto van je maken.'

Hij kijkt haar aan.

'Een foto?'

'Ja. Voor op de keycard. En voor je *byline* in de krant. Zo slaan we twee
vliegen in een klap, als het ware, ha ha.'

Ze probeert te glimlachen, maar ze komt niet verder dan een zwak getril
met haar lippen.

'Ik heb een fotocursus gevolgd,' zegt ze, alsof ze zijn scepsis voor wil zijn.
'Blijf daar even staan, dan regel ik de rest.'

Van achter de balie duikt een camera op. Die is bevestigd aan een statief.
Ze draait hem op de juiste hoogte. Henning weet niet waar hij naar moet
kijken, dus hij staart recht voor zich uit.

'Zo, ja. Probeer te glimlachen!'

Glimlachen. Hij kan zich niet meer herinneren wanneer hij dat voor het
laatst heeft gedaan. Ze drukt snel drie keer achter elkaar af.

'Mooi! Ik heet Sølvi,' zegt ze en ze steekt haar hand uit boven de balie. Hij
neemt die aan. Zachte, fijne huid. Hij kan zich niet meer herinneren wanneer hij voor het laatst zo'n zachte, fijne huid tegen de zijne voelde. Haar
handdruk is precies ferm genoeg. Hij kijkt haar aan en laat los.

Als hij zich omdraait om te vertrekken, vraagt hij zich af of ze de glimlach kon zien die zich bijna om zijn lippen had gevormd.

Hoofdstuk 3

Henning gebruikt de spiksplinternieuwe keycard op zijn weg van de receptie naar de tweede verdieping maar liefst drie keer. Afgezien van het feit dat de redactie daar nog steeds zit, herinnert niets hem aan de ruimte waar hij zich nu bijna twee jaar geleden thuis had gevoeld. Alles is nieuw, tot en met het tapijt. Grijze en witte vlakken, ze hebben zelfs een keukentje en hij wil wedden dat er schone glazen en kopjes in de kast staan, en overal zijn flatscreens, op de tafels en aan de wand.

Hij kijkt om zich heen. Vier ronde dingetjes. In elk geval twee rode apparaten met schuim. Goed. Voldoende althans.

Het vertrek heeft een lange L-vorm. De bureaus staan tot aan de ramen, tafels en stoelen achter schermen van gekleurd glas. Er zijn privékantoortjes van een paar vierkante meter voor het geval je zonder toehoorders of ophef een interview wilt afnemen. Er zijn wc's. Zelfs voor gehandicapten, ook al heeft hij nog niemand anders met gebreken gesignaleerd. Maar dat zal wel in de voorschriften staan. Een koffieautomaat hadden ze altijd al, maar nu hebben ze een echte koffiemachine. Eentje die negenentwintig seconden nodig heeft voor een kop lekkere, zwarte koffie en geen vier.

Henning houdt van koffie. Je kunt geen goede journalist zijn als je niet van koffie houdt.

Onmiddellijk herkent hij de maalstroom weer. Diverse buitenlandse tv-zenders brengen hetzelfde nieuws, steeds opnieuw. Alles is *breaking news*. De aandelenkoersen glijden onder aan het scherm voorbij. Een batterij tv-schermen laat zien wat NRK en TV2 te melden hebben op hun ongewoon ouderwetse, maar nog steeds springlevende teletekstpagina's. De berichten van de nieuwszender draaien in een loop. Ook hebben ze een *ticker* die de essentie van een zaak in één zin vertelt. Hij hoort het karakteristieke geluid van een politieradio, alsof R2-D2 uit *Star Wars* met regelmatige tussenpozen doorkomt vanuit een sterrenstelsel hier heel ver vandaan. *Non-stop Nieuws* van NRK klinkt op laag volume uit een radio die ergens in het vertrek staat.

Nog niet helemaal uitgeslapen verslaggevers rammelen op een toetsenbord, telefoons gaan over, zaken worden besproken, invalshoeken voorgesteld. In de hoek bij het bureau waar alle stof wordt herkauwd, gewogen, verworpen, bejubeld, opgepoetst of ingrijpend gewijzigd, ligt een lading kranten – papieren kranten, nieuwe en oude – waar net gearriveerde journalisten zich op storten om de inhoud tot zich te nemen terwijl ze van hun eerste kop koffie nippen.

Het is de gebruikelijke gecontroleerde chaos. Toch voelt het allemaal vreemd. De vertrouwdheid die hij na het jarenlange werken op straat, in het veld, voelde wanneer hij bij een plaats delict arriveerde en zijn natuurlijke plek wist te vinden, is als het ware verdampt. Dit hoort allemaal bij een andere tijd, een andere era.

Het is alsof hij weer een groentje is. Alsof hij deelneemt aan een toneelstuk waarin hij de rol van Stumper vervult. De figuur die door iedereen ontzien wordt, die door iedereen geholpen moet worden om weer op te krabbelen. En ook al heeft hij, behalve met Sølvi, nog met niemand een woord gewisseld, hij heeft het gevoel dat niemand er vertrouwen in heeft. Henning Juul zal nooit meer de oude worden.

Hij neemt kleine stapjes, probeert mensen te herkennen. Gezichten. Het enige wat over is zijn gezichten en brokstukken uit een oud boek dat hij dacht nooit meer open te zullen slaan. Dan ziet hij Kåre.

Kåre Hjeltland buigt zich over een bureaujournalist heen. Kåre is de nieuwsredacteur van *123nieuws*. Hij is een kleine, magere kerel met borstelig haar en een onvoorstelbare betrokkenheid die Henning bij niemand anders is tegengekomen. Kåre is een Duracelkonijn op speed dat aan honderd zaken tegelijk kan denken en bij praktisch alles een batterij aan invalshoeken kan verzinnen.

Daarom is hij de nieuwsredacteur. Als het aan Kåre had gelegen, zou hij van alle afdelingen redactiechef zijn, en ook nog eens eindredacteur. Bovendien lijdt hij aan het syndroom van Gilles de la Tourette, niet bepaald de eenvoudigste ziekte als je een redactie leidt en tegelijkertijd een sociaal leven wil onderhouden.

Maar Kåre speelt het klaar, ondanks de tics. Henning weet niet hoe, maar Kåre speelt het klaar.

Kåre heeft hem nu gezien, zwaait naar hem en steekt een vinger de lucht in. Henning knikt en blijft rustig staan terwijl Kåre de bureaujournalist instructies geeft.

'En dan zet je dát in de lead. Dat is het meest opvallende, niet dat de tent wit was en in maart bij Maxbo was gekocht. Snap je?'

'Maxbo verkoopt geen tenten.'

'Nee, nee. Maar je snapt wel wat ik bedoel. En zet er meteen in het begin al in dat ze weinig kleren aan had toen ze werd gevonden. Dat is belangrijk. Schotel de lezers een sexy plaatje voor. Laat ze maar wat fantaseren.'

De jongeman achter het bureau gehoorzaamt met een knikje. Kåre slaat hem op zijn schouder en draaft vervolgens Henning tegemoet. Hij struikelt bijna over een snoer dat op de vloer ligt, maar blijft overeind. Hoewel hij nog maar een paar meter van Henning verwijderd is, schreeuwt hij.

'Henning! Goed je weer te zien! Welkom terug!'

Kåre steekt zijn vuist uit en wacht niet tot Henning hetzelfde doet. Hij trekt Hennings arm naar zich toe en schudt hem hartelijk de hand. Henning krijgt het op slag warm.

'Nou, hoe gaat het?' schreeuwt hij. 'Ben je weer klaar voor de jacht?'

Henning krijgt opeens behoefte aan oorbeschermers.

'Ik ben er in elk geval,' zegt hij.

'Geweldig! Geweldig! We hebben mensen als jij nodig, mensen die weten hoe je lezersvriendelijke stukken moet schrijven. Prima! Zonder lul is het prul! Kut en pik, dikke mik!'

Kåre lacht luid en trekt een raar gezicht, maar blijft lachen. Kåre heeft vroeger veel koppen op rijm gemaakt. Hij houdt van rijmen.

'Ahum. Ik dacht dat je misschien een plekje wilde bij de rest van de afdeling.'

Kåre pakt Henning bij de arm en trekt hem mee langs een roodgekleurde glazen wand. Zes pc's, drie aan weerszijden van een vierkante tafel, staan tegenover elkaar. Achter de tafel, op een eenzaam eiland, ligt minstens een ton kranten.

'Er is het een en ander veranderd, zoals je misschien hebt gezien, maar ik heb niets aan jouw werkplek veranderd. Die is nog net als vroeger. Na wat er gebeurd is dacht ik dat je... eh... zelf wilde kijken of je wat wilt weggooien.'

'Weggooien?'

'Ja. Of verplaatsen. Of... je weet wel.'

Hij kijkt weer om zich heen.

'Waar zijn de anderen?'

'Welke anderen?'

'De anderen van de afdeling.'

'Hoe moet ik dat verdomme weten, krijg de neten. O ja, trouwens. Heidi is er. Heidi Kjus. Ik heb haar ergens gezien. Zij is nu chef binnenland.'

Henning voelt een steek in zijn borst. Heidi Kjus!

Heidi was een van de eerste oproepkrachten van de School voor Journalistiek die hij zo'n vijfenenegentigduizend jaar geleden onder zijn hoede had genomen. Meestal zitten de kersverse rekruten zo boordevol dingen die ze op school hebben geleerd dat ze vergeten wat het belangrijkste is voor een goede journalist: fatsoen en gezond verstand. Als je bovendien nieuwsgierig van aard bent en je niet meteen laat afschepen met de eerste de beste waarheid, ben je al een heel eind op weg. Maar als je een verdomd goede verslaggever wil worden, moet je ook een beetje een klootzak zijn, maling aan dingen hebben en genoeg energie bezitten om het vol te kunnen houden, je moet tegenslagen kunnen incasseren maar nooit opgeven als je een goede zaak ruikt.

Heidi Kjus had dat allemaal. Vanaf de allereerste dag. Ze had bovendien een drive die Henning nog niet was tegengekomen. Om te beginnen was geen enkele zaak te klein of te groot, en het duurde niet lang of ze had zelf al bronnen gevonden en ervaring opgedaan. Toen ze geleidelijk aan begreep dat ze het kon, smeerde ze 's ochtends behalve een laag make-up ook een portie arrogantie op haar gezicht.

Sommige journalisten hebben een aura om zich heen, een instelling die ze naar de buitenwereld uitstralen met de boodschap: 'De baan die ik heb, is de belangrijkste van de hele wereld. En niemand doet hem beter dan ik.' Heidi Kjus keek op tegen mensen met spitse ellebogen en kreeg ze al snel zelf ook. Ze veroverde een plek voor zichzelf, zelfs toen ze nog oproepkracht was. Ze stelde eisen.

Henning werkte bij *Nettavisen* toen Heidi haar opleiding had afgerond. Hij was misdaadverslaggever, maar droeg ook de hoofdverantwoordelijkheid voor de ontvangst en begeleiding van nieuwe journalisten en stagiairs, hij leerde hun de kneepjes van het vak, corrigeerde hen, duwde hen in de richting van het hogere doel, namelijk het kweken van een nijvere bij die niet tot in de details geïnstrueerd hoeft te worden om topartikelen te leveren die veel hits opleveren.

Dat aspect van zijn werk beviel hem. En *Nettavisen* was voor velen een prima start, ook al waren de meesten zich er niet van bewust dat ze in een Formule 1-racewagen werden gezet in een mediacircus waarin de snelheid elke dag toenam terwijl de straten steeds smaller werden. Velen waren niet geschikt voor dat leven, voor die manier van denken en werken. Bijkomend probleem was dat een veelbelovende internetjournalist vrijwel meteen naar elders verdween zodra zijn begeleiding vruchten begon af te werpen. Vanwege een aanbod van een andere baan, een vaste betrekking ergens anders.

Heidi was al na vier maanden verdwenen. Ze kreeg een aanbod van *Dagbladet* dat ze niet kon weigeren. Hij begreep haar wel. *Dagbladet* had een veel hogere status. Een beter salaris. Heidi wilde alles en het liefst zo snel mogelijk. En dat kreeg ze.

Nu zou zij zijn chef worden. Allemachtig, denkt hij.

Dat kan niet goed gaan.

'Goed om jou weer aan boord te hebben, Henning,' houdt Kåre vol. Henning bromt wat als antwoord.

'Over tien minuten begint het Ochtendgebed. Jij komt toch ook?'

Opnieuw gebrom.

'Geweldig! geweldig! Ik moet er nu vandoor. Een ander overleg.'

Kåre glimlacht, steekt zijn duim omhoog, draait zich om en vertrekt. Hij passeert een man, slaat ook die op zijn schouder en verdwijnt daarna om de hoek. Henning blijft hoofdschuddend staan. Hij gaat zitten op een stoel die kraakt en wiegt als een boot. Een rood notitieblok met het cellofaan er nog om ligt naast het toetsenbord. Vier pennen. Hij vermoedt dat geen ervan het doet. Prints van oude zaken liggen opgestapeld, hij herkent het researchmateriaal van de artikelen waar hij aan gewerkt heeft, een archaïsche mobieloplader neemt onnodig veel plaats in en hij ziet een stapel visitekaartjes. Zijn visitekaartjes.

Zijn blik blijft steken bij een ingelijste foto die schuin op het bureau rust. Er staan twee mensen op, een vrouw en een jongen.

Nora en Jonas.

Hij zit naar hen te kijken zonder ze echt te zien. Niet glimlachen. Alsjeblieft, niet glimlachen tegen mij.

Het komt goed, niet bang zijn. Ik zorg voor je.

Hij steekt zijn hand uit naar het lijstje, tilt het op en legt het neer met de foto op het bureaublad.

Ondersteboven.

Hoofdstuk 4

Het Ochtendgebed is de vergadering waarmee voor journalisten de dag begint. De kernactiviteit op een krantenredactie. Daar wordt het dagelijkse productieplan gemaakt en worden de taken verdeeld, daar wordt de prioriteit bepaald van de items op basis van criteria als actualiteit en belang en – in het geval van *123nieuws* – lezerspotentie.

Voorafgaand komen de afzonderlijke redacties bijeen. Sport, economie, cultuur, nieuws. Lijstjes worden opgesteld. Op dat niveau kan een overleg geniaal zijn. Een goed item ontstaat vaak dankzij de discussie met anderen, terwijl een ander voorstel wordt verworpen omdat men gezamenlijk tot de conclusie komt dat het geen goed item oplevert of omdat een concurrerende krant twee weken eerder een vergelijkbaar artikel had. Vervolgens komen de redacteuren bijeen om elkaar op de hoogte te brengen en om de eindredacteur te vertellen wat er die dag aan artikelen te verwachten valt.

Als er iets is wat Henning niet heeft gemist, dan is dat het Ochtendgebed. Nu al weet hij dat het tijdverspilling is. Het is de bedoeling dat hij zich met actueel nieuws gaat bezighouden. Misdaad, moord, rotzooi, geweld. Waarom moet hij dan aanhoren dat een uitgerangeerde handbalster een comeback overweegt? Of dat Bruce Springsteen gaat scheiden? Dat kan hij later wel in de krant lezen, als het hem interesseert en als mocht blijken dat de desbetreffende journalist de zaak heeft doorgeprikt. Vaak weten de diverse redacteuren niets van het vakgebied van de anderen, zodat de mogelijkheden voor een vruchtbare bespreking al bij voorbaat geëlimineerd zijn.

De redacteuren hebben weinig of geen geschikte achtergrondkennis om elkaar waardevolle tips te geven of voorstellen te doen voor nieuwe items, andere items, omdat ze zo in beslag genomen worden door hun eigen stokpaardjes en het segment waarin ze zelf werkzaam zijn. Toch houden de chefs vol dat dit soort besprekingen nuttig zijn en dus laat Henning zich meevoeren naar een vergaderruimte waar het rechthoekige tafelblad glimt als een opgepoetste spiegel. In het midden ervan staan een stapel plastic bekers en een karaf met water. Hij vermoedt dat het water er al een hele tijd staat.

De stoel waar hij op gaat zitten is niet gemaakt voor lange discussies. Hij vermijdt oogcontact met de anderen die aan dezelfde tafel plaatsnemen. Inhoudsloos geklets boeit hem niet, vooral omdat hij het gevoel heeft dat iedereen weet wie hij is en zich afvraagt waarom hij hier zit.

Waarom zit hij hier?

Hij is toch geen redacteur?

Ik had gehoord dat hij gek was geworden.

Kåre Hjeltland komt als laatste binnen en sluit de deur.

'Oké, dan beginnen we,' roept Kåre, waarna hij aan het hoofd van de tafel gaat zitten. Hij kijkt om zich heen.

'Moeten we nog op iemand wachten?'

Geen antwoord.

'Oké, dan beginnen we met het buitenland. Knut. Wat hebben jullie vandaag?'

Knut Hammerstad, de chef van de afdeling buitenland, schraapt zijn keel en zet zijn kop koffie neer.

'Binnenkort zijn er verkiezingen in Zweden. We maken een overzicht van de kandidaten voor het premierschap, wie ze zijn en waar ze voor staan. In Indonesië is een vliegtuig bij de landing gecrasht. Mogelijke terreuraanslag. Ze zijn op zoek naar de zwarte doos. Vier terreurverdachten zijn opgepakt in Londen. Klaarblijkelijk wilden ze het parlement opblazen.'

'Mooie kop!' brult Kåre. 'Vergeet die verkiezingen in Zweden. Hou het item over het Indonesische vliegtuig klein. Dat interesseert toch geen hond, als er tenminste geen Noren aan boord waren.'

'Dat zullen we natuurlijk checken.'

'*Move on.* Zet in op die terreur. Zorg voor details, planning, uitvoering, hoeveel slachtoffers er hadden kunnen zijn, enzovoort.'

'We zijn al bezig.'

'Goed! Volgende?'

Naast Knut Hammerstad zit Rikke Ringheim. Rikke is chef van de seks- en roddelrubriek. Hun belangrijkste redactie.

Kåre gaat door. 'Rikke, wat hebben jullie vandaag?'

'We gaan praten met Carrie Olson.'

Rikke glimlacht trots en voldaan. Henning kijkt haar aan en vraagt zich af of het vraagteken dat zich op zijn gezicht aftekent zichtbaar is.

'Wie is dat in vredesnaam?' vraagt Kåre.

'Zij is de auteur van het boek *Zo krijg je tien orgasmen per dag*. Bestseller in de VS, nummer één van de Duitse en Franse toptien van de meest verkochte boeken. Ze is nu in Noorwegen.'

Kåre slaat zijn handen op elkaar. Het knalt de kamer in.

'Fantastisch!'

Rikke glimlacht tevreden.

'En ze heeft ook nog Noorse roots.'

'Nog beter! Nog meer?'

'We zijn bezig met het onderzoek "Hoe vaak hebben we seks?" Het levert al heel veel hits op.'

'Daar interesseren de mensen zich ook voor. Het trekt lezers aan. Die zich daarna gaan aftrekken. Ha ha.'

'We hebben nog een andere populair item: een seksuoloog die zegt dat seks prioriteit moet hebben in een relatie. Misschien brengen we dat later vandaag.'

Kåre knikt.

'Heel goed, Rikke.'

Hij snelt door.

'Heidi?'

Het was Henning niet opgevallen dat Heidi Kjus aanwezig was, maar nu ziet hij haar. Ze is nog even mager als vroeger, haar jukbeenderen zijn duidelijk zichtbaar, de make-up rond haar holle ogen is veel te kleurig en haar lipgloss doet hem denken aan vuurwerk en slechte champagne. Ze leunt naar voren en kucht.

'Wat bij ons het hoofdnieuws is, mag duidelijk zijn. De moord op de Ekebergsletta. Ik heb net de bevestiging gekregen dat het inderdaad om moord gaat, en bovendien een zeer gewelddadige. De politie geeft later vandaag een persconferentie. Iver gaat er meteen heen en zal er de rest van de middag en avond aan werken. Ik heb al met hem gesproken.'

'Mooi! Henning kan zeker wel mee naar die persconferentie. Dat is toch goed, Henning?'

Hij schrikt op bij het horen van zijn naam. Hij bromt. Het klinkt vragend. Hij vindt het klinken als een negentigjarige die dringend een gehoorapparaat nodig heeft.

'De moord op de Ekebergsletta. Persconferentie later vandaag. Dat is toch mooi voor jou om mee te beginnen.'

In vier seconden van negentig naar vier. Hij kucht.

'Ja , jazeker.'

Hij hoort een stem, maar herkent die niet als de zijne.

'Prima! Jullie kennen Henning Juul wel, neem ik aan. Hij heeft geen nadere introductie nodig. Iedereen weet wat hij heeft meegemaakt, dus het is prettig als jullie hem hartelijk willen ontvangen. Niemand die dat meer verdient dan hij.'

Het wordt stil. De binnenkant van zijn gezicht brandt. Hij heeft het gevoel dat er twee keer zoveel mensen zijn als tien seconden geleden. En ze kijken hem allemaal aan. Hij krijgt zin om op te staan en weg te lopen. Maar dat gaat niet. In plaats daarvan richt hij zijn blik op een punt op de wand, zodat ze misschien zullen denken dat hij iemand anders aankijkt.

'De tijd vliegt! Ik moet naar een andere vergadering. Nog vragen voordat jullie aan de slag gaan?'

Kåre richt zich tot de eindredacteur, een kerel met een zwart brilmontuur die Henning nog nooit heeft gezien. De eindredacteur wil wat zeggen, maar Kåre is al opgesprongen.

'Dan zijn we klaar.'

Hij loopt weg.

'Ole en Anders, sturen jullie me de lijst toe?'

De stem van de eindredacteur klinkt iel. Hij krijgt geen antwoord. Henning is aanvankelijk opgelucht dat het Ochtendgebed ten einde is, maar dan worden de stoelen aangeschoven en ontstaat er gedrang bij de deur, hij krijgt het gevoel dat iemand hem in zijn nek blaast, mensen geven hem per ongeluk een duw, in de drukte wordt het moeilijk om adem te halen, maar hij slaagt erin naar buiten te gaan zonder iemand weggeduwd te hebben, zonder in paniek te zijn geraakt.

Opgelucht haalt hij adem. Hij voelt dat zijn voorhoofd warm is.

Nu al een moord, denkt Henning. Hij had gehoopt op een wat rustiger start, dat hij de komende dagen op zijn gemak had kunnen wennen aan de sfeer, zich een beetje inlezen, nagaan wat er de afgelopen tijd heeft gespeeld, een paar oude bronnen bellen om het contact te herstellen, weer vertrouwd raken met de publiciteitsmachine en de procedures van de krant, weten waar alles staat, een praatje maken met degenen met wie hij moet samenwerken en zijn hoofd geleidelijk weer leren om te denken, om in termen van nieuwsgaring te denken.

Nu komt van dat alles niets terecht.

Hoofdstuk 5

Hij is op het ergste voorbereid als hij een paar minuten later naar zijn plaats gaat. Zonder dat ze hem schijnbaar heeft zien komen, draait Heidi Kjus haar stoel zodanig dat ze hem recht aankijkt op het moment dat hij zijn plaats heeft bereikt. Ze komt overeind, toont hem haar mooiste Colgate-glimlach en steekt haar hand uit.

'Dag Henning.'

Zakelijk. Beleefd. Vals glimlachend. Hij besluit het spelletje mee te spelen. Hij neemt haar hand aan.

'Dag Heidi.'

'Fijn dat je er weer bent.'

'Het is inderdaad fijn om hier weer te zijn.'

'Mooi... eh, ja, dat is mooi.'

Henning neemt haar op. Zoals altijd wordt haar blik gekenmerkt door ernst, ze is ambitieus, voor haar eigen en andermans bestwil. Hij kan zich aardig goed voorstellen wat ze denkt: *Henning, lang geleden was jij mijn chef. Nu zijn het andere tijden. Nu ben ik jouw chef. Ik verwacht van jou, blablabla.*

Hij is verbaasd dat die vermaning uitblijft. In plaats daarvan weet ze hem andermaal te verrassen.

'Het was akelig om te horen... wat er gebeurd is. Ik wil alleen maar zeggen dat als je iets nodig hebt, als je meer tijd nodig hebt om te verwerken wat er is gebeurd, dan moet je dat gewoon zeggen. Oké?'

Haar stem klinkt warm als een rotsblok op een zonnige middag. Hij bedankt haar voor haar attentheid, maar voor het eerst sinds onheuglijke tijden voelt hij de behoefte om weer aan de slag te gaan.

'Dus Iver gaat naar de persconferentie?' zegt hij.

'Ja. Iver heeft tot gisteravond laat zitten werken, dus hij gaat er rechtstreeks naartoe.'

'Wie is Iver?'

Heidi kijkt hem aan alsof hij gezegd heeft dat de aarde plat is.

'Hou je me voor de gek?'

Hij schudt zijn hoofd.

'Iver Gundersen? Weet je niet wie Iver Gundersen is?'

'Nee.'

Heidi onderdrukt de neiging om in lachen uit te barsten. Ze vermant zich, alsof ze heeft begrepen dat ze het tegen een klein kind heeft.

'We hebben Iver vorig jaar zomer bij de netkrant van VG weggehaald.'

'Ja, en?'

'Hij leverde daar goed werk en die ontwikkeling heeft zich bij ons voortgezet. Ik weet dat TV2 hem dolgraag wil inlijven, maar tot nog toe is Iver loyaal gebleven aan ons.'

'Juist. Hoog salaris, zeker.'

Heidi kijkt hem aan alsof hij gevloekt heeft in de kerk.

'Eh, dat weet ik niet precies, maar...'

Henning knikt en doet alsof hij luistert naar de daarop volgende argumenten. Hij heeft ze eerder gehoord. Loyaliteit. Een uitgehold begrip in de journalistieke wereld. Met een beetje welwillendheid kan hij zeggen dat hij misschien twee personen kent die hij als loyaal zou willen omschrijven. De rest bestaat uit carrièremakers, die zodra de gelegenheid zich voordoet de ene dik betaalde baan voor een nog beter betaalde verruilen, of uit stumpers die zo slecht zijn dat ze nergens anders kunnen werken. Wanneer een ongelauwerde journalist van de netkrant van VG wordt gehaald om bij een concurrent te komen werken en vervolgens een aanbod van TV2 afslaat, heeft dat gegarandeerd met geld te maken. Het draait altijd om geld.

Hij hoort dat Heidi hoopt dat hij met Iver overweg zal kunnen. Henning knikt en bromt. Hij kan goed brommen.

'Jullie moeten op de persconferentie maar kennismaken en afspreken hoe je de zaak wilt aanpakken. Het is nogal heftig.'

'Wat is er dan gebeurd?'

'Volgens mijn bron is het slachtoffer gestenigd en bijna helemaal begraven in een tent aangetroffen. Ik vermoed dat de politie heel wat theorieën heeft. Het ligt in elk geval voor de hand dat ze denken aan allochtone milieus.'

Hij knikt terwijl hij bedenkt dat hij niet houdt van voor de hand liggende theorieën.

'Hou me op de hoogte van wat jullie doen,' zegt ze. Hij knikt opnieuw en kijkt naar het notitieblok dat nog ingepakt in cellofaan op zijn bureau ligt. Met een vastberaden handbeweging scheurt hij het plastic kapot en pro-

beert een van de vier pennen die ernaast liggen. Die doet het niet. Hij probeert de andere drie.

Shit.

Hoofdstuk 6

Het is niet ver van de Urtegata naar het politiebureau in de wijk Grønland waar de persconferentie zal worden gehouden. Hij neemt de tijd en slentert op zijn gemak door het gebied dat Sture Skipsrud, de hoofdredacteur, betitelde als 'het Mekka van de pers' toen *123nieuws* zich er vestigde. Henning weet nog dat hij dat een goede typering vond. Behalve hun eigen krant zetelt *Nettavisen* daar, het hypermoderne kantoor van *Dagens Næringsliv* is vlakbij en Mekka neemt in vrijwel elk woonhuis in de omgeving een bijzondere plaats in. Als je het asfalt en het aantal graden Celsius wegdenkt, zou je net zo goed in Mogadishu kunnen zijn. De geur van verschillende soorten kruiden komt je op elke straathoek tegemoet.

Henning herinnert zich de laatste keer dat hij dezelfde weg liep. Een man die hij een interview had afgenomen, besloot een paar uur later zelfmoord te plegen en zowel de politie als de familie van het slachtoffer vroeg zich af of hij iets had gezegd of aangeroerd wat de man in kwestie moeilijk te verkroppen had gevonden.

Henning ziet hem nog voor zich. Paul Erik Holmen, ergens in de veertig. Holmen werkte bij een bedrijf waar een bedrag van meer dan twee miljoen kronen op mysterieuze wijze uit de kas was verdwenen. Henning had gesuggereerd dat de extravagante vakantie die Holmen onlangs had genoten en de renovatie van zijn vakantiehuis in Eggedal daar iets mee te maken hadden. Henning had vanzelfsprekend uitzonderlijk goede bronnen. Holmens slechte geweten en zijn angst om in de cel te belanden werden hem te veel en daardoor belandde Henning in een van de vele verhoorkamers op het politiebureau.

Hij was er al snel weer uit, maar een drietal jaloerse journalisten vond dat het een kort bericht waard was. Op zich prima, hij kon de nieuwswaarde ervan begrijpen, maar ook al had Holmen zichzelf waarschijnlijk hoe dan ook van kant gemaakt, dat soort berichten heeft de vervelende eigenschap aan je vast te blijven kleven.

Het menselijke geheugen is in het gunstigste geval selectief, als het al niet volledig faalt, en wanneer een verdenking eenmaal is geuit, is er maar weinig voor nodig om een gerucht in een waarheid en de verdenking in een veroordeling te veranderen. Hij heeft veel moordzaken verslagen waarbij een verdachte wordt verhoord (conclusie: gearresteerd), bij voorkeur iemand uit de directe omgeving (conclusie: dus hij heeft zijn vrouw vermoord), alle bewijzen wijzen in zijn richting, en dan komt de volgende dag de waarheid boven tafel. In de tussentijd hebben de media alles gedaan wat ze konden om uit het verleden van de betrokkene nagels te verzamelen waarmee zijn doodskist definitief dichtgespijkerd kan worden.

Op korte termijn is de waarheid een goede vriend, maar de achterdocht verdwijnt nooit. Niet bij mensen die je niet kent. Mensen onthouden dingen ook omdat ze die willen onthouden. Henning vermoedt dat er ergens iemand rondloopt die zijn rol in de laatste acte uit het leven van Paul Erik Holmen nog niet is vergeten. Maar dat kan hem niet schelen. Hij kan zonder bezwaar leven met wat hij heeft gedaan, ook al kreeg hij van de politie een reprimande omdat hij zich met hun zaken had bemoeid.

Maar daaraan is hij gewend.

Of liever gezegd, dat was hij.

Hoofdstuk 7

Het geeft een raar gevoel om het zilvergrijze gebouw aan de Grønlandsleiret 44 weer binnen te gaan. Er was een tijd dat het politiebureau praktisch zijn tweede thuis was. Zelfs de schoonmakers groetten hem. Nu probeert hij zich zo onzichtbaar mogelijk te maken, maar met littekens van brandwonden op zijn gezicht is dat niet eenvoudig. Hij voelt dat andere journalisten naar hem kijken. Maar Henning groet niet. Hij wil gewoon aanwezig zijn, horen wat de politie te zeggen heeft en dan weer teruggaan naar de redactie om een stuk te schrijven, als er tenminste iets te schrijven valt.

Hij is nog maar net in de hal aangekomen of hij blijft abrupt staan. Hij is totaal niet voorbereid op de aanblik van de vrouw die haar arm geslagen heeft om een man die alle uiterlijke kenmerken heeft van een journalist. Een donker corduroy jasje en de daarbij behorende arrogante uitstraling, alsof hij wil zeggen: Hebben jullie gezien wat ik gisteren heb geschreven? Hij heeft een baard van vier dagen die zijn gezicht donkerder doet lijken dan het is. Het dunne haar is met een natte kam achterover gekamd. Maar het gaat om de vrouw. Henning had nooit gedacht dat hij haar daar zou zien, op zijn eerste werkdag.

Nora Klemetsen. Hennings ex. De mama van Jonas.

Hij heeft haar niet meer gesproken sinds ze hem in het Sunnaasziekenhuis heeft bezocht. Hij is vergeten wanneer dat was. Misschien heeft hij het verdrongen. Maar haar blik zal hij nooit vergeten. Ze kon het niet opbrengen hem aan te kijken. Hij neemt het haar niet kwalijk. Ze had er alle recht toe. Jonas was bij hém, en hij was degene die hem niet had kunnen redden.

Hun jochie.

Hun lieve, lieve jochie.

Op dat moment waren ze al uit elkaar en ze was naar het ziekenhuis gegaan om de scheiding rond te maken, hem de papieren te laten ondertekenen en wat er nog meer bij kwam kijken. Ze kreeg haar zin. Zonder bijbedoeling, zonder vragen, zonder voorwaarden. Eigenlijk was hij opgelucht. Hij had haar niet om zich heen kunnen verdragen als een constante herinnering aan zijn eigen onvermogen. Elke blik, elk gesprek zou met die pen zijn opgetekend.

Ze zeiden die keer niet veel tegen elkaar. Hij had zin om haar alles te vertellen, wat hij had gedaan en wat niet, wat hij zich nog van het gebeurde herinnerde, maar steeds wanneer hij ademhaalde om iets te zeggen, was het alsof zijn mond was uitgedroogd en hij geen woord kon uitbrengen. Maar als ze weg was, spoog hij zijn woorden uit als een mitrailleur en dan knikte Nora, dan begreep ze het en ten slotte kwam ze naast hem zitten en liet hem uithuilen in haar schoot terwijl ze met haar vingers door zijn haar streelde.

Hij heeft gedacht dat hij de eerstvolgende keer dat hij haar zou zien een nieuwe poging moest wagen, maar dat zit er nu beslist niet in. Want hij is aan het werk. Zij is aan het werk. En bovendien hangt ze tegen een andere journalist aan en lacht ze.

Shit, shit, shit.

Henning had Nora Klemetsen ontmoet toen hij bij het tijdschrift *Kapital* werkte en zij nog maar net bij *Aftenposten* zat. Ze liepen elkaar tegen het lijf op een persconferentie in het kantoor van Aker Yards in de Fjordalléen 16. Het was een routineklus, geen dramatiek, gewoon een item met zo weinig sappige details dat het de volgende dag alleen een artikel van één kolom rechts op pagina 17 van *Finansavisen* opleverde en in *Dagens Næringsliv* slechts werd aangestipt.

Toevallig kwam hij tijdens die persconferentie naast Nora te zitten. Hij was daar vanwege een artikel over een van de hoogste bazen die drie weken later afscheid zou nemen. Ze sloegen zich al geeuwend door de persconferentie heen, barstten na een tijdje in lachen uit vanwege hun steeds minder geslaagde pogingen om te verhullen dat ze zich dood verveelden en besloten na afloop samen een borrel te gaan drinken om weer op verhaal te komen.

Ze hadden in die tijd allebei een relatie, zij woonde half serieus samen met een beursspecialist uit Nordstrand, terwijl hij een soort knipperlichtrelatie had met een chique advocate. Maar die eerste avond was zo leuk en probleemloos dat ze ook de volgende keer dat ze samen op een klus waren wat gingen drinken. Hij had heel wat verhoudingen gehad, maar nog nooit iemand ontmoet bij wie hij zich zo op zijn gemak voelde. Het was gewoon beangstigend op hoeveel terreinen ze dezelfde smaak hadden.

Ze hielden allebei van grove mosterd op hun knakworst, en niet de gebruikelijke mosterdsaus uit de knijpflacon. Geen van beiden hielden ze van tomaten, maar ze waren verzot op ketchup. Ze hielden van dezelfde soort films, dus er waren nooit lange discussies in de videotheek of voor de bioscoop. Geen van beiden wilden ze een warme zomer doorbrengen in het buitenland als ze net zo goed aan de rotsige kust van Noorwegen van verse garnalen konden genieten. Op vrijdag aten ze taco's. Je kon gewoon niet op een andere dag taco's eten.

Geleidelijk aan beseften ze beiden dat ze niet zonder elkaar konden leven.

Drieënhalf jaar later waren ze getrouwd, Jonas kwam exact negen maanden later en ze waren zo gelukkig als twee gestreste carrièremensen van achter in de twintig maar kunnen zijn bij wie elke dag een houten bord vol groeven en inkepingen is. Slaapgebrek, weinig ontspanning, minimaal begrip voor elkaars behoeften, zowel thuis als op het werk, steeds meer ruzie, steeds minder tijd en gelegenheid om bij elkaar te zijn. Ten slotte konden ze het geen van beiden meer opbrengen.

Ouders. Het mooiste en verschrikkelijkste dat je als mensen kunt zijn.

En nu heeft ze haar arm om die andere man geslagen. Onprofessioneel, denkt hij, om zich zo op een persconferentie te gedragen. Hij probeert een andere kant op te kijken, maar het lukt hem niet. En juist als Nora volop in lachen is uitgebarsten, ziet ze hem. De lach blijft steken, alsof haar keel opeens is afgeknepen. De tijd staat stil terwijl ze elkaar aankijken.

Hij wendt als eerste zijn blik af. Vidar Larsen, die bij persbureau NTB werkt, slaat hem op zijn schouder en zegt: 'Hé, ben je weer terug, Henning?' Hij knikt terwijl hij met Vidar meeloopt, hij zegt niets, maar zorgt ervoor om zo ver mogelijk bij Nora vandaan te blijven, hij kijkt niemand aan, houdt zijn blik omlaag gericht en volgt voeten en stappen naar een vertrek waar hij blindelings de weg weet. Hij neemt achter in de persruimte plaats, waar hij anderen in de nek kan kijken in plaats van andersom. Het wordt snel vol. Hij ziet Nora en Corduroy samen binnenkomen. Ze gaan naast elkaar zitten, tamelijk vooraan.

Opnieuw komen we elkaar tegen, Nora.

En weer op een persconferentie.

Hoofdstuk 8

Drie uniformen komen binnen, twee mannen en een vrouw. Henning herkent twee van hen onmiddellijk: Arild Gjerstad en Bjarne Brogeland.

Bjarne en Henning hadden op dezelfde school in Kløfta gezeten. Ze waren bepaald geen gezworen kameraden, want ze zaten niet in dezelfde klas. Destijds was dat op zich al voldoende reden om een hekel aan elkaar te hebben. Maar er was meer. Er was geen klik, ze deelden geen hobby's en zo.

Tegelijkertijd wist hij dat Bjarne een casanova was die al vroeg plannen had om zoveel mogelijk meisjes in zo kort mogelijke tijd te ontmaagden, en toen Bjarne regelmatig bij de familie Juul op de stoep verscheen, was het niet moeilijk om zijn bedoelingen te raden. Hennings zusje Trine had het gelukkig snel door, dus hij hoefde niet in actie te komen als de grote trotse broer, maar de scepsis die hij tegenover Bjarne voelde bleef hun hele jeugd tussen hen in staan.

En nu zit Bjarne bij de politie.

Henning wist dat trouwens wel, want halverwege de jaren negentig hadden ze tegelijkertijd gesolliciteerd bij de politieacademie. Bjarne werd toegelaten, Henning niet, hij viel al bij de eerste ronde af omdat hij behept was met allergieën voor ongeveer alles wat met pollen en huisdieren te maken had, en bovendien had hij als kind last gehad van astma. Maar Bjarne was in fysiek opzicht een robuuste vent. Prima ogen, sterk, groot uithoudingsvermogen. Toen hij jong was had hij aan atletiek gedaan en hij was een erg goede zevenkamper. Henning kan zich vaag herinneren dat Bjarne bij het polsstokhoogspringen boven de 4,50 meter kwam.

Maar dat Bjarne bij de afdeling Geweld- en zedendelicten was gegaan, was nieuw voor hem. Hij dacht dat Bjarne als observatierechercheur werkte, of 'bij Charlie', zoals men het op de recherche noemde, maar iedereen heeft op zijn tijd behoefte aan verandering. Nu zit hij op het podium over de verzamelde pers uit te kijken. Hij kijkt ernstig, *real business,* en ziet er knap uit in het strakke uniform. Henning vermoedt dat hij de vrouwen nog steeds om zijn vinger kan winden. Donker haar, kortgeknipt, licht grijzend bij de slapen, een kuiltje in zijn kin, witte tanden. Bruingebrand en gladgeschoren.

Bjarne IJdeltuit.

Een potentiële bron, denkt Henning.

Arild Gjerstad, de andere man op het podium, is lang en slank en heeft een dun snorretje waar hij voortdurend met een vinger overheen strijkt. Gjerstad werkte al bij de afdeling toen Henning als misdaadverslaggever begon, en kennelijk doet hij dat nog steeds. Gjerstad houdt niet van journalisten die slimmer denken te zijn dan rechercheurs en het moet gezegd, denkt Henning, ik ben daar een van.

De vrouw die in het midden heeft plaatsgenomen, commissaris Pia Nøkleby, controleert of de microfoon werkt en kucht.

Notitieblokken en pennen worden in gereedheid gebracht. Henning wacht even, want hij weet dat de eerste minuten meestal besteed worden aan introducties en herhalingen van reeds bekende feiten. Toch spitst hij zijn oren.

Dan gebeurt er iets verrassends. Hij voelt een minieme siddering in zijn lichaam. Voor iemand als hij, die de afgelopen twee jaar niets anders dan boosheid, zelfverachting en zelfmedelijden heeft gevoeld, is sidderen – in verband met zijn werk – iets wat dokter Helge ongetwijfeld een doorbraak zou noemen.

Hij hoort de hoge stem van de vrouw: 'Dank voor uw komst, en welkom op deze persconferentie in verband met de vondst van het lijk op de Ekebergsletta van hedenochtend. Mijn naam is Pia Nøkleby en naast mij zitten het hoofd van het rechercheteam Arild Gjerstad en inspecteur Bjarne Brogeland.'

Gjerstad en Brogeland knikken even naar de aanwezigen. Nøkleby houdt een hand voor haar mond, kucht en gaat weer verder: 'Zoals u al weet, zijn we een onderzoek begonnen nadat in een tent op de Ekebergsletta een vermoorde vrouw is aangetroffen. We kregen de melding vanochtend binnen om 6.09 uur. De vondst werd gedaan door een oudere man die zijn hond uitliet. Het slachtoffer is een drieëntwintigjarige vrouw uit de wijk Slemdal in Oslo en haar naam is Henriette Hagerup.'

Pennen krassen op papier. Nøkleby knikt Gjerstad toe, die dichter bij de tafel met de microfoon aanschuift. Hij schraapt zijn keel.

'Er is sprake van moord met voorbedachten rade onder zeer bezwarende omstandigheden. De dader is niet bekend. In deze fase van het onderzoek kunnen we nog weinig zeggen, zowel wat betreft de vondsten op de plaats delict als over de sporen die we mogelijk volgen, maar we kunnen wel onthullen dat de moord een ongebruikelijk gewelddadig karakter had.'

Henning noteert de opmerking 'ongebruikelijk gewelddadig'. In politie- en mediaterminologie wil dat zeggen dat de pers bepaalde details niet naar buiten mag brengen. Het heeft te maken met het beschermen van het publiek tegen de gruwelen waar gekken toe in staat zijn. En uiteraard hoeven de naaste betrokkenen niet uitgebreid in de krant te lezen hoe hun kind, zus, broer of ouder om het leven is gebracht. Maar dat wil niet zeggen dat de pers het dan ook niet hoeft te weten.

De persconferentie biedt verder weinig nieuws. Henning had het ook niet verwacht. Er is geen verdachte, het motief is onbekend en de politie is nog bezig sporen veilig te stellen op de plaats delict. Het is nog te vroeg om te bepalen of ze met die sporen verder kunnen of niet. Blablabla.

Gjerstads mededelingen, als je die zo mag noemen, zijn na tien minuten voorbij. Zoals gewoonlijk is er na afloop gelegenheid om vragen te stellen en gewoontegetrouw doen de journalisten hun best om haantje de voorste te zijn.

Het verbaast Henning elke keer weer. De Eerste Vraag, een eeuwige bron van afgunst en schouderklopjes later op de redactie. Zowel in eigen ogen als in die van verbazend veel anderen ben je een verdomd goede journalist als je erin slaagt als eerste je stem te laten klinken.

Hij heeft daar de grap nooit van in gezien, tenzij het iets met penislengte en dergelijke te maken heeft. Deze keer wint Guri Palme van TV2. Zij heeft weliswaar geen penis, maar ze is een knap blond meisje dat alle vooroordelen die dat met zich meebrengt, in haar voordeel heeft aangewend. Ze heeft iedereen verrast door ambitieus en slim te zijn en ze is absoluut op weg naar de top van de journalistieke hiërarchie.

'Wat kunt u vertellen over de omstandigheden rond de moord? De heer Gjerstad heeft in het begin aangegeven dat de moord ongebruikelijk gewelddadig was. In wat voor opzicht?'

Op uw plaatsen, klaar, af.

'Daar kan en wil ik op dit moment geen commentaar op geven.'

'Kunt u iets vertellen over de achtergrond van het slachtoffer?'

'Voor zover wij hebben kunnen nagaan studeerde het slachtoffer aan de Westerdals School of Communication. Ze had bijna het voorlaatste jaar van haar opleiding afgerond en werd beschouwd als een groot talent op haar vakgebied.'

'Welke vakgebied was dat?'

'Ze volgde de opleiding Film en tv, ze zou scenarist worden.'

Drie vragen zijn voldoende voor Guri Palme en het estafettestokje gaat naar de NRK. Henning vermoedt een teleurgestelde blik in de ogen van de journalist vanwege zijn tweede plaats, maar alleen zijn nek is zichtbaar. Toch doet Jørn Bendiksen, de man van de NRK, iedereen versteld staan.

'Er gaan geruchten dat er sprake is van eerwraak?'

Journalisten. Altijd in staat om een bewering als een vraag te laten klinken. Pia Nøkleby schudt haar hoofd.

'Geen commentaar.'

'Kunt u bevestigen dat het slachtoffer is gegeseld?'

Nøkleby houdt Bendiksens blik vast en werpt vervolgens Gjerstad een snelle blik toe. Henning moet inwendig glimlachen. Iemand heeft gelekt, denkt hij. En de politie weet het. Toch geeft Nøkleby professioneel antwoord.

'Geen commentaar.'

Geen commentaar.

Een zinnetje dat je minstens tien keer hoort op een persconferentie, vooral als het onderzoek nog in een vroeg stadium zit. 'Uit tactische overwegingen', heet het dan. De tactiek bestaat eruit dat iedereen, inclusief de dader, zo min mogelijk te horen krijgt over de sporen die de politie volgt en wat ze hebben gevonden, zodat ze in alle rust de noodzakelijke bewijzen kunnen vinden om een zaak op te bouwen.

Nøkleby en Gjerstad weten dat ze een toneelstukje opvoeren. Want de NRK heeft twee belangrijke puzzelstukjes weten te vinden, eerwraak en geseling. Bendiksen had deze twee vragen nooit en plein public tijdens een persconferentie gesteld als hij niet geweten had dat het klopte of dicht bij de waarheid was. Pia Nøkleby zet haar bril recht. Arild Gjerstad kijkt nu wat ongemakkelijk. Bjarne Brogeland, die tot nu toe nog niets heeft gezegd, probeert een houding aan te nemen die wat prettiger is voor zijn staartbotje.

Zo gaat het vaak. Journalisten weten meer dan de politie zou willen, wat in veel gevallen het onderzoek bemoeilijkt. Het is geen gemakkelijke dans, want beide partijen zijn voor goede resultaten van elkaar afhankelijk. En de journalisten moeten bikkelhard concurreren met alle anderen die hetzelfde nieuws willen brengen. De internetkranten publiceren in een tempo dat de levensduur van het nieuws sterk beperkt, het gaat er alleen maar om

Iets Nieuws te brengen. Daardoor wordt de druk op de politie steeds groter en zwaarder. Die moet meer tijd besteden aan de omgang met de media dan aan het doen wat ze het liefst zouden willen.

Nøkleby sluit de vragenronde af nadat P4, *VG* en *Aftenposten* aan de beurt zijn geweest, maar ze is nog niet klaar. De tv- en radiozenders zullen vervolgens interviews afnemen, om hun kijkers en luisteraars het gevoel van exclusiviteit te geven, waarin dezelfde vragen worden gesteld die al eerder aan bod zijn gekomen, zodat Nøkleby opnieuw de gelegenheid krijgt om...

Precies.

Elke keer hetzelfde toneelstukje. Iedereen weet dat het echte journalistieke werk na de persconferentie begint. Henning bedenkt dat hij Iver Gundersen moet zien te vinden om erachter te komen hoe ze deze zaak het best kunnen verslaan.

Want Henning is aan het werk.

Een heel raar idee.

Hoofdstuk 9

Een paar journalisten proberen na afloop nog wat vragen te stellen, maar het geüniformeerde trio poeiert hen vastberaden af. Na de persconferentie stromen de journalisten de zaal uit. Henning loopt zij aan zij met mensen bij wie hij niet in de buurt wil komen, hij wordt in de rug geduwd, botst zelf op tegen de vrouw voor hem, hij verontschuldigt zich zo zacht als hij kan opbrengen en verlangt naar een grotere ruimte met meer afstand.

Ze belanden in de hal en hij draait zich om om te zien of hij Iver Gundersen kan vinden. Dat zou ongetwijfeld gemakkelijker zijn geweest als hij had geweten hoe Gundersen eruitziet, want er zijn minstens vijftig journalisten aanwezig. Henning besluit dat hij beter Vidar van NTB kan zoeken om het hem te vragen, maar voordat hij ergens aan toe komt, verschijnt Nora weer in zijn blikveld. En hij in het hare.

Hij blijft staan. Nu kunnen ze een gesprek niet meer vermijden. Voorzichtig doet hij een stap in haar richting en ziet dat zij hetzelfde doet. Ze blijven een paar meter van elkaar verwijderd staan. Oog in oog. Alles wat hij ziet is een blik die een stortvloed onuitgesproken zinnen bevat.

'Dag Henning.'

Haar stem is als een ijzige wind. De klemtoon ligt op 'dag', zijn naam volgt op zachtere toon. Hij krijgt het gevoel dat ze spreekt tegen een wezen dat haar groot onrecht heeft aangedaan, maar met wie ze toch in contact moet blijven. Hij groet terug. Zijn blik heeft zich in haar vastgeboord. Ze ziet er nog net zo uit als vroeger, maar hij kan zien dat het verdriet vlak achter haar ogen zit en elk moment aan de oppervlakte kan komen.

Nora is kleiner dan gemiddeld, maar ze probeert dat met hoge hakken te compenseren. Ze heeft kort haar. Geen jongenskop, want in de nek is het niet kort geschoren, maar haar pony zit ruim boven haar ogen. Vroeger had ze lang haar. Maar het korte haar staat haar wel. De kleur van haar ogen zit tussen bruin en grijs in. De laatste keer dat hij haar zag, was ze bleek. Nu hebben haar huid en gezicht een gloed. Hij neemt aan dat dat misschien met Corduroy te maken heeft. Die gloed staat haar.

Goddomme, die staat haar.

Nora heeft een gezicht waarin veel persoonlijkheden schuil gaan. Als ze bang is, gaat haar mond open, haar tanden worden zichtbaar en haar ogen versmallen zich. Als ze boos is, trekt ze haar wenkbrauwen op, in haar voorhoofd komen rimpels en haar lippen worden smaller. En als ze glimlacht, explodeert haar hele gezicht, het wordt breder en je kunt niet anders dan zelf ook glimlachen. Raar hoe anders alles is geworden, denkt hij. Er was een tijd dat hij zich niet kon voorstellen hoe het was om zonder haar te moeten leven. Nu is het moeilijk om mét haar te leven.

'Ben jíj hier?' zegt hij, zonder de zenuwachtigheid te kunnen verbergen die zich in zijn keel heeft vastgezet.

'Ja,' is het enige dat Nora zegt.

'Geen Financiën meer?'

Ze beweegt haar hoofd, eerst naar links, dan naar rechts.

'Ik had behoefte aan iets nieuws, na...'

Ze zwijgt abrupt. Hij is blij dat ze de zin niet afmaakt. Hij wil haar zo graag naar zich toe trekken om dichter bij haar te komen, maar het is onmogelijk om die gedachte in een handeling om te zetten. Er staat een onzichtbare muur tussen hen in, en alleen Nora kan die slechten.

'Dus... dus je bent weer terug?'

'Vandaag voor het eerst,' zegt hij terwijl hij probeert te glimlachen. Ze bestudeert zijn gezicht. Het is alsof ze kijkt naar de plekken waar de vlammen houvast hebben gekregen, maar vindt dat ze niet zichtbaar genoeg zijn. Een paar meter achter haar ziet hij Corduroy staan. Hij slaat hen aandachtig gade. Hopelijk ben je jaloers, kloothommel.

'Hoe gaat het met je, Nora?' zegt Henning, ook al wil hij het antwoord eigenlijk niet weten. Hij wil niet weten dat ze opnieuw het geluk heeft gevonden, dat ze nu, eindelijk, weer vol verwachting naar de toekomst kan kijken. Hij weet dat hij haar nooit terug kan krijgen, of dat Dat Waar Hij Niet Aan Wil Denken kan verdwijnen. Toch wil hij niet dat ze uit zijn leven verdwijnt.

'Het gaat goed met me,' zegt ze.

'Woon je nog in Sagene?'

Ze aarzelt. Dan zegt ze: 'Ja.'

Hij knikt, denkt dat ze hem ergens tegen in bescherming wil nemen. Hij wil daar niet over nadenken, ook al heeft hij een vermoeden. Dan zegt ze het toch.

'Het is misschien beter dat je het nu hoort, en dat ik het je vertel,' begint ze. Hij haalt diep adem, zet een stalen verdedigingsconstructie op. Toch smelten de laspunten wanneer ze zegt: 'Ik heb weer een vriend.'

Hij kijkt haar aan, knikt en denkt dat het geen pijn zou moeten doen. Maar hij voelt zijn maag samenkrimpen.

'We zijn nu een halfjaar bij elkaar.'

'Mm?' bromt hij.

Ze kijkt hem weer aan. Voor het eerst sinds een heel lange tijd zit er warmte in haar blik. Het is echter de verkeerde warmte. Het is een verontschuldigende warmte.

'We willen gaan samenwonen.'

Opnieuw bromt hij.

'Ik hoop dat het goed met je zal gaan,' zegt hij. Ze geeft geen antwoord, glimlacht slechts voorzichtig naar hem. Het is goed om haar te zien glimlachen. Maar hij merkt dat hij er nu niet meer over kan horen, dus hij stelt het enige verdedigingsmechanisme dat hij kent in werking.

'Weet je misschien ook wie Iver Gundersen is?' zegt hij. 'Ik heb die man nog nooit ontmoet, maar ik moet kennelijk met hem samenwerken.'

Nora laat haar hoofd hangen.

Hij had het moeten begrijpen toen hij zag hoe moeilijk het voor haar was om te vertellen dat ze een nieuwe vriend had gevonden. Waarom zou dat moeilijk zijn? Ze was verdergegaan met haar leven, had het boek over hen tweeën dichtgedaan en daarmee hun gezamenlijke verleden. Maar dat dichtgeslagen boek dreigde weer open te waaien. Ze zucht, en hij begrijpt het als ze zich naar Corduroy omdraait.

'Iver Gundersen is mijn nieuwe vriend.'

Hoofdstuk 10

Hij staart Corduroy aan, wiens ogen onrustig heen en weer glijden terwijl hij afwezig met een collega staat te praten. Henning stelt zich voor hoe Nora's vingers door dat akelige haar van hem woelen en zachtjes over zijn stoppelbaard strijken, lippen op lippen, teder.

Hij herinnert zich hoe ze zich 's avonds altijd zachtjes tegen hem aan vlijde nadat ze het licht hadden uitgedaan, hoe ze haar handen en armen om hem heen sloeg en met haar gezicht naar hem toe wilde liggen. Maar nu is Gundersen degene die de liefkozingen van haar kleine, lieve handen in ontvangst mag nemen.

'O?' zegt Henning, terwijl hij hoort hoe pathetisch het klinkt. Nu is het moment waarop hij woedend moet worden, haar gaat uitschelden, haar moet opzadelen met het gevoel dat ze op zijn ziel heeft getrapt, hem getorpedeerd, vermalen en weer uitgespuwd heeft. Je zou haar harteloos moeten noemen, denkt hij, gevoelloos, de tactloosheid in eigen persoon, maar dat doe je niet. In plaats daarvan zeg je gewoon O.

Zielig. Gewoonweg zielig.

Hij kan haar niet aankijken. En met hem moet Henning samenwerken.

De ironie van het lot, denkt hij. Dat moet het zijn.

Hij loopt op hem af, hoort Nora smeken om 'niet...' maar hij negeert haar. Hij blijft een meter voor Gundersen staan en kijkt hem aan. Gundersen was midden in een zin, maar hij valt stil en draait zich om.

Hij weet wie ik ben, denkt Henning. Ik kan het aan hem zien. En ik kan zien dat hij nerveus is.

'Hallo,' zegt Gundersen. Henning steekt hem zijn hand toe.

'Henning Juul.'

Aarzelend neemt Gundersen zijn hand aan. Henning drukt hem krachtig.

'Iver G...'

'We moeten kennelijk samenwerken bij deze zaak. Hoe kunnen we die het beste aanpakken volgens jou?'

Hij weet dat hij Gundersen hiermee in een precaire situatie brengt, maar dat kan hem niet schelen.

'Dat weet ik nog niet.'

Meer gepieker. Gundersen herpakt zich.

'Ik dacht dat we het persbericht dat we al hebben maar moeten aanvullen met wat citaten uit de persconferentie,' begint hij terwijl hij over Hennings schouder naar Nora kijkt, die hun eerste ontmoeting gadeslaat.

'Ik stel voor om die lijn van de eerwraak te volgen,' gaat Gundersen verder. 'Kijken of daar iets in zit. In dat geval is het lijstje verdachten erg kort en zal het niet lang duren voor ze iemand arresteren.'

Henning knikt. 'Heeft iemand met haar vrienden gepraat?'

Gundersen schudt zijn hoofd.

'Dan rij ik naar haar school om dat te doen, ik schrijf wat over haar leven, wie ze was.'

'*Human touch.*'

Henning bromt en kijkt Gundersen aan, die knikt.

'Oké, dat klinkt goed. Ik kan een poging wagen om de vent die het slachtoffer gevonden heeft te pakken te krijgen, maar ik heb ergens opgevangen dat hij niets met de pers te maken wil hebben. Dus...'

Gundersen spreidt zijn armen. Henning knikt, ziet dat Gundersen zich nog steeds niet op zijn gemak voelt, dat iets hem op de lippen brandt. Hij haalt adem, maar Henning is hem voor.

'Goed,' zegt hij alleen. Dan draait hij zich om en loopt weg. Hij loopt zo snel zijn verminkte benen het aan kunnen, passeert Nora rakelings, maar hij kijkt haar niet aan.

Mooi werk, Henning, denkt hij. Ook al ben je in de eerste ronde verrot geslagen, je bent weer opgekrabbeld en hebt de volgende gewonnen. Maar met boksen is het nu eenmaal zo dat het weinig zal helpen als je niet ook de volgende ronde weet te winnen. En de daaropvolgende. En de daaropvolgende. En met name de laatste.

De strijd is al verloren, denkt Henning. De scheidsrechters hebben al van tevoren besloten. Maar hij kan op zijn minst proberen op eigen kracht een overwinning te behalen.

Hij kan voorkomen dat hij weer knock-out gaat.

Hoofdstuk 11

Het duurt een hele tijd voordat zijn hart weer in een normaal tempo klopt. Hij steekt de Borggata over en probeert te vergeten wat hij zojuist heeft gezien en gehoord. Maar Nora's adem en ogen volgen hem als een schaduw. Hij kan horen wat Nora en Gundersen na zijn vertrek tegen elkaar zeggen:

Iver: Nou, dat ging best goed.

Nora: Had je iets anders verwacht dan?

Iver: Ik weet het niet. Arme vent.

Nora: Hij heeft het niet gemakkelijk, Iver. Maak het alsjeblieft niet moeilijker dan het al is.

Iver: Hoe bedoel je dat?

Nora: Precies wat ik zeg. Denk je dat het voor hem gemakkelijk was om mij hier te zien? Om mij samen met jou te zien? Ik vind het kranig van hem om zo op jou af te stappen.

Stop, Henning. Je weet niet of ze dat gezegd heeft. Ze heeft vast gezegd:

Nora: Laat hem maar, Iver. Zo is hij nou eenmaal. Hij gaat altijd zijn eigen gang, doet precies wat hemzelf uitkomt. Vergeet hem. Ik heb honger. Laten we gaan lunchen.

Zoiets. Dat lijkt er meer op.

Hij beseft dat hij zijn hoofd op orde moet zien te krijgen. Vergeet Nora en ga aan het werk. Terwijl hij bij het kruispunt met de Tøyengata blijft wachten totdat het licht op groen springt, bedenkt hij dat hij een camera nodig heeft.

Hij besluit naar huis te gaan om er een te halen.

*

Bjarne Brogeland trapt op de rem. De politieauto, een van de vele nieuw Passats, houdt halt voor nummer 37 op de Oslogaten. Hij zet de versnelling in de parkeerstand en kijkt zijn collega aan, inspecteur Ella Sandland.

Donders lekker wijf, denkt hij, terwijl hij het masculiene uniform en alles wat dat verbergt, in zich opneemt. Hoe vaak heeft hij zich haar niet voorgesteld zonder het leren jack, het lichtblauwe overhemd, de stropdas, eigenlijk helemaal zonder kleren, misschien met uitzondering van de handboeien, hoe vaak heeft hij haar niet voor zich gezien zonder schaamte, zonder terughoudendheid, terwijl ze zich helemaal aan hem geeft.

Vrouwen vinden mannen in uniform sexy. Dat is een vaststaand feit. Maar Bjarne Brogeland vindt dat het niet opweegt tegen het tegenovergestelde: vrouwen in kleren waar de autoriteit van afdruipt.

Donders, wat is dat sexy.

Ella Sandland meet 1 meter 75, ze is ongewoon goed getraind, haar buik is platter dan een eettafel, ze heeft een kont die tijdens het lopen een perfecte ronding in haar broek vormt, haar borsten zijn een tikje onderontwikkeld en ze is een beetje stoer en masculien op een ben-je-bi-of-hetero-achtige manier, maar dat bevalt hem wel. Hij kijkt naar haar kapsel. De pony valt precies op haar wenkbrauwen. Haar huid spant zich onder haar kin, over haar wangen, geen wallen onder haar ogen, zelfs geen piepkleine, ze heeft een gladde huid zonder pukkels of levervlekken, gelukkig ook geen enkel haartje op haar gezicht, ze beweegt soepel, heeft de rechtste rug die Brogeland ooit heeft gezien, ze buigt haar bovenlichaam een beetje naar voren, zelfs wanneer ze zit, waarschijnlijk om haar borsten groter te laten lijken. Maar bij Sandland is dat gewoon sexy.

Donders, wat is dat sexy.

Bovendien komt ze uit West-Noorwegen. Ulsteinvik was het, dacht hij, hoewel haar dialect in de loop der tijd wat is afgesleten.

Hij probeert de beelden te verdringen die steeds vaker bij hem opkomen, denkt aan het werk dat ze moeten doen. Ze zijn gestopt voor de woning van Mahmoud Marhoni, de vriend van Henriette Hagerup.

Het is een routinebezoek. In 2007 werden dertig van de tweeëndertig moorden gepleegd door personen uit de nabije omgeving van het slachtoffer, iemand bij wie ze nauw betrokken waren. Volgens de statistieken is de dader meestal de persoon die het dichtst bij staat. De echtgenoot of ex-echtgenoot, familieleden. Of de geliefde. Daarom is het bezoek dat Brogeland en Sandland gaan afleggen van groot belang.

'Zullen we?' zegt hij. Sandland knikt. Ze doen tegelijkertijd hun portier open en stappen uit.

Donders, zoals zij dat doet.

Brogeland is eerder in de Oslogaten geweest, hij heeft Mahmoud Marhoni zelfs al een keer in het vizier gehad toen hij als observatierechercheur aan een zaak werkte. Voor zover ze dat toen konden beoordelen, was Mahoni niet bij illegale activiteiten betrokken.

Brogeland werkt al lang genoeg bij de politie om te weten dat dat op zich niets wil zeggen. Daarom voelt hij zich extra gespannen wanneer ze huisnummer 37 naderen, ze kijken naar het kastje met de bel en zien de naam van de vriend van Henriette Hagerup links van een van de plastic knopjes staan.

Ella Sandland drukt de knop in, maar ze horen de bel niet overgaan. Op hetzelfde moment doet een tienermeisje met een hoofddoek de deur van de binnenplaats open. Ze krijgt hen in het oog, maar schrikt niet, zoals Brogeland misschien had verwacht, en houdt de deur voor hen open. Sandland bedankt het meisje beleefd en werpt haar een glimlach toe. Brogeland knikt kort. Hij zorgt ervoor als laatste naar binnen te gaan, zodat hij uitzicht heeft op het achterwerk van zijn vrouwelijke collega. Volgens mij heeft ze dat wel door, denkt Brogeland, terwijl hij naar binnen gaat. Ze weet dat mannen graag naar haar kijken. En omdat ze een uniform draagt, heeft ze dubbel zoveel macht. Ze is schijnbaar ongenaakbaar, omdat ze de politie vertegenwoordigt en omdat ze zo knap is dat ze haar minnaars voor het uitkiezen heeft, waarschijnlijk van beide seksen. Zij heeft de controle. Dat maakt haar zo verdomd en onweerstaanbaar sexy.

Ze komen uit op een binnenplaats die alle tekenen van verval vertoont. Er groeit gras tussen de tegels, en de struiken vormen een ondoordringbare warboel. De bloembedden, als je ze zo mag noemen, bestaan uit een grote chaos van oude, onverzorgde grond en stoffige wortels. De zwarte verf van het fietsenrek bladdert af en de weinige fietsen die er staan, hebben een droge ketting en lekke banden.

Ze kunnen kiezen uit drie portieken. Brogeland weet dat Marhoni in B woont. Sandland is er het eerst, ze zoekt zijn bel op het vierkante kastje op de muur en drukt. Geen geluid.

Brogeland dwingt zichzelf zijn blik af te wenden van Sandlands achterwerk en kijkt omhoog. De wolken hebben zich samengepakt boven het oude deel van de stad. Er komt regen. Een zwaluw giert terwijl hij van het ene dak naar het andere vliegt. Hij hoort een straalvliegtuig passeren, maar hij kan het vanwege het wolkendek niet zien.

Marhoni woont op de eerste woonlaag, maar het raam zit te hoog in de muur om met succes een blik naar binnen te kunnen werpen. Sandland belt opnieuw aan. Ditmaal krijgt ze meteen reactie.

'Hallo?'

'Hallo, wij zijn van de politie. Kunt u opendoen?'

Brogeland geniet van Sandlands sappige dialect.

'De politie?'

Brogeland hoort een zweem scepsis en angst in de stem. Dat is Marhoni niet, denkt hij, die is veel stoerder.

'Ja, de politie.'

Er klinkt nu iets meer autoriteit in de sexy stem van Sandland.

'Hoe... hoezo?'

'De politie? Laat ze niet binnen!'

De stem op de achtergrond klinkt zo luid dat Brogeland en Sandland hem horen.

'Doe open!'

Sandland verheft haar stem, ook Brogeland heeft nu zijn aandacht erbij en rammelt aan de portiekdeur. Hij rukt eraan, ziet dat het slot kapot is en stormt naar binnen, Brogeland eerst met Sandland op zijn hielen, ze rennen de trap op naar de eerste woonlaag, Brogeland hoort dat iemand aan het slot van de deur morrelt, maar hij is snel boven, dat is het voordeel van zijn briljante conditie, en hij trekt de deur open; een man die naar hij begrijpt Marhoni's broer is kijkt hem verschrikt aan, maar Brogeland stapt langs hem heen, weliswaar bang dat hij elk moment in de loop van een pistool kan kijken, maar hij beweegt zich soepel en snel, hij scant het appartement, neemt de geur van kruiden in zich op, een zweem marihuana, hij kijkt om de hoek van een deur, de keuken, die is leeg, hij gaat verder, een slaapkamer, ook niemand, dan de woonkamer, en dan ziet hij het, de openhaard, de vlammen laaien op, maar hij maalt niet om het vuur, het gaat hem om wat die vlammen verteren, zo gretig dat hij even uit het veld is geslagen, het is een computer, een laptop, en hij roept naar Sandland dat ze die moet zien te redden, dan zal hij zich met Marhoni bezighouden, hij hoort dat er kracht in zijn stem klinkt, ervaring, kennis, *guts* en autoriteit, alles wat je nodig hebt om bij dit soort acties te kunnen handelen; hij hoort Sandland antwoorden en ziet op hetzelfde moment Marhoni bij een open raam in een kamer die je vanuit de woonkamer kunt betreden, Marhoni neemt een aanloop en springt door het raam naar buiten, Brogeland rent erachteraan, hij is snel bij datzelfde raam, kijkt naar buiten en ziet dat het maar hooguit twee meter tot de grond is, hij zet zich af en springt eveneens naar buiten, hij landt zacht en kijkt om zich heen, ziet Marhoni en holt achter hem aan. Dit had je nooit moeten doen, idioot, denkt hij, je eigen woning ontvluchten op de dag dat je vriendin vermoord is gevonden, wat voor indruk denk je dat het maakt, halvegare. Brogeland spant zijn spieren en beseft snel dat het een gelopen race is, Marhoni kijkt vaker om dan dat hij voor zich kijkt en Brogeland haalt hem meter voor meter in, Marhoni steekt over op het punt waar de Bispegata de Osloveien kruist, hij wacht niet op het groene licht, een auto remt vlak voor hem en toetert, Brogeland beent erachteraan, hij hoort het *ding-ding* van de tram vlak achter zich, er rijden auto's, er staan mensen voor de ramen die nieuwsgierig naar de achtervolging kijken, ze vragen zich waarschijnlijk af wat er in hemelsnaam gebeurt, is dit een filmopname of is het echt, Marhoni kijkt weer voor zich en stormt recht vooruit, en Brogeland bedenkt dat die idioot kennelijk van aandacht houdt, anders was hij wel naar het park bij de Akerkerk geholt. Brogeland is nu nog maar tien meter achter hem, hij komt steeds dichterbij en dan zet hij zich af, werpt zich op Marhoni en slingert zich om zijn bovenlichaam, waarna ze beiden vallen op het asfalt voor Bar & Café Ruinen.

Brogeland bezeert zich niet, nergens, want Marhoni vangt de klap op. Voor het café zit een man te roken. Hij ziet dat Brogeland op Marhoni's rug gaat zitten, diens armen in bedwang houdt en vervolgens de centrale belt.

'19, dit is fox 43, bravo, over.'

Hij haalt diep adem terwijl hij op antwoord wacht.

'19 antwoordt, over.'

'Dit is fox 43 bravo, ik ben op St. Hallvards plass, heb een persoon aangehouden en heb snel bijstand nodig van een eenheid. Over.'

Hij hijgt nog even na en kijkt naar Marhoni die op de grond naar adem ligt te happen. Brogeland schudt zijn hoofd.

'Stomme idioot,' mompelt hij.

Hoofdstuk 12

De Westerdals School of Communication staat aan de Fredensborgveien vlak bij de wijk St. Hanshaugen. Zoals altijd wanneer hij zich in dit deel van de stad bevindt, bedenkt hij dat iemand zich verschrikkelijk moet hebben vergist bij de aanleg van de wijk. Op slechts een paar passen afstand van elkaar vind je asfaltgrijs geverfde huurkazernes van vlak na de oorlog maar ook charmante smalle huisjes in felle kleuren. De bebouwing heuvelopwaarts in de Damstredet doet hem denken aan de smalle straten met houten huisjes in Bergen, terwijl de gebouwen langs de weg naar het centrum illustratief zijn voor het grootstedelijke bouw- en woonbeleid. Er klinkt voortdurend geraas en er hangt een constante wolk van stof en verontreiniging in de straten en de paar tuinen die er zijn.

Maar op dit moment kan hem dat niet schelen.

Rond de grote boom bij de ingang van de school wemelt het van de mensen. Vrienden staan dicht bij elkaar en houden elkaar vast. Er klinkt gehuil en gesnik. Hij loopt ernaartoe, ziet dat anderen uit zijn branche met dezelfde intentie zijn gekomen, maar hij negeert hen. Hij weet hoe de krant er morgen uitziet. Foto's van rouwende vrienden, veel foto's en niet te veel tekst. Nu is het tijd om zich onder te dompelen in het verdriet, de lezers te laten deelnemen aan de treurnis, het verwerken, de gevoelens, iedereen moet kennismaken met het slachtoffer en haar vrienden.

Hij moet een standaardverhaal schrijven. Hij kon het praktisch al op papier hebben gezet voor hij hiernaartoe ging, maar het is een tijd geleden dat hij iets geschreven heeft, dus hij besluit zijn hoofd leeg te maken en een paar vragen te bedenken die zo'n verhaal net iets minder standaard maken.

Hij besluit tot een kalme start, rustig observeren tot hij iemand ziet met wie hij op zijn gemak een praatje kan maken. Hij heeft daar een goede neus voor. Al gauw zwemt hij in een rivier van tranen en wordt hij overweldigd door een gevoel dat hem verbaast: hij wordt boos.

Hij wordt boos omdat maar heel weinig aanwezigen weten wat het is om echt verdriet te hebben, hoeveel pijn het doet om iemand te verliezen van wie je houdt, iemand voor wie jij je zonder met je ogen te knipperen voor een bus zou willen gooien. Hij ziet dat er genoeg mensen zijn die niet echt verdriet hebben, ze overdrijven, stellen zich aan, dankbaar dat ze de gelegenheid hebben gekregen om te laten zien dat ze gevoel hebben. Maar het is alleen maar plastic.

Hij probeert het van zich af te zetten, hij haalt de camera tevoorschijn en maakt een paar foto's, hij zoomt in, stelt scherp op de gezichten en de ogen. Hij houdt van ogen. De spiegels van de ziel en zo. Hij houdt van ogen omdat daar de waarheid zit.

Hij zoomt in op het altaar dat de vrienden rechts bij de ingang hebben opgesteld, onder de grote boom. Drie dikke stammen naast elkaar die samengegroeid zijn en een gigantische stronk broccoli vormen. Volle takken en bladeren. Om de boomwortels zijn vierkante stenen gelegd.

Een ingelijste foto van Henriette Hagerup staat schuin tegen een van de stammen aan. Eromheen liggen allemaal bloemen, handgeschreven kaarten, groeten, waxinelichtjes die flakkeren in het zachte windje dat de weg naar Fredensborg heeft gevonden, foto's van haar samen met medestudenten, vrienden, op een feest, op locatie, achter een camera. Dat is verdriet. Geconcentreerd verdriet, ook al is het niet echt. Zonder meer een coverfoto.

Hij laat de camera zakken en beseft dat Henriette Hagerup een uitzonderlijk knappe vrouw was. Of misschien gewoon een kind. Ze had iets onschuldigs, wit krulhaar, niet te lang, een brede, stralende glimlach, lichte huid. Hij ziet charme. En iets belangrijkers, iets beters. Intelligentie. Hij kan zien dat Henriette Hagerup een slim meisje was.

Wie kan zo boos op haar zijn geworden?

Hij leest een paar van de teksten op de kaarten:

We zullen je nooit vergeten, Henriette.
Rust in vrede,
Johanne, Turid en Suzanne

ik mis je, henry.
ik mis je enorm,
tore

Er zijn zo'n tien, twintig kaarten en handgeschreven briefjes over gemis en verdriet, en de berichten zijn allemaal ongeveer hetzelfde geformuleerd. Hij bekijkt ze zonder veel interesse als zijn mobiele telefoon in zijn binnenzak trilt. Hij haalt hem tevoorschijn en ziet dat het een nummer is dat hij niet kent. Hij besluit op te nemen, ook al is hij aan het werk.

'Hallo?'

Hij gaat een beetje afzijdig staan.

'Dag Henning, met Iver. Iver Gundersen.'

Hij wil iets zeggen maar voelt een drukgolf van jaloezie aanzwellen. Mister Super Fucking Corduroy. Hij stamelt een begroeting.

'Waar ben je?' vraagt Gundersen. Henning schraapt zijn keel.

'Bij de school van het slachtoffer.'

'Goed. Ik bel omdat ik denk dat je wel zou willen weten dat de politie al iemand heeft gearresteerd.'

Even slaagt hij erin te vergeten dat hij met de nieuwe vriend van zijn ex-vrouw spreekt. Hij merkt zelfs dat hij nieuwsgierig is.

'Dat is snel. Wie dan?'

'Volgens mijn bronnen is het haar vriend. Ik heb nog geen naam. Maar misschien kun jij die te weten komen via haar vrienden?'

Henning hoort Ivars stem, maar krijgt nauwelijks mee wat hij zegt. Want te midden van al die kaarten, theelichtjes en natte ogen valt hem een bericht op dat een beetje anders is dan de rest.

'Ben je er nog?'

'Eh, ja. Haar vrienden. Goed.'

'Het is een homerun, voor zover ik het heb begrepen.'

'Hebben ze bewijzen?'

'Dat denk ik. Ik ga ermee aan de slag en voeg later wel wat toe.'

'Oké.'

Gundersen hangt op. Henning stopt zijn mobiel terug in zijn zak zonder zijn blik te verplaatsen. Zijn ogen zijn nog steeds gericht op de kaart die hij heeft gezien. Hij heft de camera weer en maakt een foto, terwijl hij inzoomt op de tekst:

Ik zal je werk voortzetten.
Tot ziens in de eeuwigheid,
Anette

Hij haalt de camera voor zijn gezicht weg en laat hem om zijn nek bungelen. Hij leest het bericht nog een keer en kijkt dan naar de studenten om
hem heen.

Waar ben je, Anette? vraagt hij zich af. En wat voor werk moet je voortzetten?

Hoofdstuk 13

Bjarne Brogeland doet zijn jack uit en hangt het in zijn kamer aan de kapstok. Hij doet de deur achter zich dicht, loopt een paar meter de gang op naar de deur van Ella Sandland en klopt aan. Hij gaat naar binnen zonder op antwoord te wachten. Diep in zijn hart hoopt hij dat hij haar op heterdaad betrapt in een diepe, natte dagdroom, over hem, maar tot nog toe heeft ze zelfs nog niet met een oogopslag gereageerd op zijn talloze toenaderingspogingen. Misschien ben ik niet direct genoeg geweest. Of misschien komt het omdat ik getrouwd ben, denkt Brogeland bij het naar binnen gaan.

Sandland zit achter haar computer. Ze kijkt niet op.

'Ben je klaar?' vraagt hij. Ze steekt een vinger op die zich vervolgens weer bij zijn knokige collega's voegt die over het toetsenbord draven in een tempo waarvan een Thaise masseuze onder de indruk zou raken.

Brogeland kijkt om zich heen. Typisch meidenkantoor, denkt hij. Keurig opgeruimd, de dossiers in nette stapels geordend, een penhouder met twee blauwe pennen en een rode, een nietmachine en een perforator naast elkaar, een post-it-blok ernaast, een agenda die openligt op de datum van vandaag, maar geen afspraken, mappen in de kast achter het schrijfbureau, allemaal zwart, vakliteratuur en naslagwerken op een aparte plank, op de vloer staat een pot met een frisgroene yucca, de rozen in de glazen vaas op de tafel hebben lange stelen en zien er sterk uit, op een houten schaal midden op de tafel liggen appels en peren, ongetwijfeld precies rijp, en daarnaast een cactus die stofvrij is.

Je prikt, Sandland, denkt Brogeland terwijl hij haar geconcentreerde gezichtsuitdrukking bestudeert. Je prikt, elke dag, o zo lekker. Hij probeert haar geur op te snuiven zonder dat ze het merkt. Ze gebruikt geen parfum. Misschien een vleugje, maar dan wel heel discreet.

Veel van zijn veroveringen hadden zo intens en sterk geroken naar iets ouderwets en zoets dat hij gedwongen was geweest na afloop lange tijd onder de douche te staan en zich verschillende keren in te zepen. De zin om hen nogmaals te neuken was verdampt op het moment dat hij op hen klaar was gekomen.

Zo zou het niet gaan bij Sandland. O nee. Hij ziet voor zich hoe het zou zijn om naast haar te liggen, bezweet en heerlijk dof in zijn lichaam na een lange, ruige vrijpartij, zonder een post-sekstrauma en de gedachte aan hoe snel de taxi er kan zijn.

Ze is zeker lesbisch, denkt hij, anders had ze wel zin gehad om met mij te neuken.

Sandland drukt iets harder op *enter* dan nodig is en onmiddellijk beginnen de vellen papier uit de printer te rollen.

'Nu ben ik klaar,' zegt ze zonder te glimlachen.

Donders.

Brogeland houdt de deur voor haar open. Sandland loopt naar buiten, op weg naar de kamer waar Mahmoud Marhoni en zijn advocaat op hen zitten te wachten.

Te veel kebab en te weinig sporten, is Borgelands eerste gedachte als hij Mahmoud Marhoni gadeslaat. Er zijn sinds de laatste keer dat hij hem zag weer een paar kilo bijgekomen. Toch draagt Marhoni een strak T-shirt. Het puppyvet ligt als een zwembandje om zijn buik. Als ik me zo onaantrekkelijk mogelijk voor de vrouwtjes wilde maken, zou ik me zo kleden, denkt Brogeland.

Marhoni heeft een rond gezicht. Brogeland schat de ouderdom van zijn baard op ongeveer een week, maar Marhoni heeft zich onder zijn kin gladgeschoren, in een rechte streep. Hij heeft een kastanjebruine huid, meet nauwelijks meer dan 1 meter 70, maar zijn hele voorkomen doet vermoeden dat hij zich niet druk maakt over zijn geringe lengte en een paar kilo extra.

Marhoni is stoer. En wie mag jij wel zijn, agentje, lijkt hij te willen zeggen. Brogeland heeft zijn soort wel eerder meegemaakt, hij heeft vrijwel alle soorten verdachten verhoord. Hij weet al wat voor verhoor dit zal worden.

Lars Indrehaug, Marhoni's advocaat, is een onderkruipsel dat al een generatie lang klootzakken verdedigt. Niemand mag hem bij het Openbaar Ministerie, omdat hij een jakhals is die altijd op zoek is naar een vluchtweg om verkrachters, drugsdealers en ander tuig de straat weer op te sturen. Het is een lange, magere slungel. Het haar hangt voor zijn ogen. Hij veegt het met een vinger weg.

Brogeland en Sandland gaan tegenover de advocaat en zijn cliënt zitten. Brogeland neemt het initiatief, handelt de formaliteiten af en boort zijn ogen in die van Marhoni.

'Waarom ging je ervandoor toen we met je wilden praten?'

Marhoni haalt onverschillig zijn schouders op. Blijf vooral zo doorgaan, denkt Brogeland en hij vervolgt: 'Waarom gooide je je laptop in de openhaard?'

Zelfde respons.

'Wat stond erop?'

Nog steeds geeft Marhoni geen antwoord.

'Je weet toch dat we er uiteindelijk wel achter komen? Je kunt het jezelf een stuk gemakkelijker maken door ons tijd te besparen.'

Marhoni kijkt Brogeland aan met een blik waar de minachting vanaf druipt. Brogeland zucht.

'Wat kun je ons vertellen over je verhouding met Henriette Hagerup?'

Marhoni trekt nauwelijks zichtbaar zijn oogleden op. Indrehaug buigt zich naar hem toe, fluistert iets wat Brogeland en Sandland niet kunnen verstaan en gaat weer rechtop zitten.

'Ze was vriendin van mij,' antwoordt Marhoni in gebrekkig Noors.

'Hoe lang waren jullie bij elkaar?'

'Een jaar, misschien.'

'Hoe hebben jullie elkaar ontmoet?'

'Op een concert.'

'Welk concert?'

'Dat kan toch onmogelijk interessant zijn voor dit onderzoek, is het wel?'

Brogeland kijkt Indrehaug aan die namens zijn cliënt een beledigd gezicht heeft getrokken.

'We proberen een indruk te krijgen van de verhouding die je cliënt had met het slachtoffer,' schiet Sandland te hulp. Bij wijze van uitzondering kijkt Brogeland niet naar haar. Hij torpedeert Indrehaug met zijn blik, zonder dat de advocaat daarvan onder de indruk raakt.

'Welk concert?'

'Van Noori.'

'Noori?'

'Op het Mela-festival.'

'Het Mela-festival is een Zuid-Aziatisch festival en Noori is een tamelijk bekende Pakistaanse rockband,' zegt Sandland. Brogeland kijkt haar aan. Hij doet zijn best niet te laten merken dat hij onder de indruk is, omdat hij zich ergert aan de onderbreking.

'De band bestaat uit twee broers uit...'

'Dank je, ik snap het.'

Voor het eerst tijdens dit verhoor spreekt er uit Marhoni's blik iets anders dan haat en minachting. Hij kijkt Sandland aan met iets meer alertheid in zijn ogen. Brogeland registreert het. Hij geeft haar een teken dat zij het mag overnemen. Sandland gaat dichter bij de tafel zitten.

'Wanneer had je voor het laatst contact met het slachtoffer?'

Marhoni denkt na.

'Gisteren, aan het begin van de avond.'

'Kun je misschien iets preciezer zijn?'

'We keken bij mij televisie, ze bleef tot *Hotel Caesar* was afgelopen.'

'Keken jullie naar een soap?'

'Nou ja, zeg...'

Op Indrehaugs wangen is een rode gloed verschenen die onthult dat hij een liefhebber is van rode wijn. Sandland steekt haar handen op ter verontschuldiging.

'Waar hadden jullie het over?'

'Over van alles.'

'Zoals?'

Indrehaug buigt zich weer over naar Marhoni.

'Dat gaat jullie niets aan.'

Sandland glimlacht. Ze buigt zich naar Brogeland en imiteert het tafereel van de overkant, maar Brogeland verstaat niet wat ze zegt. Hij hoort haar in elk geval niet zeggen: ga met mij mee naar huis als dit kloteverhoor is afgelopen, zoals hij haar al zo vaak in zijn dromen heeft horen zeggen.

'Waar ging ze naartoe toen *Hotel Caesar* was afgelopen?'

'Weet ik niet.'

'Weet je dat niet? Heb je het niet gevraagd?'

'Nee.'

'Bleef ze nooit bij je slapen?'

'Jawel, soms.'

'En jij was niet nieuwsgierig waarom ze dat gisteren niet deed?'

'Nee.'

Sandland zucht. Marhoni's stoere masker is nog intact.

'Ben je wel eens in Ekeberg geweest?'

'Nee.'

'Ben je daar nooit wezen wandelen?'

'Niet dat ik me kan herinneren.'

'Nooit naar het voetbaltoernooi daar geweest?'

'Ik hou niet van voetbal.'

'Geen broertjes of neefjes die voetballen? Die meededen en vroegen of je kwam kijken, als hun supporter?'

Hij schudt zijn hoofd en knijpt zelfverzekerd zijn ogen dicht.

'Heb je er ook nooit cricket gespeeld?'

Hij wil nee zeggen, bijna uit automatisme, maar het duurt een halve seconde te lang voor hij het zegt. Brogeland noteert: 'Hij is in Ekeberg geweest maar liegt daarover.' Sandland ziet het en zegt: 'Ben je in het bezit van een zogenaamde stungun, Marhoni?'

Hij kijkt haar aan alsof ze de stomste vraag ter wereld heeft gesteld.

'Wat is dat?'

'Draai er niet omheen. Je weet best wat een stungun is. Kijk je geen films? Politieseries?'

Opnieuw schudt hij zijn hoofd, deze keer begeleid door een schaapachtige glimlach.

'Ik hou niet van politie.'

'Inspecteurs, wat is het doel van deze vragen?'

'Dat komt nog, Indrehaug,' zegt Brogeland met een stem die hij maar nauwelijks kan beheersen. Sandland gaat nu op de aanval over. Ze pakt een vel papier.

'Het slachtoffer is gevonden met een brandplek op haar hals die overeenkomt met de brandplekken die je van een stungun krijgt. Een stroomstootwapen, of elektroshockpistool, als je dat beter begrijpt.'

Ze schuift het vel naar de overkant van de tafel en draait het om. Het is een close-up van de hals van het slachtoffer. Twee roodbruine, ongelijke brandplekken zijn duidelijk zichtbaar. Indrehaug trekt de foto naar zich toe en kijkt ernaar.

'Het hoeft niet per se een pistool te zijn,' zegt Sandland. 'Er zijn veel verschillende soorten, maar een stungun, om het maar eens in goed Noors te zeggen, wordt gebruikt om iemand te verlammen zonder die persoon te verwonden. Om iemand te laten meewerken. Bijvoorbeeld wanneer je die in een kuil wilt stoppen die je daarna weer dichtgooit.'

Sandland kijkt Marhoni aan, wacht op antwoord, maar hij is nog steeds niet onder de indruk of uit het veld geslagen door de vragen die ze hem stelt.

'Voor iemand die net zijn vriendin op een bijzonder gruwelijke manier heeft verloren, maak je niet echt de indruk overstuur te zijn of verdriet te hebben,' gaat ze verder. De opmerking is als vraag geformuleerd. Hij haalt zijn schouders weer op.

'Was je niet verliefd op haar?'

Zijn gezicht vertrekt even.

'Hield je niet van haar?'

Een zwakke blos op zijn wangen.

'Kwam ze gisteravond langs om het uit te maken? Heb je haar daarom vermoord?'

Nu is hij boos.

'Had ze soms een ander? Had ze genoeg van je?'

Marhoni wil gaan staan. Indrehaug legt een hand op zijn arm.

'Inspecteur...'

'Heb je haar daarom vermoord?'

Marhoni werpt Sandland een blik toe alsof hij zich op haar wil storten.

'Keek je zo naar haar toen je een steen pakte om haar hoofd kapot te slaan?'

'Inspecteur, zo is het genoeg!'

'Kun jij je cliënt vragen antwoord te geven?'

Brogeland kucht, gebaart met zijn handen dat ze zich moet inhouden. Het wordt stil in het vertrek. Brogeland ziet een ader op Marhoni's hals kloppen. Hij besluit door te rijden nu de motor nog warm is.

'Marhoni, volgens het voorlopig onderzoek dat op de plaats delict en op het slachtoffer is verricht, had ze kort voor haar dood nog behoorlijk ruige seks gehad. Komt jou dat bekend voor? Wat kun je daarover vertellen?'

Marhoni staart Sandland aan, met hetzelfde onweer achter zijn ogen, en richt zijn blik dan op Brogeland. Maar hij zegt niets.

'Zelfs al kijk je dan niet naar politieseries op tv, je weet ongetwijfeld dat sperma het beste spoor is dat een dader kan achterlaten. Wat de politie betreft dan. DNA en dat soort dingen. Daar heb je toch wel van gehoord?'

Nog steeds geen antwoord. Verdomd koele kikker, denkt Brogeland.

'Gisteravond om 21.17 uur heb je een sms van Henriette Hagerup gekregen.'

De pupillen in Marhoni's ogen worden kleiner. Brogeland registreert het.

'Weet je nog wat erin stond?'

Brogeland ziet dat Marhoni nadenkt. Brogeland kijkt naar het vel papier dat Sandland hem toeschuift. Hij tilt zijn vuist op, kucht opnieuw en leest dan hardop: '*Sorry. Het had niets te betekenen. HIJ had niets te betekenen. Ik hou van JOU. Kunnen we erover praten? Plies?*'

Brogeland kijkt om de beurt naar Marhoni en Indrehaug, laat de inhoud van het bericht tot hen doordringen en gaat dan verder: 'Wil je dat ik het volgende bericht dat ze stuurde ook voorlees?'

Marhoni kijkt zijn advocaat aan. Voor het eerst tijdens dit verhoor komen er barsten in het keiharde masker.

'Het voorlopig onderzoek heeft uitgewezen dat ze gisternacht tussen middernacht en 2.00 uur is vermoord, dus slechts een paar uur nadat ze jou drie sms'jes had gestuurd. Als ik jou was, zou ik maar gaan vertellen wat zich gisteravond tussen jullie heeft afgespeeld.' Marhoni geeft opnieuw aan dat hij niet wil praten. Brogeland zucht en kijkt naar het papier.

'*Ik beloof dat ik het weer goedmaak. Alsjeblieft, kun je me nog een kans geven?*'

Nu schudt Marhoni zijn hoofd.

'Inspecteur, ik geloof...'

'Na die tweede sms heb je haar gebeld. Maar ze nam niet op. Dat klopt toch?'

Brogeland krijgt genoeg van dat zwijgende varken.

'*Kun je me niet antwoorden? Plies? Ik zal het nooit meer doen. Ik beloof het!* Dat was de laatste sms, twaalf minuten later.'

Marhoni staart omlaag.

'Wat zou ze nooit meer doen, Marhoni? Wat had ze gedaan dat zo erg was dat je me niet kunt aankijken en het me niet wilt vertellen?'

Geen verandering.

'Wie is die "HIJ"?'

Marhoni slaat zijn ogen weer op, maar hij kijkt niet naar Brogeland.

'Wie is die "HIJ" die niets te betekenen had voor haar?'

Marhoni's mond zit op slot. Brogeland zucht.

'Oké. Nu is het wel niet mijn beslissing, maar je zult later vandaag gegarandeerd in voorlopige hechtenis worden genomen. Als ik jouw advocaat was, zou ik mijn cliënt maar vast voorbereiden op een merendeels binnenshuis verblijf de komende vijftien, twintig jaar.'

'Ik heb haar niet vermoord.'

Zijn stem klinkt zwak, maar Brogeland is al overeind gekomen. Hij buigt zich over de tafel en drukt op een knop.

'Het verhoor is afgelopen. Het is 15.21 uur.'

Hoofdstuk 14

Het is gaan miezeren. Henning houdt van regen. Hij vindt het fijn om nat te worden als hij buiten is, zijn hoofd op te richten, zijn ogen dicht te doen en druppels op zijn gezicht te voelen vallen. Veel te veel mensen bederven een goede regenbui door een paraplu open te slaan.

Een beetje regen hoort er nu wel bij. Het is een gouden gelegenheid voor de aanwezigen om te laten zien dat ze zich niets aantrekken van water nu ze zo'n verdriet hebben, misschien is er op dit moment wel een camera die hen registreert, de beelden worden later vandaag wellicht uitgezonden, en dan staan ze daar dicht bij elkaar, onder de tranen uit de hemel, alsof God in eigen persoon treurt dat Hij een van Zijn kinderen heeft verloren.

Hij drukt af. Zijn Canon maakt drie foto's per seconde. Hij stelt zich een mooie fotoserie in de krant voor. Maar hij is niet op zoek naar een janker. Hij zoekt naar iemand die apart staat, stilletjes en in gedachten.

Hij loopt naar een jongen met kort haar zonder baardgroei. Zijn broek hangt laag op zijn heupen en het logo van Björn Borg-ondergoed steekt er duidelijk bovenuit. Hij wordt geïnterviewd door een vent die voor *VG* werkt als Henning het zich goed herinnert. Petter Stanghelle. *VG* is dol op tranen.

De janker vertelt onder voortdurend gesnik en gejammer over Henriette Hagerup, hoe goed ze wel niet was, en hoe vreselijk het is dat de filmwereld in Noorwegen een groot talent is ontnomen. Henning passeert hen en zorgt ervoor buiten het bereik van de camera's te blijven terwijl hij de hysterie om hem heen in zich opneemt.

Dan ziet hij haar. Hij maakt snel een foto van haar. Ze staat voor de boom, een paar minuten geleden stond ze er nog niet, afwisselend leest ze de briefjes en staart ze naar de grond, dan schudt ze bijna onmerkbaar haar hoofd en kijkt weer voor zich uit. Meer Canon. Maar hij betwijfelt of hij ook maar één foto zal gebruiken.

Het meisje heeft donker, halflang haar. Hij drukt weer af. Ze heeft een uitdrukking op haar gezicht die hij niet goed kan duiden. Ze staat er maar, alsof ze zich in haar eigen wereld bevindt. Er is iets met haar ogen. Hij komt dichterbij, nog dichterbij, gaat bijna naast haar staan. Hij doet alsof ook hij naar de kaarten kijkt, die zoveel kunstmatige treurigheid bevatten dat ze bijna omvallen.

'Triest,' zegt hij, precies hard genoeg om het haar te laten horen. Het kan worden uitgelegd als een opmerking of als uitnodiging voor een gesprek. Het meisje geeft geen antwoord. Zonder dat ze het merkt, zet hij nog een stap. Dan blijft hij staan, een hele tijd. Zijn haar begint nat te worden. Hij dekt de camera af om te voorkomen dat ook die nat wordt.

'Kende je haar goed?' vraagt Henning, terwijl hij zich voor het eerst rechtstreeks tot haar richt. Hij ziet dat ze knikt, kort.

'Zat ze bij jou in de klas?'

Heel even kijkt ze hem aan. Hij verwacht dat ze een stap achteruit zal zetten bij het zien van zijn gezicht, maar dat doet ze niet. Ze zegt alleen: 'Ja.'

Hij zwijgt een tijdje. Hij ziet dat ze nog niet aan een gesprek toe is. Maar ze huilt ook niet.

'Ben jij soms Anette?' vraagt hij na een tijdje. Ze schrikt.

'K... ken ik jou?'

'Nee.'

Hij wacht nog even. Laat haar een paar seconden over de situatie nadenken. Hij wil haar niet afschrikken, maar haar belangstelling wekken. Hij ziet dat ze hem aanstaart. Een angstige windstoot jaagt door haar heen, alsof ze zich wapent tegen de woorden die hij tegen haar wil zeggen.

'Hoe weet je hoe ik heet?'

Haar stem klinkt ongerust. Hij draait zich naar haar toe. Voor het eerst ziet ze hem helemaal, met littekens en al. Toch lijkt ze hem niet echt te zien. Hij besluit zijn kaarten op tafel te leggen voordat de angst helemaal bezit van haar neemt.

'Ik heet Henning Juul.'

Haar gezichtsuitdrukking blijft hetzelfde.

'Ik werk voor *123nieuws*.'

Haar nieuwsgierige masker valt snel uiteen.

'Mag ik je een paar vragen stellen? Geen zuigende, nieuwsgierige, gevoelloze vragen, maar gewoon wat vragen over Henriette?'

De apathische blik waarmee ze de uitdovende waxinelichtjes bekeek is verdwenen.

'Hoe weet je wie ik ben?' herhaalt ze terwijl ze haar armen vastbesloten over elkaar slaat.

'Ik heb het geraden.'

Ze bekijkt hem terwijl ze zichtbaar geïrriteerd raakt.

'Er zijn hier wel honderd mensen, maar toch kun jij raden dat ik Anette ben?'

'Ja.'

Ze snuift.

'Ik heb je niets te zeggen.'

'Een paar vragen maar, dan vertrek ik weer.'

'Dat doen jullie journalisten altijd, een paar vragen maar, en uiteindelijk zijn het er een paar honderd.'

'Eentje dan. Ik vertrek zodra je één vraag van mij hebt beantwoord. Oké?'

Hij kijkt haar aan, lang. Ze laat hem zwijgend staan, haalt haar schouders op en laat ze snel weer zakken. Hij probeert te glimlachen, maar merkt dat zijn charme, die het meestal wel goed deed bij zijn interviewobjecten, aan haar verspild is. Ze maakt een beweging met haar hoofd en zucht. Henning vat dat op als een 'ja' en zegt: 'Welk werk was Henriette begonnen dat jij wilt voortzetten?'

Ze kijkt hem aan.

'Is dat je vraag?'

'Ja.'

'Niet "Hoe zul je je Henriette blijven herinneren" of "Kun je iets over Henriette vertellen wat mijn lezers tot tranen toe zal bewegen" of iets dergelijks?'

Ze zet een gemaakte stem op, een kinderstemmetje. Hij schudt zijn hoofd. Zij snuift. Dan kijkt ze hem aan. Haar ogen boren zich in de zijne.

Ze schudt haar hoofd, draait zich om en loopt weg.

Fraai, Henning, denkt hij. Goed werk.

Daar loopt misschien de enige interessante persoon in dit landschap van jankers weg, denkt hij. Ze is geen schoonheid in de gebruikelijke zin des woords. Hij vermoedt dat ze niet op de eerste rij van de collegebanken zit en niet vooraan gaat zitten als er foto's worden genomen. Hij ziet haar voor zich, voor de spiegel, wanhopig zuchtend, hij stelt zich voor hoe ze zich geeft aan door drank overmoedig geraakte knullen, diep in de nacht, en naar huis gaat voor het licht wordt.

Maar Anette, zegt hij tegen zichzelf. Jij bent interessant. Hij krijgt zin om het haar na te roepen.

Opeens beseft hij wat hij in haar ogen zag. Hij controleert zijn camera terwijl ze de hoek omslaat. Hij klikt terug naar een van de eerste foto's die hij van haar heeft gemaakt en kijkt naar haar ogen. Hij ziet dat hij gelijk heeft.

Verdorie, zegt hij tegen zichzelf. Hij herkent het gevoel weer dat hij altijd krijgt wanneer hij iets heeft begrepen of ontdekt wat belangrijk kan zijn. Terwijl hij inzoomt op de foto op schermpje van de camera en haar gezichtsuitdrukking nogmaals bestudeert, vraagt hij zich af waar Anette precies bang voor was.

Hoofdstuk 15

'Je kunt gewoon ruiken dat hij schuldig is.'

Bjarne Brogeland gaat niet op die woorden in. Hij kijkt naar Arild Gjerstad, die het onderzoek leidt en tegenover hem zit in de vergaderruimte. Hij bladert het verslag van het verhoor door, zonder te knikken of met zijn hoofd te schudden. Ella Sandland zit aan het korte eind van de tafel. Ze zit voorovergebogen met haar ellebogen op de tafel geplant. Ze heeft haar handen gevouwen.

Twee andere rechercheurs, Fredrik Stang en Emil Hagen, zijn ook aanwezig, evenals commissaris Pia Nøkleby. Zij is formeel verantwoordelijk voor het onderzoek, ook al gebeurt alles in nauwe samenwerking met Gjerstad. Iedereen kijkt naar Gjerstad, in afwachting van wat hij zal zeggen. Hij plukt met zijn duim en wijsvinger aan zijn snor, zoals hij altijd doet als hij nadenkt.

'Hij heeft moeite met zijn verklaring, dat is duidelijk,' zegt Gjerstad met zijn lage, ronkende bas. 'Maar desondanks...'

Gjerstad legt het verslag neer. Hij doet zijn bril af, legt die op tafel en wrijft met zijn handen over zijn gezicht. Vervolgens richt hij zijn blik op Brogeland.

'Je had het verhoor moeten voortzetten toen hij uiteindelijk zei dat hij onschuldig was.'

'Maar...'

'Ik snap waarom je toen bent opgehouden. Je wilde hem iets geven om over na te denken. Maar zoals ik het nu interpreteer, begon hij eindelijk los te komen. Hij had ons veel meer kunnen vertellen als je hem gewoon nog wat tijd had gegund.'

'Dat weten we niet,' antwoordt Brogeland.

'Had je haast?'

'Haast?'

Brogeland voelt zijn gezicht warm worden. Gjerstad kijkt hem aan.

'Geef hem de volgende keer meer tijd.'

Brogeland krimpt ineen op zijn stoel. Hij wil zijn chef tegenspreken, maar liever niet in het bijzijn van de rest, hij wil niet het risico lopen om nog meer vernederd te worden.

Gjerstad kijkt op, naar rechts, alsof hij iets zoekt op de wand.

'Er is duidelijk bewijs dat in Marhoni's richting wijst. En het ligt voor de hand om aan eerwraak te denken. Als zijn vriendin hem ontrouw was, kan hij haar hebben vermoord om zijn eer te herstellen.'

Sandland schraapt haar keel. 'Er zijn maar heel weinig aanwijzingen dat dit om eerwraak gaat,' zegt ze. Gjerstad kijkt haar aan.

'In sommige landen is ontrouw al voldoende reden om tot de dood door steniging te worden veroordeeld. In Sudan, bijvoorbeeld, in 2007, werd...'

'Marhoni komt uit Pakistan.'

'Ja, maar daar worden ook mensen gestenigd. En wat betreft eerwraak ontbreekt er wel het een en ander,' gaat Sandland verder. Gjerstad kijkt haar aan, geeft met zijn ogen te kennen dat ze kan doorgaan. Nøkleby drukt haar bril stevig op haar neus en leunt voorover. Haar donkere haar hangt vlak voor haar ogen, maar niet storend genoeg om het weg te strijken.

'Eerwraak vindt vaak plaats nadat de schande publiekelijk bekend is geworden,' begint Sandland. 'Voor zover wij hebben kunnen nagaan, dacht iedereen nog steeds dat Hagerup en Marhoni een stel waren. Eerwraak wordt meestal ook gepland. Het is een besluit dat vaak met de hele familie wordt genomen. Volgens mij heeft Marhoni, behalve zijn broer met wie hij samenwoont, geen familie in Noorwegen. En niet in de laatste plaats: de dader is trots op wat hij heeft gedaan. Marhoni ontkent dat hij schuldig is.'

Gjerstad verwerkt de informatie uit de korte lezing die hij heeft aangehoord en knikt goedkeurend.

'Wat weten we van steniging?' vraagt Emil Hagen.

Hagen is een gedrongen man die net van de politieacademie is gekomen. Brogeland kent zijn soort wel. IJverig, vol dadendrang en ideeën over hoe je de wereld kunt veranderen: één slechterik per keer. Gewoon doorgaan, Emil, denkt Brogeland. Je komt vroeg of laat wel weer met beide benen op de grond terecht, net als de rest van ons. Emil heeft blonde lokken, hij lijkt op de Emil uit de boeken van Astrid Lindgren, alleen in volwassen uitvoering. Hij heeft een grote spleet tussen zijn voortanden.

'Tegenwoordig brengt Iran als enige land deze straf officieel in praktijk,' legt Sandland uit, 'maar in andere landen komt het ook regelmatig voor, als een vorm van eigenrichting. Steniging wordt hoofdzakelijk toegepast bij overspel, ontucht en blasfemie. In 2007 werd Jafar Keyani in Iran geste-nigd. Dat was voor het eerst sinds 2002 toen Iran officieel toegaf dat ze die methode van terechtstelling gebruikten.'

'Wat had hij gedaan?' vraagt Nøkleby.

'Zíj, bedoel je?'

Nøkleby buigt beschaamd haar hoofd.

'Ze had een buitenechtelijke verhouding.'

De overige rechercheurs kijken Sandland aan. Fredrik Stang zet het glas water neer dat hij in zijn hand had.

'Ik snap het niet helemaal, we hebben toch iemand in voorarrest zitten?' Stang heeft kort, donker, bijna gemillimeterd haar en een gezicht waar al-tijd de ernst van afdruipt. Hij draagt graag nauwsluitende kleren om te la-ten zien dat hij veel tijd in de sportschool doorbrengt.

'Jazeker, maar hij ontkent schuld, en het is nog veel te vroeg om het on-derzoek alleen op hem toe te spitsen. Bovendien zijn we nu bezig met de vraag wat het motief kan zijn,' verduidelijkt Nøkleby.

'Hagerup had rondgeneukt,' antwoordt Stang. 'De sms'jes wijzen daar toch op? En Marhoni is toch moslim? Voor mij is het een eenvoudige op-telsom.'

Sandland zet een flesje Cola Zero aan haar mond en neemt een slok.

'Ja hoor, ik ben het met je eens dat het die indruk wekt. Maar ik vind dat we de theorie van de eerwraak toch terzijde moeten schuiven. Het klinkt logischer om ons op de sharia te richten.'

'De sharia?' vraagt Gjerstad.

'Ja. Jullie weten toch wel wat dat is?'

Ze kijkt de groep aan. De meesten knikken, maar niet vol overtuiging. Emil Hagen gaat verzitten.

'Emil?'

Hij kijkt ongemakkelijk om zich heen voor hij antwoord geeft.

'Extreem strenge regels voor hoe je moet leven of zoiets?'

Sandland glimlacht even.

'Zo zou je het misschien ook kunnen zeggen. De meeste mensen hebben over de sharia gehoord en denken daarbij uitsluitend aan volstrekt door-geslagen extremisten. Maar de sharia is een nogal complexe materie. Men-sen die zich shariageleerden noemen, hebben jarenlang gestudeerd om de rechtsprincipes van de sharia te kunnen begrijpen. Je moet de Koran be-studeren, wat de profeet Mohammed heeft gezegd en gedaan, de geschiedenis bestuderen, hoe de verschillende zogenaamde wetscholen hebben bepaald welke wetten moeten worden toegepast, enzovoort, enzovoort. De shariawetgeving heeft tegenwoordig in moslimlanden vooral betrekking op familiezaken, scheidingen, erfrecht en dergelijke.

'Maar wat heeft dat met de moord op Hagerup te maken?' vraagt Gjerstad ongeduldig.

'Daar kom ik nog op. Er is niet één duidelijk omschreven islamitische wetgeving en er zijn maar een paar landen waarin het strafrecht is gebaseerd op zo'n wetgeving. En in die landen hebben ze iets wat *hudud* worden genoemd.'

'Hoedewatte?' vraagt Hagen.

'Hudud. Dat zijn de strafmaatregelen voor misdrijven die in de Koran worden genoemd. Er zijn concrete manieren om bepaalde misdrijven te bestraffen. Zweepslagen, bijvoorbeeld. Of het afhakken van een hand.'

Brogeland knikt zachtjes in zichzelf. Hij begrijpt onmiddellijk de reikwijdte van wat Sandland heeft gezegd.

'Wat moet je gedaan hebben om zo'n straf te krijgen?' vraagt Nøkleby terwijl ze haar handen gevouwen voor zich neerlegt. Sandland kijkt naar haar terwijl ze uitlegt.

'Overspel, bijvoorbeeld. Dan kun je honderd zweepslagen krijgen. Als je op diefstal wordt betrapt, kun je je hand kwijtraken. Maar de praktijk van de hudud verschilt per land, en in sommige gevallen nemen mensen het recht in eigen hand en rechtvaardigen ze hun zieke straffen door naar de wet van God te verwijzen. De symbolische waarde van de mogelijkheid tot dergelijke straffen is waarschijnlijk het belangrijkst, want dan laat je zien dat je de bepalingen van de Koran en de islamitische wetgeving respecteert.'

'Ook al bestaan die alleen maar op papier?' gaat Nøkleby door.

'Ook al bestaan die alleen maar op papier,' zegt Sandland met een knikje. 'Maar er zijn ook een paar landen die die straffen ten uitvoer brengen. In november 2008 werd een meisje van dertien in Somalië door steniging ter dood gebracht omdat ze een verkrachting probeerde aan te geven. Ze werd naar een voetbalstadion gebracht, in een kuil gestopt waarna men de kuil weer dichtgooide, zodat alleen haar hoofd erboven uit stak. Vervolgens bekogelden vijftig mensen haar met stenen. Er waren duizend mensen die toekeken.'

'Godallemachtig,' zegt Hagen. Brogeland kijkt dromerig naar Sandland.

Jij mag mij altijd de les lezen, denkt hij. Met een zweep en handboeien paraat als ik na afloop een fout antwoord zou geven.

Stang schudt zijn hoofd.

'Hoe komt het dat jij hier zoveel van afweet?'

'Ik heb godsdienstgeschiedenis als bijvak gehad.'

'Dit is allemaal goed en wel,' onderbreekt Gjerstad hen, 'maar we zijn nog geen stap verder gekomen bij de vraag waarom dit is gebeurd.'

'Nee, of wie de dader is.'

'Jij gelooft niet dat het Marhoni is?' vraagt Nøkleby.

'Ik weet nog niet wat ik geloof. Maar Marhoni maakte op mij niet de indruk dat hij een fanatieke moslim is, om het voorzichtig uit te drukken, of dat hij veel verstand van de hudud heeft. Ik vind het belangrijk om duidelijk vast te stellen dat dit geen gewoon moslimgedrag is. Er staat bijvoorbeeld niets over steniging in de Koran. De dader is waarschijnlijk iemand met extreme standpunten, en dan bedoel ik ook extréme standpunten, en een zieke geest. Ik twijfel er daarom sterk aan dat Mahmoud Marhoni de dader is.'

'Moet je geen moslim zijn om op zo'n manier gestraft te worden?' vraagt Brogeland.

'Ja, dat klopt.'

'Maar Hagerup was toch blank, net als wij?'

'Precies. Er zijn hier dus een aantal dingen die niet kloppen.'

'Ze kan zich natuurlijk bekeerd hebben tot de islam,' stelt Hagen voor. Sandland trekt een grimas.

'Maar aangezien ze een blanke Noorse was, is het niet zo zeker dat de sharia en hudud hier iets mee te maken hebben,' merkt Gjerstad op.

'Nee, dat...'

'Het kan gewoon zijn dat iemand het leuk vond om haar te stenigen. Het is een verschrikkelijke manier om iemand te vermoorden. Het duurt eeuwen, vooral als het kleine stenen zijn.'

'Ja, maar we moeten wel op zoek naar iemand die wat afweet van de hudud.'

'Maar dat kan iedereen zijn.'

'Iedereen kan erover lezen en om die reden ervan afweten, inderdaad, of je nu Noors bent of moslim. Maar deze moord heeft toch vooral een ritueel karakter. Dat ze gegeseld is, gestenigd en dat haar hand is afgehakt, dat moet iets specifieks te betekenen hebben.'

'Absoluut,' zegt Nøkleby.

'Dus Hagerup heeft een slippertje gemaakt?' vraagt Hagen. 'Of heeft ze wat gestolen?'

Sandland haalt haar schouders op.

'Geen idee. Misschien allebei. Of misschien heeft ze helemaal niets gedaan. We weten het nog niet.'

'Oké,' zegt Gjerstad met een stem waaraan te horen valt dat hij wil afsluiten. Hij komt overeind. 'We moeten grondiger onderzoek doen naar de achtergronden van Marhoni en Hagerup, erachter komen wie ze zijn en waren, wat zij wel en niet heeft gedaan, wat ze wist, wat ze studeerde, met wie ze omging, vrienden, familieachtergrond enzovoort, enzovoort. Verder moeten we onderzoek doen in de moslimmilieus, of er iemand bij zit die vindt dat zweepslagen en dat soort straffen op hun plaats zijn, en dan moeten we kijken of er een verband is met Hagerup of Marhoni. Emil, jij bent goed met internet. Check de chatforums, websites, blogs en hoe het allemaal mag heten, kijk wat je kunt vinden over sharia en hudud en of je namen tegenkomt die we verder kunnen onderzoeken.'

Emil knikt.

'Nog één ding,' zegt Gjerstad. Hij kijkt Nøkleby aan en vervolgt dan: 'Het zou niet nodig moeten zijn om dit te zeggen, maar de man van NRK op de persconferentie eerder vandaag was duidelijk goed op de hoogte. Dit onderzoek bevat dusdanige elementen dat we het onszelf alleen maar moeilijker maken als de media lucht krijgen van waar we mee bezig zijn. Dus niets van wat wij in deze ruimte besproken hebben, mag naar buiten komen. Is dat duidelijk?'

Niemand antwoordt. Maar iedereen knikt.

Hoofdstuk 16

Het kost niet zo veel tijd om het werk op de Westerdals School af te ronden. Hij neemt een paar interviews af, krijgt de antwoorden waarvan hij weet dat de krant wil dat hij ze krijgt, maakt nog een paar foto's en keert terug naar de stad. Hij loopt net langs Jimmy's Sushi Bar aan de Fredensborgveien als zijn telefoon overgaat.

'Met Henning,' zegt hij.

'Hallo, met Heidi.'

Hij trekt een grimas en mompelt hallo zonder een greintje enthousiasme.

'Waar ben je?'

'Op weg naar huis om een stuk te schrijven. Ik stuur het later vanavond.'

'*Dagbladet* heeft al een stuk over haar vrienden en het verdriet op haar school. Waarom hebben wij dat niet? Waarom duurt het zo lang?'

'Hoezo, zo lang?'

'Waarom heb je het stuk niet doorgebeld?'

'Er moet toch eerst een stuk zijn voordat ik het kan doorbellen?'

'Vier zinnen over de sfeer, twee citaten van iemand die verdriet heeft en we konden een stuk publiceren dat jij later had kunnen aanvullen met foto's en nog meer citaten. Nu is het mosselen na de maaltijd!'

Hij krijgt zin om te zeggen dat het 'mosterd na de maaltijd' is, maar hij zegt niets. Heidi haalt diep adem en blaast hoorbaar uit in de telefoon.

'Waarom zouden mensen ons human touch-artikel willen lezen als ze het al bij anderen hebben gezien?'

'Omdat mijn stuk beter is.'

'Ha! Dat hoop ik. En voor de volgende keer: bel je stuk door.'

Hij krijgt niet de kans om te antwoorden, want Heidi heeft al opgelegd. Vol verachting kijkt hij snuivend naar zijn telefoon. Dan vervolgt hij zijn weg naar huis en neemt er ruim de tijd voor.

Bij thuiskomst verwisselt hij de batterijen van zijn rookmelders en gaat dan op de bank zitten om te schrijven. Op weg naar huis heeft hij lopen nadenken over hoe hij de zaak moet aanpakken. Het hoeft niet lang te duren. Misschien lukt het hem om vanavond nog naar de laatste trainingen op Dælenenga te gaan kijken.

Het downloaden en bewerken van de foto's die hij naar het bureau wil sturen, kost hem nog de meeste tijd. Hij wil niet het risico lopen dat ze op de redactie met de foto's gaan rommelen.

Zes of misschien zeven jaar geleden, hij weet niet meer precies wanneer, werd in Grorud een vrouw op brute wijze omgebracht. Ze werd gevonden in een container. Hij had stapels foto's genomen en ze allemaal naar de redactie van *Aftenposten* gestuurd, zonder ze te selecteren of te bewerken, omdat de Oude Tante, zoals de krant smalend genoemd wordt, al vroeg naar de drukker gaat. Hij gaf duidelijk aan welke foto's mochten worden gebruikt en welke niet, in elk geval niet zonder uitdrukkelijke toestemming van de betrokkenen. Er waren namelijk veel politiemensen aanwezig achter het afzetlint. Hij liet ook duidelijk weten dat de redactie met hem moest overleggen voordat ze tot publicatie overgingen.

Die avond hoorde hij niets en hij kwam er ook niet aan toe zelf nog te bellen, dus toen de volgende dag aanbrak stonden de verkeerde foto's bij het artikel, zelfs met de verkeerde bijschriften erbij. Hij moest met de staart tussen de benen vertrekken. Hij probeerde zich te verontschuldigen bij de betrokkenen, maar die wilden niet met hem praten. 'Geef de schuld maar aan de redactie,' zeiden ze sarcastisch.

Maar bij journalisten gaat het net zoals bij andere beroepsgroepen. Je moet een paar keer je vingers branden voordat je je lesje hebt geleerd. Een van de eerste dingen die een vriend van hem te horen kreeg toen hij met zijn studie medicijnen begon, was dat hij pas een goede dokter kon worden als hij eerst een kerkhof had gevuld. Al doende leert men, je past je aan, krijgt nieuwe inzichten, maakt jezelf nieuwe technieken eigen, past je opnieuw aan, leert je collega's en hun trucs kennen en past je ook daaraan aan. Het is een continu proces.

Eerst start hij Photoshop en downloadt de foto's. Verdriet, plastic en meer plastic verdriet. En dan Anette. Hij dubbelklikt op de foto's die hij van haar heeft genomen. Zelfs op zijn 15,6-inchscherm worden alle details haarscherp zichtbaar. Als hij de foto's snel achter elkaar bekijkt, wordt het hem nog duidelijker. Anette kijkt om zich heen, alsof iemand haar gadeslaat, maar ze pikt dan toch snel even haar ogenblik met Henriette mee. Het duurt maar een paar seconden, maar hij heeft het met de camera vastgelegd.

Anette, denkt hij, waar ben je bang voor?

Het artikel schrijven en het daarna naar de redactie sturen duurt langer dan hij had gedacht. De zinnen komen niet zo snel als hij had gehoopt. Maar hij bedenkt dat ook oude, roestige treinen op moderne rails kunnen rijden. Hij hoopt dat Heidi thuis zit te schuimbekken omdat het zo lang duurt.

Hij kijkt op zijn horloge. Half negen. Hij haalt Dælenenga niet eens.

Hij zucht en leunt achterover. Ik had naar mama moeten gaan, denkt hij. Het is alweer een paar dagen geleden. Ze is vast beledigd. Nu hij erover nadenkt, kan hij zich eigenlijk niet herinneren wanneer ze voor het laatst níét beledigd was.

Christine Juul woont in een eenvoudig tweekamerappartement in de Helgesens gate. Ze woont er al vier jaar, in een van die nieuwe woonprojecten die in het begin razend duur zijn, maar die geleidelijk aan in waarde dalen. In Grünerløkka zijn er ook een paar.

Daarvoor woonde ze in Kløfta, de buurt waar Henning was opgegroeid, maar dat was te ver weg van waar Trine en hij woonden. Ze wilde dichter bij haar kinderen zijn, alleen maar om door hen te kunnen worden verzorgd. Ze gaf praktisch al haar geld uit aan een volslagen onpersoonlijk appartement waar niets aan de wand hangt, het zijn gewoon kale, witte vlakken die al geel worden van de rook die ze elke dag uitblaast. Maar dat is niet de reden dat ze zich beledigd voelt.

Met de zegeningen waarmee Christine Juul in haar leven was bedeeld was ze volgens Henning best tevreden, tot haar man stierf. Een gemakkelijk baantje als assistent-verpleegkundige, een op het oog goed huwelijk, op het oog gezonde, succesvolle kinderen, geen grote vriendenkring maar wel een paar vrienden die ze erg op prijs stelde, en de gezelligheid van haar koor en de wijnclub. Maar na de dood van Jacob Juul stortte ze in. Pardoes.

Hoewel Henning en Trine nog maar tieners waren toen het gebeurde, kregen ze snel in de gaten dat ze voor zichzelf moesten zorgen. Dat het op hen aankwam om de boodschappen te doen, te koken, het gras te maaien, de heg te snoeien, de was te doen, schoon te maken, op eigen houtje naar de voetbaltraining en wedstrijden te gaan, naar school en naar het zomerhuis in de vakanties. Als ze vragen hadden over iets wat met school te maken had, moesten ze die aan de buren stellen. Of niet.

Want Christine Juul kreeg een nieuwe vriend.

St. Hallvard is een zoete kruidenlikeur op basis van aardappeldestillaat met genoeg alcohol om troost te bieden bij verdriet. Tegenwoordig gaat er geen week meer voorbij of Henning komt bij haar langs om haar voorraad aan te vullen. Minimaal twee flessen. Ze is beledigd als ze er maar een krijgt.

Hij heeft er veel over nagedacht en is tot de slotsom gekomen dat hij haar niet zal tegenhouden als ze zich kapot wil drinken. Ze toonde nauwelijks belangstelling toen hij trouwde en kwam maar een uurtje opdraven toen Jonas werd gedoopt. Ze huilde niet eens toen Jonas stierf, al verscheen ze wel bij de begrafenis. Ze arriveerde als een van de laatsten, maar ze ging niet bij hen op de voorste rij zitten, ze bleef ergens achteraan staan en verliet de kerk zodra de plechtigheid was afgelopen. Ze kwam zelfs niet op bezoek toen hij op de brandwondenafdeling van het Haukelandziekenhuis lag en belde evenmin om te vragen hoe het ging. Toen hij voor de revalidatie naar het Sunnaasziekenhuis was overgebracht, kwam ze twee keer langs, maar ze bleef nooit langer dan een halfuur. Ze keek hem bijna niet aan, sprak nauwelijks een woord.

Likeur, Marlboro Light en de roddelbladen.

Hij vindt niet dat hij haar de drie vreugdes die ze nog heeft, mag ontnemen, ook al is ze pas tweeënzestig jaar oud. Ze eet nauwelijks, hoewel hij haar koelkast met enige regelmaat bijvult. Hij probeert variatie in haar voedingspatroon aan te brengen, zodat ze wat eiwitten, calcium en vitaminen binnenkrijgt, maar ze krijgt sowieso niet veel binnen.

Af en toe kookt hij voor haar en eet dan samen met haar aan de kleine keukentafel. Ze zeggen niets. Ze eten alleen maar en luisteren naar de radio. Henning is dol op de radio, vooral wanneer hij bij zijn moeder is.

Hij weet niet waarom ze zo boos op hem is, maar waarschijnlijk komt het omdat hij niet belangrijk is geworden, zoals zijn zus, Trine Juul-Osmundsen, de minister van Justitie. Zij doet haar werk kennelijk heel goed. Mensen mogen haar, vooral bij de politie, maar dat heeft hij alleen van zijn moeder.

Hij heeft geen contact met zijn zus. Dat wil zij zo. Het is lang geleden dat hij besloot geen poging meer te wagen. Hij weet niet precies hoe het is gekomen, maar op een bepaald moment in hun jeugd praatte Trine niet meer met hem. Toen ze achttien werd, ging ze het huis uit en ze kwam nooit meer terug, zelfs niet met Kerstmis. Ze schreef wel brieven, aan haar moeder, nooit aan hem. Hij werd niet eens uitgenodigd voor haar huwelijk.

De familie Juul. Niet bepaald een doorsneefamilie. Maar hij moet het ermee doen.

Hoofdstuk 17

Hij kijkt naar zijn piano. Die staat tegen de wand. Vroeger vond hij het fijn om piano te spelen, maar hij weet niet of hij het nog kan opbrengen. Het heeft niets met zijn handen te maken. Zijn vingers doen het, hoewel ook die verbrand waren.

Hij herinnert zich de avond waarop hij hoorde dat Nora zwanger was. Het was vlak na de bruiloft, ze hadden de zwangerschap gepland, maar hadden veel verhalen gehoord van mensen die het jarenlang probeerden zonder dat het lukte. Bij Henning en Nora was het echter meteen de eerste keer raak.

Hij was op zijn werk toen Nora binnenkwam. Hij zag aan haar gezicht dat er iets was gebeurd. Ze was nerveus, maar blij. Vol angst en ontzag voor wat ze tot stand hadden gebracht, de verantwoordelijkheid die ze willens en wetens op zich hadden genomen.

Ik ben zwanger, Henning.

Hij kan haar stem nog horen. Voorzichtig, trillend. De snelle glimlach die zich over haar lippen verspreidde en moest wijken voor een onzekerheid waar hij wel van moest houden. Hij liep naar haar toe, omhelsde haar en gaf haar een kus.

Allemachtig, wat een kus was dat.

Nora was die avond iets meer dan zeven weken in verwachting. Hij weet nog dat ze vroeg naar bed ging, want ze was misselijk. Hij bleef lange tijd zitten nadenken, luisterend naar de stilte. Toen ging hij achter de piano zitten. In die tijd werkte hij veel en hij had een eeuwigheid niet meer gespeeld. Maar zo is het altijd als hij achter de toetsen gaat zitten na een lange onderbreking. Alles wat hij speelt, klinkt dan goed.

Die avond speelde hij misschien wel het mooiste lied dat hij ooit had gemaakt. Hij ging naar Nora, haalde haar uit bed en speelde het voor haar. Misselijk en weergaloos stond ze achter hem terwijl zijn vingers de zwarte en witte toetsen liefkoosden. Het was een melancholiek lied, een langzame melodie.

Nora legde haar handen op zijn schouders, boog zich voorover en omklemde hem van achteren. Henning noemde het lied 'Kleine Vriend'. Hij had het na Jonas' geboorte vaak voor hem gespeeld. Jonas vond het fijn om er 's avonds voor het slapen gaan naar te luisteren. Henning schreef er ook een tekst bij, maar hij is niet zo goed in het schrijven van liedteksten. Dus neuriede hij er meestal bij.

Hij had 'Kleine Vriend' op de begrafenis moeten spelen, maar toen zat hij in een rolstoel, ingepakt in gips en verband. Natuurlijk had een vriend het kunnen spelen, maar dat zou niet hetzelfde zijn geweest. Híj had het moeten doen.

Terwijl de dominee de dienst leidde, neuriede Henning.

Sindsdien heeft hij dat niet meer gedaan.

De hele dag heeft er een gedachte door zijn hoofd gemaald. Alle goede misdaadverslaggevers hebben een goede bron. Henning heeft een fantastische bron. Of liever gezegd, die had hij. Hij weet niet of die bron er nog steeds is, hij weet ook niet of het een man is of een vrouw, want zo is het altijd geweest. Dat was de afspraak. Henning mocht niet weten wie hij of zij was en zelfs al zou hij er toevallig toch achter komen, dan mochten ze nooit iets met elkaar te maken hebben.

De bron noemt zich *6tiermes7*. Deze bron kwam in Hennings leven toen hij op internet aan het surfen was op zoek naar kinderporno in verband met een artikel waar hij aan werkte. Hij wilde onderzoeken hoe gemakkelijk het was om kinderporno op internet te vinden, hoeveel keer je moest klikken om het te vinden, en het duurde niet lang of hij kwam op een gelabelde site terecht.

De site was gelukkig bekend bij de politie. Maar omdat Henning er nu zelf op zat, wist de politie ook van zíjn bestaan af. Hij was zich ervan bewust dat zoiets kon gebeuren, maar ook dat was ook een onderdeel van zijn werk. Erachter komen hoe goed de politie is geïnformeerd, hoe lang het duurt voor ze hem tegenhouden. Hij weet niet precies hoe het idee was ontstaan, maar vermoedelijk had hij het bedacht nadat hij gehoord had dat hij vader zou worden. Misschien was het een poging om de ellende voor te zijn.

Na een heleboel verschillende kinderpornosites te hebben bezocht, werd hij benaderd door een internetvriendin die zichzelf *Chicketita* noemde. Zij zou hem een paar kinderpornofilms geven, fysiek, als hij die avond om elf uur naar het Vaterlandspark kwam. Hij ging er niet naartoe.

De volgende dag werd hij voor verhoor opgepakt. Zijn computer werd in beslag genomen en naar de technische recherche gebracht voor onderzoek, om te kijken of hij vroeger ook al vaak naar kinderporno had gezocht. Dat was natuurlijk niet zo. Hij werd weer snel de straat op gestuurd toen hij de rechercheurs van de afdeling zedendelicten had uitgelegd wat zijn bedoeling was geweest. *Chicketita*, in het echt een vrouwelijke politiefunctionaris met de naam Elise, had begrip getoond. Hij mocht doorgaan met zijn onderzoek. Ze vond het goed dat de pers het probleem onder de aandacht probeerde te brengen.

Een paar dagen later werd hij benaderd door *6tiermes7*. Eerst dacht hij dat het een nieuwe rechercheur was op jacht naar pedofielen, maar na een tijdje begreep hij dat dat niet het geval was. *6tiermes7* had een heel andere agenda.

Hij weet niet of *6tiermes7* had opgevangen wat zijn plannen waren, maar hij vermoedt dat hij of zij zijn werk al een tijdje had gevolgd, of op zijn minst had nagegaan wat hij kon. In die tijd was hij een echte *shark*, voortdurend op jacht naar nieuws, hij had een aantal onthullingen gedaan waardoor de politie een onderzoek had kunnen starten en sommige zaken had kunnen afsluiten. Hij boekte resultaten. *6tiermes7* was bereid hem te helpen onder de strikte voorwaarde dat Henning zijn bron nooit zou onthullen.

Via een e-mailadres dat niet terug te voeren was naar de eigenlijke identiteit van *6tiermes7*, kreeg hij een bestand toegestuurd dat hij moest uitpakken; het bevatte een programma dat FireCracker 2.0 heette. Henning had op internet naar het programma gezocht, maar nooit informatie gevonden waaruit bleek dat het ergens te koop was. Hij ging ervan uit dat *6tiermes7* het zelf had gemaakt, maar hij vroeg er nooit naar. Het was een programma dat na installatie en opstarten verbinding maakte met een server zodat ze veilig konden chatten. Min of meer veilig, tenminste.

Ze maakten gebruik van een encryptiealgoritme, wat in de praktijk betekende dat alles wat ze elkaar via het chatten toestuurden, onleesbaar was voor anderen, tenzij die natuurlijk de code kenden. Voorwaarde was wel dat de tekst niet werd onderschept voordat deze gecodeerd werd. Het is immers heel goed mogelijk om een toetsenbord in de gaten te houden. In potentie gevaarlijk voor *6tiermes7*. Maar Henning was niet van plan vragen te stellen bij de morele en ethische dilemma's van *6tiermes7*.

6tiermes7 bleek al snel de beste bron te zijn die hij ooit had gehad. Voor een journalist draait alles om bronnen. Je moet de beste bronnen hebben, die jou met nieuws benaderen in plaats van omgekeerd, bronnen die jou regelmatig informatie kunnen toespelen die je kan helpen bij de interviewobjecten, specialistische kennis die misschien niet gebruikt kan worden, maar die toch goud waard is. Bijvoorbeeld als pressiemiddel. Of simpelweg om te weten hoe het met de ontwikkeling in een zaak staat, wat de politie heeft uitgevonden, welke sporen ze volgt, de namen van de mensen die verhoord worden en dat soort dingen.

6tiermes7 gaf hem dat allemaal. Deep Throat, dus, de diepste van allemaal. Drie jaar lang, voor Dat Waar Hij Niet Aan Denkt, had Henning veel artikelen gepubliceerd die het resultaat waren van zijn samenwerking met *6tiermes7*. *6tiermes7* hielp hem, en door dingen in een ander licht te plaatsen hielp hij de politie aan een doorbraak in oude en nieuwe zaken. Samen behaalden ze resultaten. *Quid pro quo*, zoals Hannibal Lecter het zou noemen.

Maar *6tiermes7* had hem nooit verteld hoe of waarom. Henning had nooit geprobeerd de identiteit van *6tiermes7* te achterhalen. Hij had ook geen plannen om dat te doen. Sommige dingen kun je beter laten zoals ze zijn.

Voor hij weer aan het werk was gegaan, had hij bijna twee jaar lang niet meer aan *6tiermes7* gedacht. Hij heeft geen idee of *6tiermes7* nog steeds voor hem toegankelijk is, of zijn bron met een ander is gaan samenwerken of dat *6tiermes7* misschien wel voorgoed uit de cyberspace is verdwenen.

Daar zal hij nu achter komen.

Hoofdstuk 18

De waterdamp stijgt op en blijft onder het dak hangen. Een hogedruk-spuit veegt systematisch over een donkerrode Audi A8 met zilverkleurige 19-inchvelgen. Oude vogelpoep, pekel, grind en steenslag verdwijnen ra-zendsnel van de lak. De auto is meteen overal nat.

Yasser Shah legt de hogedrukspuit weg en geeft twee anderen een teken dat ze aan het werk kunnen. Een derde opent de portieren en begint te stof-zuigen. De mannen spuiten zeep op de chique auto en wrijven er met een spons flink op los. Het viertal werkt snel en effectief. De matten worden uit de auto gehaald en geklopt. Resten boomschors, gras en rommel worden uit de kofferbak gehaald. De rubberen strips worden droog geveegd en al snel blinken het hele interieur, stuur, dashboard, versnelling, stereoinstal-latie en de ruiten. Het heeft in totaal niet meer dan tien minuten geduurd.

En dat alles voor 150 kronen, een schijntje.

De eigenaar van de auto, een man in een grijs pak met bijpassende strop-das, houdt de werkzaamheden met argusogen in de gaten. Zaheerullah Hassan Mintroza zit in zijn glazen kooi in de autowasserij toe te kijken en ziet dat de eigenaar nogal sceptisch kijkt. Waarschijnlijk omdat we Paki-stani zijn, denkt Hassan. Maar omdat we goedkoop zijn, probeert hij het toch maar.

Stomme vent. Je moest eens weten door wie jij je auto laat wassen.

Hassan laat het viertal hun werk afmaken en drukt dan op de knop om de deur te openen. De eigenaar weet niet goed of hij moet instappen of niet. Hassan gaat staan, gebaart tegen het kwartet dat ze de laatste details buiten moeten afhandelen. Yasser Shah stapt in, start de motor die agres-sief ronkt in de perfecte akoestiek van de hal en rijdt achteruit naar bui-ten. De anderen volgen met een zeem in de hand.

Hassan loopt naar de eigenaar toe en neemt het geld in ontvangst.

'Het ziet er heel goed uit,' zegt de eigenaar. Hassan knikt, telt de acht munten van twintig kronen en zegt maar niet dat hij tien kronen te veel heeft gekregen. Dat mankeert er nog maar aan, denkt hij, na deze bliksem-snelle service.

Shah stapt uit en geeft de eigenaar de sleutels. De andere drie vegen de laatste druppels weg van het dak, de portieren en de velgen van de Audi.

'Bedankt hoor,' zegt de eigenaar en hij stapt in. Rustig rijdt hij de weg op. Hassan kijkt naar de anderen en gebaart dat ze moeten binnenkomen. Ze volgen zijn bevel op en gaan Hassans glazen kooi binnen. Het kantoor is niet groter dan een slaapkamer. Er staan drie stoelen. Een tv in de hoek. Al-Jazeera. Het geluid staat uit. Hassans bureau ligt vol papieren en kranten, er staat ook nog een pc op met een mok ernaast. Een oude naaktfoto van Nereida Gallardo Alvarez versiert de wand achter Hassans krakende stoel.

'Doe de deur dicht,' zegt Hassan tegen Yasser Shah. Hassan drukt op een knop. Buiten de autowasserij gaat een rode lamp branden.

De anderen wachten af. Hassan kijkt hen een voor een aan. Hij heeft halflang haar. Het is vochtig van de Brylcreem en achterover gekamd. Hij heeft geen paardenstaart, ook al had dat wel gekund. Op zijn gezicht een paar dunne baardstrepen, nauwkeurig geschoren, rond de mond en op zijn wangen. Hij heeft een dikke gouden ketting om zijn hals en bijpassende ringen in zijn oren. Hij draagt een versleten stonewashed jeans en een witte singlet dat zich om zijn buik en bovenlichaam spant. Hassan is mager, maar geen slungel. De spieren van zijn armen zijn imposant. Op zijn ene arm zit een tattoo van een groene kikker, op de andere eentje van een zwarte schorpioen.

'We hebben een probleem,' zegt hij ernstig en hij kijkt hen om de beurt aan. 'We hebben het hier eerder over gehad, wat we moeten doen als zo'n situatie zich voordoet, en vooral als het om déze situatie gaat.'

De anderen knikken zwijgend. Yasser Shah doet zijn mond een klein beetje open. Hassan registreert het.

'Yasser, nu is het jouw beurt,' zegt hij kort maar vastbesloten. Yasser wil iets zeggen, maar Hassan onderbreekt hem.

'We moeten een boodschap afgeven. Dit is jouw kans om te bewijzen dat je een van ons bent, dat je het meent dat je hier wilt zijn.'

Shah kijkt naar de vloer. Hij is klein en stevig. Hij heeft een dicht, vierkant geschoren baardje om zijn mond, maar verder een gladde huid, met uitzondering van dikke stroken vanaf zijn oren naar zijn wangen. Zijn neus staat scheef als gevolg van een vechtpartij in Gujrat in 1994. Bij die gelegenheid werd zijn bovenlip in tweeën gespleten waardoor er aan de linkerkant een litteken zit. De oorbel in zijn linkeroor glinstert als een diamant.

'Wil je de cel in?'

Shah kijkt weer op.

'Nee,' antwoordt hij zacht.

'Wil je dat de rest van ons in de cel terechtkomt?'

'Nee.'

Zijn stem klinkt krachtiger.

'Dit leven eist van ons dat we ons voor elkaar opofferen,' gaat Hassan verder. 'We kunnen geen risico's nemen.'

De anderen kijken afwisselend naar Hassan en Shah. Hassan wacht lange tijd, trekt dan een la open en haalt een zwarte doos tevoorschijn. Hij maakt hem open, pakt er een pistool en een geluiddemper uit en geeft die aan Shah.

'Simpel, snel. Geen fouten.'

Shah knikt aarzelend.

'En nu jullie. Zodra dit in de ether terechtkomt: zorg dat je in de buurt van een camera bent en genoeg getuigen om je heen hebt. Het is niet zeker dat die zwijnen bellen, maar als ze het doen, dan doen ze dat om te weten waar jullie zijn.'

Iedereen knikt, behalve Yasser Shah. Hij staart naar de vloer.

Hoofdstuk 19

Henning opent zijn scherm weer en zoekt FireCracker 2.0 op in de lijst met programma's. Hij aarzelt even, neemt dan een besluit en dubbelklikt op het icoontje van een miniatuurvuurpijl. Misschien gebruikt *6tiermes7* nu een andere versie, denkt hij, een modernere versie, misschien zijn er applicaties bijgekomen die een upgrade vereisen, maar hij breekt het opstarten niet af. Het is het proberen waard.

Het duurt eeuwen voor het programma start. Ik moet een nieuwe laptop kopen, denkt hij, terwijl de ventilator gaat brommen. Met op de achtergrond het gezoem van het apparaat klikt hij op de site van *123nieuws* om te kijken of zijn artikel is gepubliceerd.

Inderdaad. Voor zover hij na een snelle blik kan beoordelen heeft de redactie niets wezenlijks veranderd. Het artikel staat bovenaan. Dat van Iver Gundersen over de arrestatie staat als link in de lead. Henning wordt onpasselijk bij het zien van de woorden van Gundersen.

Hij richt zijn aandacht daarom op zijn eigen stuk. '*We zullen je nooit vergeten...*' knalt hem tegemoet. Op de foto staat het altaar met alle afscheidsgroeten die Henriette Hagerup heeft gekregen. Standaard. Maar het is in orde, het is een goed begin. Het heeft niets met nieuws te maken, maar het is een goed begin.

Buiten stampt iemand hard op de trap. Henning probeert er niet op te letten en controleert of FireCracker 2.0 opgestart en bezig is. Dat is zo. Maar *6tiermes7* is er niet.

Hij laat het programma een paar minuten aan staan. Ondertussen dwingt hij zichzelf het stuk van Iver Gundersen te lezen, terwijl hij zichzelf ervan probeert te overtuigen dat het informatie kan bevatten die hij moet weten. Hij bedenkt dat Nora's nieuwe lover hem vroeg uit te zoeken hoe de vriend van Hagerup heet, iets wat hij in de gauwigheid was vergeten.

Hij vervloekt zijn beschimmelde hersencellen, klikt het artikel aan en begint te lezen:

MAN GEARRESTEERD VOOR STENIGING

Een ongeveer twintigjarige man is donderdag gearresteerd in verband met de gewelddadige moord op Henriette Hagerup.

In de lead een foto van de plaats delict. Afzetlint, dit keer het echte, op de Ekebergsletta. Op de achtergrond ziet hij de grote, witte tent. Voor het afgezette gebied staan een paar mensen. Hij leest verder:

> *De politie besloot de man te arresteren na een routineverhoor. De man probeerde te vluchten toen de politie op zijn deur klopte, maar hij werd kort daarop aangehouden.*
> *Uit wat 123nieuws heeft vernomen, blijkt dat ook in beslag genomen bewijsmateriaal de man in verband brengt met de moord. Hij zal later vandaag worden voorgeleid en in voorlopige hechtenis worden genomen. Lars Indrehaug, advocaat van de verdachte, zegt tegen 123nieuws dat zijn cliënt ontkent schuldig te zijn.*

Vervolgens vat Gundersen de zaak opnieuw samen, hij vertelt wat er is gebeurd en wanneer, en hoe de zaak zich tot nu toe heeft ontwikkeld. Hij vermeldt ook een citaat van Arild Gjerstad, de leider van het onderzoek, een opmerking die Henning zich van de persconferentie kan herinneren.

Nog steeds klinkt het gestamp in het trapportaal, alsof iemand voortdurend de trap op en neer loopt. Weer checkt hij FireCracker 2.0. Nog steeds is hij de enige ingelogde gebruiker. Hij besluit de pc niet uit te zetten, voor het geval *6tiermes7* in de loop van de avond of nacht opduikt. Maar hij heeft het vermoeden dat dat niet zal gebeuren.

Met een sombere zucht zit hij voor zich uit te staren. Zijn eerste werkdag zit erop. Hij denkt aan de mensen die hij heeft ontmoet, aan Kåre, Heidi, Nora, Iver en Anette. Na slechts één dag aan het werk te zijn geweest heeft hij alweer kennis en contacten gekregen die hij net zo lief niet had. Herinneringen komen terug, waarvan hij hoopte dat ze in de duisternis verborgen zouden blijven.

Hij denkt aan Nora, wat ze nu doet, of ze bij Gundersen zit. Natuurlijk zit ze bij Gundersen. Mister Super Fucking Corduroy. Misschien zijn ze aan het eten. In een restaurant. Bespreken wat er is gebeurd, wat ze gaan doen als ze thuis zijn, onder het dekbed of misschien erop.

87

Hij bedenkt dat hij maar beter niet kan denken en dat het maar snel avond en nacht moet worden.

Het gestamp houdt niet op. Hij besluit de gang op te gaan om te zien wat er aan de hand is en wie het doet. Een oude man loopt de trap op als Henning naar buiten kijkt. De man hijgt, hij draagt alleen een korte broek. Zijn bovenlichaam is bloot. Voor een oude man, beslist boven de zeventig, heeft hij nog flink wat spieren, ziet Henning. Ze kijken naar elkaar. De man wil doorlopen, maar blijft staan en kijkt Henning aan.

'Ben je hier nieuw?' vraagt hij.

'Nee,' antwoordt Henning. 'Ik woon hier al zes maanden.'

'O. O ja. Ik woon recht onder jou.'

'Aha.'

De man loopt naar Henning toe en steekt zijn hand uit.

'Gunnar Goma. Ik heb een bypassoperatie gehad. Vier aderen.'

Hij wijst naar een groot litteken midden op zijn borst. Henning knikt en drukt hem de hand.

'Daarom hijg ik zo. Ik ben aan het trainen om weer fit te worden. Zodat ik mijn vriendinnen kan bevredigen, ha ha.'

'Henning Juul.'

'Ik draag ook geen onderbroek.'

'Goed om te weten.'

'We moeten een keer koffiedrinken.'

Henning knikt weer. Hij houdt van koffie, maar hij vermoedt dat koffiedrinken met Gunnar Goma er niet in zal zitten. Ook al merkt hij dat het idee hem wel aanstaat.

Als hij weer teruggaat naar de keuken hoort hij een geluid dat van de pc afkomstig is. Dat geluid kan hij zich herinneren. *Ding dong*, alsof iemand aanbelt. Het betekent dat iemand hem een bericht via FireCracker heeft gestuurd.

6tiermes7. Het kan niemand anders zijn.

Hij gaat snel op de bank zitten en raakt de muis aan zodat het scherm uit de slaapstand schiet. Hij sluit de andere vensters, tot alleen FireCracker over is. Hij kijkt naar het scherm. Er is klein venstertje op het scherm verschenen. In het venstertje staat:

6tiermes7:
Kut

Om helemaal zeker te zijn dat niemand anders het programma gebruikt, hadden ze een lijst met codewoorden gemaakt. De eerste die contact opnam, tikte het eerste deel van het woord in. Als de ander dan antwoordde met het correcte tweede deel van het woord, konden ze ervanuit gaan dat het veilig was.

Hij glimlacht en antwoordt:

TinkyWinky:
Scheids

Hij krijgt een smiley als antwoord.

6tiermes7 en Henning hebben over heel wat meer gechat dan over misdaden en de oplossing ervan. Hennings schuilnaam, *TinkyWinky*, heeft hij gekregen omdat *6tiermes7* wist dat Henning een hekel heeft aan de Teletubbies, een tv-programma voor peuters waarin de hoofdpersonen voornamelijk communiceren met krom uitgesproken kreetjes en infantiele namen hebben zoals Dipsy, Laa-Laa, Po en TinkyWinky.

Hij weet zeker dat *6tiermes7* tijdens elke chatsessie grijnzend en vol leedvermaak achter het toetsenbord zit.

TinkyWinky:
Ik wist niet zeker of je nog bestond.

6tiermes7:
Idem dito. We hebben je gemist.

TinkyWinky:
Goed om te horen.

6tiermes7:
Dus je bent weer terug? Ik hoorde dat je vandaag bij de persconferentie was.

TinkyWinky:
Van wie hoorde je dat?

6tiermes7:
Van Barack Obama. Waar zie je me voor aan?

Henning stuurt een smiley.

6tiermes7:
What's up?

TinkyWinky:
Henriette Hagerup. Waar zie je me voor aan?

Meer smileys. Misschien hebben ze elkaar echt gemist.

6tiermes7:
Wat wil je weten?

TinkyWinky:
Alles. Wat jullie hebben, niet hebben.

6tiermes7:
Verdoe je je tijd niet?

TinkyWinky:
Daar heb ik geen tijd voor. Hebben jullie genoeg bewijzen tegen... Hoe heet hij trouwens?

Een tijd lang komt er geen antwoord. Misschien ben ik te snel geweest, te direct, denkt hij. Een minuut gaat voorbij, twee minuten. Hij laat zijn schouders hangen. Dan komt er eindelijk antwoord.

6tiermes7:
Sorry, ik moest naar de wc.

Meer smileys.

6tiermes7:
Hij heet Mahmoud Marhoni. Haar vriend. Ging ervandoor toen Ella Sandland en Bjarne

Brogeland bij hem aanbelden. Stak zijn laptop in de fik. Blijkbaar had hij ruzie met HH op de avond dat ze werd vermoord. Compromitterende sms'jes van haar aan hem.

TinkyWinky:
Hebben jullie de laptop kunnen redden?

6tiermes7:
Dat weten we nog niet.

TinkyWinky:
OK. Is Hagerup gestenigd?

6tiermes7:
Gestenigd, gegeseld, haar hand afgehakt. Ze had een brandwond van een stungun in haar hals.

TinkyWinky:
Een stungun? Een stroomstootwapen?

6tiermes7:
Ja.

Dat heeft weinig met eerwraak te maken, denkt Henning. Het lijkt eerder op sharia en hudud. Maar het klopt niet helemaal.

TinkyWinky:
Heeft MM een strafblad?

6tiermes7:
Nee.

TinkyWinky:
Wat denkt Gjerstad ervan?

6tiermes7:
Nog niet zoveel. Hij is geloof ik blij dat er schot in de zaak zit.

TinkyWinky:

Heeft MM familie?

6tiermes7:

Een broer. Tariq. Ze wonen bij elkaar in huis.

TinkyWinky:

Je had het over compromitterende sms'jes. In wat voor opzicht?

6tiermes7:

Volgens mij had ze een slippertje gemaakt.

TinkyWinky:

En daarom zou ze zijn vermoord? Denken jullie daarom aan eerwraak?

6tiermes7:

Ik weet het niet.

Dit weet Iver Gundersen ongetwijfeld niet, denkt Henning en hij knikt. In zijn hoofd neemt een plan vorm aan. Daar is hij dol op. Maar hij houdt niet van al te snelle conclusies.

Hij heeft het gevoel dat de politie dat juist wel doet.

Hoofdstuk 20

Dromen. Hij zou willen dat er een knop bestond waarmee je de zender die 's nachts toegang geeft tot het onderbewustzijn, kon uitzetten. Henning is net wakker, hij laat zijn ogen aan het donker wennen en hijgt. Hij heeft het gloeiend heet. Het is nog geen dag, maar toch is hij klaarwakker. En weer heeft hij gedroomd.

Hij droomde dat ze in de speeltuin van het Sofienbergpark waren, Jonas en hij. Het was winter en koud. Hij zat beschut op een bankje, dronk lekker warme koffie uit een plastic bekertje en keek naar een rij witte tanden die voortdurend te zien was, rode wangen, condens van onder een lichtblauwe muts die diep over het voorhoofd getrokken was, ogen die steeds de zijne zochten. Hij zag Jonas naar de top van het speeltoestel klimmen. Hij had het zo druk met naar zijn vader te kijken dat hij niet goed oppaste, hij trapte door het net dat tussen twee plastic tunnels was gespannen, verloor zijn houvast, viel naar voren en opzij en kwam met zijn gezicht en zijn mond tegen de rand aan. Henning sprong overeind, rende naar hem toe, draaide zijn hoofd naar zich toe om te zien hoe groot de schade was, maar het enige wat hij kon zien was een zwart beroet gezicht. De mond was weg. Geen tanden.

Het enige wat niet zwart was, waren zijn brandende ogen.

Hij werd wakker doordat hij maar bleef blazen naar de ogen om de vlammen te doven. Maar dat gebeurt nooit. De ogen van Jonas zijn kaarsjes die je op een verjaardagstaart zet en die maar blijven branden, hoe hard je ook blaast.

De droom slaat hem elke keer weer knock-out. Hij wordt wakker terwijl zijn hart tekeergaat, hij sluit zijn ogen en probeert het beeld dat hem misselijk en beroerd maakt af te sluiten. Hij denkt aan de zee, omdat dokter Helge hem dat geleerd heeft, hij moet denken aan iets wat hij fijn vindt of wat hem blij maakt als hij in een situatie terechtkomt waarin akelige gedachten of gevoelens zich opdringen.

Henning houdt van water. Hij heeft veel goede herinneringen aan zout water. De zee helpt hem zijn ogen weer open te krijgen. Hij draait zich op zijn zij en ziet op de klok van zijn mobiel dat hij bijna drie uur heeft geslapen. Lang niet gek. Dat moet maar genoeg zijn.

In elk geval voor nu.

Je kunt niet zoveel doen midden in de nacht. Hij laat de lucifers voor wat ze zijn en staat op. Hij loopt naar de woonkamer, kijkt naar de piano maar sloft er voorbij. Hij heeft weer pijn in zijn heup, maar voor pillen is het nog te vroeg.

Hij gaat in de keuken zitten. Hij blijft naar de koelkast luisteren die afwisselend bromt en jammert. Die heeft zijn langste tijd gehad, denkt hij. Die ook al.

Hoewel hij er al jaren niet meer is geweest, doet het continue gejammer van de koelkast hem denken aan het zomerhuis van de familie. Het ligt in de buurt van Stavern, aan de zuidkust van Noorwegen, bij de camping Anvikstranda. Het is een klein, spartaans ingericht huisje, van hooguit 30 vierkante meter. Een woonkamer en twee kleine slaapkamers. Een aanrecht met een kookplaat. Een fantastisch uitzicht op zee. Veel adders.

Het huisje was vlak na de oorlog door zijn grootvader gebouwd, zo goedkoop mogelijk, en de koelkast daar is nog de originele. In elk geval voor zover Henning weet. En die ging net zo tekeer als de zijne nu doet.

Hij is er niet meer geweest sinds hij volwassen is geworden. Misschien gaat Trine er af en toe heen, maar hij weet het niet. Misschien staat die koelkast er nog steeds. Hij was maar 1 meter hoog. Ze moesten altijd met de voet helemaal onderaan tegen de deur duwen als ze hem hadden dichtgedaan. Anders gleed hij weer open. Het klepje van het vriesvak in de koelkast was weg. De vakken in de deur lagen los en er zaten barsten in, zodat je zware spullen zoals melk en flessen onderin moest zetten.

Maar de koelkast zelf deed het. Hij weet nog hoe koud de melk kon zijn. Het kan dus, oud worden en toch functioneren. Hij heeft nooit zulke koude melk geproefd als 's zomers op vakantie in hun zomerhuis, hij kreeg er gewoon hoofdpijn van. En klein dat het daar was! Maar het was er fijn. Het was knus. Ze vingen krabben, gingen pootjebaden, voetbalden op het grote veld van de camping, maakten wandeltochten langs de kust, leerden zwemmen en roosterden 's avonds op het strand worstjes op een houtvuur.

De tijd van de onschuld. Zo zou het altijd moeten zijn.

Hij vraagt zich af of Trine zich die zomers nog kan herinneren.

Opnieuw moet hij aan de sharia denken. Allah-u-akbar. Hij herinnert zich de woorden van Zahid Mukhtar, het hoofd van de Islamitische Raad in Oslo, in 2004: 'Als moslim is men onderworpen aan de islamitische wet, en voor moslims staat de sharia boven alle andere wetten. Er is geen andere uitleg van de islam mogelijk.'

Henning deed vlak daarna een interview met een sociaal-antropologe en zij legde uit dat de meeste mensen in het Westen een vertekend beeld van de sharia hebben. Ook al bestaan er duizenden jaren oude tradities en zijn er bepaalde overeenkomsten over de manier waarop de wet van God moet worden uitgelegd, dan nog is de sharia geen ondubbelzinnig te interpreteren wet. Wat goed en slecht is, wordt te allen tijde geformuleerd door religieuze geleerden die de Koran en de hadith-teksten interpreteren, en hun interpretaties verschillen al naar gelang de cultuur die hen heeft gevormd. De meeste mensen, in elk geval in Noorwegen, associëren de sharia met de doodstraf in islamitische landen. Van die onwetendheid wordt bewust gebruikgemaakt.

De sociaal-antropologe, van wie hij zich de naam niet meer kan herinneren, liet hem een Noorse site op internet zien waarin de sharia puntsgewijs werd behandeld en waarop ook de straffen stonden vermeld voor het geval de wetten niet werden opgevolgd. 'Dit is heel erg marginaal,' zei ze terwijl ze naar het scherm wees. 'Er zijn maar weinig mensen die de sharia op die manier zouden willen samenvatten. Alleen niet-geleerden kunnen zo'n site maken. Ze maken gebruik van begrippen die bij uitstek geschikt zijn om macht en invloed te verkrijgen. Velen weten niet dat de rol van de hudud in de Koran tamelijk bescheiden is en dat sommige geleerden daarom van mening zijn dat deze helemaal zouden moeten worden afgeschaft.'

Henning weet nog dat het interview indruk op hem maakte, want het bracht zijn eigen vooroordelen tegen moslims en vooral tegen de sharia aan het wankelen. Maar toch, als hij de hudud in verband brengt met de moord op Henriette Hagerup vindt hij dat bepaalde dingen niet kloppen. Want zij was geen moslima, ze was evenmin met een moslim getrouwd en voor zover hij weet had ze ook niets gestolen, hoewel haar hand was afgehakt.

Hij schudt zijn hoofd. Misschien zou hij een paar jaar geleden een zinnig verband tussen deze zaken hebben kunnen zien, maar nu raakt hij er steeds meer van overtuigd dat dat er niet is. Dat is nou juist het probleem. Want er is altijd een verband. Je moet het alleen kunnen vinden.

Hoofdstuk 21

Zijn appartement lijkt op een garage waar oude spullen staan opgeslagen. Hij houdt niet van garages. Hij weet niet waarom, ze doen hem altijd denken aan stationair lopende auto's, gesloten deuren en schreeuwende familieleden.

In de garage van de familie Juul in Kløfta lagen oude autobanden die allang hadden moeten worden weggegooid, oeroude, onbruikbare fietsen, roestig tuingereedschap, tuinslangen met gaten erin, zakken grind, langlaufspullen die niemand gebruikte, planken met potten verf en verfkwasten en meterslange rijen opgestapeld brandhout. Ook al sleutelde Hennings vader nooit aan de auto's die hij had gekocht, het rook er toch altijd naar een echte garage. Naar olie.

Hij moet altijd aan zijn vader denken wanneer hij olie ruikt. Hij weet niet meer zoveel van hem, maar hij kan zich nog wel herinneren hoe hij rook. Henning was vijftien toen zijn vader plotseling overleed. Hij werd 's ochtends niet wakker. Henning herinnert zich dat hij vroeg opstond, omdat hij later die dag een proefwerk Engels had. Hij was van plan alles nog een keer goed door te nemen voordat iedereen uit bed was, maar Trine was al wakker. Ze zat in de badkamer op de vloer met haar benen opgetrokken tegen haar borst. Opeens zei ze: 'Hij is dood.'

Ze wees naar de wand, naar de slaapkamer van hun ouders. Ze huilde niet, ze herhaalde alleen: 'Hij is dood.'

Hij weet nog dat hij op de deur klopte, ook al stond die op een kier. De deur van de slaapkamer was altijd dicht. Nu gleed die open. Daar lag zijn vader, met de handen boven het dekbed. Zijn ogen waren dicht. Hij zag er vredig uit. Hun moeder sliep nog. Henning liep naar zijn vaders kant van het bed en keek naar hem. Het leek alsof hij sliep. Toen Henning hem vastpakte, bewoog hij zich niet. Henning pakte hem opnieuw vast, harder nu.

Zijn moeder werd wakker. Eerst schrok ze; ze vroeg zich af waar hij in vredesnaam mee bezig was. Toen keek ze naar haar man en vervolgens begon ze te schreeuwen.

Van wat er daarna gebeurde, weet Henning niet meer zoveel. Hij herinnert zich alleen de oliegeur. Zelfs toen hij dood was, rook Jakob Juul nog naar olie.

*

Na een ontbijt bestaande uit twee koppen koffie met drie scheppen suiker besluit hij naar zijn werk te gaan. Het is nog maar half zes, maar hij vindt dat het geen zin heeft om over vroeger te gaan nadenken.

Als hij de Urtegata in slaat, denkt hij aan zee. Hij had moe moeten zijn, maar de koffie heeft hem opgepept. Sølvi is er nog niet, maar hij ziet haar toch voor zich terwijl hij zijn keycard gebruikt.

Er is maar één persoon aan het werk als hij de redactie binnen komt. De stand-by zit half voorovergebogen over zijn toetsenbord terwijl hij aan een koffiekop lurkt. Henning knikt kort naar hem als hun ogen elkaar kruisen, maar de man kijkt weer snel naar zijn scherm.

Henning gaat naar zijn plaats en zakt op de krakende stoel neer. Hij vraagt zich af hoe laat Iver Gundersen meestal op zijn werk komt, of hij net geneukt heeft en een stralende indruk maakt, of het opvalt dat Nora zijn dag goed heeft laten beginnen.

Hij windt zich steeds meer op en opeens zou hij kunnen zweren dat hij haar geur ruikt. Een vleugje kokos op een warme huid. Hij weet niet meer hoe die crème heet die ze zo graag op deed en die hij zo bij haar vond passen. Maar nu ruikt het overal om hem heen naar kokos. Hij draait zich om, komt half overeind en kijkt om zich heen. Maar de enigen die er zijn, zijn de chef van de nachtdienst en hijzelf. Toch ruikt het naar kokos. Hij snuift diep. Dat hij niet op de naam van die crème kan komen!

Opeens is de geur weg, net zo snel als die was gekomen. Hij laat zich weer op zijn stoel zakken.

Zee, Henning, zegt hij tegen zichzelf. Denk aan de zee.

Hoofdstuk 22

Research is een mooi woord. Er is zelfs een beroep naar genoemd. *Resear-cher*. Alle tv-series hebben er een. Alle tv-redacties hebben er een, misschien wel een heleboel.

Henning besteedt de tijd die hem rest totdat de anderen binnenkomen, aan research. Dat is belangrijk, misschien wel het allerbelangrijkste waar een journalist zich mee kan bezighouden als er verder niet veel bijzonders te doen is. Zoeken, zoeken, zoeken. Vaak duiken de meest saillante en belangrijkste details op in de raarste artikelen of overzichten.

Hij herinnert zich een artikel waar hij jaren geleden aan werkte. Hij was toen nog erg groen, hij had hooguit tien moorden verslagen toen dominee Olav Jørstad aan de kust van Zuid-Noorwegen op zee verdween. Iedereen wist dat Jørstad van vissen hield, maar hij was vertrouwd met de zee en ging er nooit op uit als de weersvoorspellingen slecht waren.

Op een dag werd zijn boot teruggevonden, op zijn kop. Jørstad zelf werd nooit gevonden. Niets deed vermoeden dat het geen ongeluk was. De stroom had hem waarschijnlijk naar open zee gevoerd.

Henning werkte in die tijd voor *Aftenposten*, hij deed de gebruikelijke dingen, interviewde de buren, vrienden, de leden van de kerkgemeente, zo ongeveer alle gelovigen die er waren. In overleg met de chef besloot Henning een dag langer te blijven, omdat hij het gevoel had dat het beeld dat van Jørstad werd geschetst, niet helemaal klopte. In de ogen van de mensen was hij een geweldige dominee, een fantastische zielzorger, hij had de gave van het woord, er waren zelfs mensen die beweerden dat de dominee hen genezen had, maar Henning noemde dat niet in zijn artikelen. Hij had het vermoeden dat sommigen graag in de krant wilde komen.

Eén aspect waar niet veel aandacht aan was besteed, was dat Jørstad ook koorleider en dirigent was. Iedereen in de kerk zingt. Dominees krijgen er les in. Olav Jørstad was een man die van discipline hield. Het koor was goed. Een paar dagen na de verdwijning, nadat de belangstelling voor het nieuws bij de andere media was weggeëbd, zat Henning een tijdje te praten met Lukas, de zoon van Jørstad. Toevallig kwam het gesprek op het koor van zijn vader. Henning vroeg of Lukas in het koor had gezeten. Lukas zei van niet.

Een paar weken later probeerde Henning een van de vrouwelijke koorleden te spreken te krijgen, ene Susanne Opseth, omdat zij een van de laatsten zou zijn geweest die Olav Jørstad in leven had gezien. Henning deed research naar haar en vond een heleboel artikelen. In een ervan, uit het begin van de jaren negentig toen internet nog vrijwel onbekend was, vond hij een foto van haar in het koor waar Jørstad senior voor stond te dirigeren. Wat Henning niet meteen zag, maar wat hem opviel toen hij de foto beter bekeek, was dat Lukas op de achterste rij stond.

Lukas loog dus toen hij zei dat hij niet in het koor had gezeten. Henning vroeg zich af waarom je over zoiets triviaals zou liegen. Het antwoord was eenvoudig. Er was iets met dat koor waarvan Lukas niet wilde dat Henning het wist of erachter zou komen.

Vervolgens ging hij graven, hij interviewde de rest van het koor en het duurde niet lang of hij kwam erachter dat Lukas met het koor was gestopt omdat hij zijn vader wilde trotseren, om hem in het openbaar een slag toe te brengen. Olav Jørstad eiste namelijk niet alleen van het koor volledige discipline. Die hebbelijkheid kwam ook thuis tot uitdrukking in strakke regels, het uit het hoofd leren van bijbelteksten, strikte gehoorzaamheid, weinig liefde. En dat had gevolgen voor Lukas' ontluikende liefde voor een meisje van zijn eigen leeftijd, Agnes. Olav mocht haar niet, hij wilde niet dat Lukas zijn tijd verspilde door met haar om te gaan.

Zoals later uit het politieverhoor zou blijken, kwamen de jarenlange frustraties en onderdrukking bij Lukas tot een uitbarsting toen zijn vader hem op een avond meenam om netten uit te zetten. Lukas sloeg zijn vader met een roeispaan op het hoofd, waarop de man overboord sloeg. Vervolgens liet Lukas de boot omslaan en wist hij zelf aan land te komen.

Lukas kon goed zwemmen. Op dat moment was hij ten volle bereid de consequenties te aanvaarden voor wat hij had gedaan. Hij was overal toe bereid om die kille greep van zijn vader om zijn hals maar kwijt te raken. Maar Lukas had geluk. Zijn vader werd nooit gevonden. Henning werkte samen met de lokale politie en het kwam tot een doorbraak, diezelfde dag nog arresteerde de politie Lukas.

Hij heeft het niet gecontroleerd, maar voor zover hij weet zit Lukas nog steeds vast. En dat alles vanwege een foto in de plaatselijke krant van lang, lang geleden.

Research. Zelfs de zwakste ademtocht kan een kaartenhuis omverblazen.

Henning vindt het fijn om research te doen, hij houdt ervan om dingen over mensen uit te zoeken. Vooral wanneer die mensen hem interesseren of iets gedaan hebben wat hij fascinerend vindt. Internet is perfect voor researchdoeleinden. Aanvankelijk was hij niet zo enthousiast over het web, hij was er zelfs tegen, maar nu kan hij zich niet meer voorstellen het zonder te moeten stellen. Als je eenmaal in een Mercedes rijdt, wil je nooit meer terug naar een oude rammelfiets.

De research die hij nu doet, levert geen duidelijke invalshoeken op voor het werk dat hij in de loop van de dag wil doen. Hij heeft nog geen strategie bedacht wanneer Heidi Kjus en Iver Gundersen samen binnenkomen. Henning hoort niet waar ze het over hebben, maar hij voelt zijn hartslag toenemen. Gundersen glimlacht, hij ziet er tevreden uit, naar Henning vermoedt omdat hij in een goed humeur is, terwijl Heidi zoals gewoonlijk ernstig kijkt. Vandaag-gaan-we-een-krant-maken, straalt ze uit.

Heidi staat zichzelf vrijwel nooit toe te glimlachen, omdat ze denkt dat het een teken van zwakte is. Toen ze voor *Nettavisen* ging werken, ging ze vrijdags vaak mee om een pilsje te drinken, ze deed mee aan het gesprek en was sociaal, maar ze werd nooit zichtbaar aangeschoten. Nu kan hij zich met geen mogelijkheid meer voorstellen dat Heidi Kjus gaat stappen. Want nu is ze chef. En chefs moeten leiding geven. Als ze af en toe eens moe is, zal ze dat nooit aan iemand laten merken. Ze onderdrukt een lach als iemand iets grappigs vertelt. Grapjes tijdens het werk horen niet, want die leiden af.

Heidi ziet hem nu terwijl ze met Gundersen praat. Ze gebaart ijverig met haar handen. Gundersen knikt. Henning ziet dat er iets verandert op het gezicht van Gundersen wanneer hij ontdekt dat Henning al op zijn plaats zit. Alsof de zelfverzekerde, arrogante en tevreden wereldburger puistjes krijgt en vijftien jaar jonger wordt.

'Nu al bezig?' zegt Gundersen terwijl hij Henning aankijkt.

Hij knikt, geeft geen antwoord en kijkt naar Heidi die gaat zitten zonder iets te zeggen.

'Hoe ging het gisteren?' vraagt Gundersen. Henning kijkt hem aan. Idioot, denkt hij. Heb je mijn artikel niet gelezen?

'Goed.'

'Waren er veel mensen die wilden praten?'

Gundersen gaat tegenover hem zitten en zet zijn pc aan.

'Genoeg.'

Gundersen trekt een scheve grijns en kijkt naar Heidi. Henning weet dat ze luistert, maar ze doet alsof dat niet zo is. Hij richt zijn blik weer op het scherm.

Zoute golven, Henning.

Dat kan nog leuk worden.

Even later zegt Heidi met haar chef-stem dat het tijd wordt voor het overleg. Gundersen en Henning zeggen niets, maar ze staan op en lopen achter haar aan. Gundersen gaat in de rij staan en wacht negenentwintig seconden om een kop verse koffie mee te nemen, wat Henning een ogenblik de gelegenheid geeft om alleen met de chef te zijn. Hij zet zich schrap voor een nieuwe scheldpartij. Maar ze zegt: 'Goed stuk, Henning.'

Dat weet hij. Maar hij wist niet dat Heidi menselijk was. Hij krijgt zin om te zeggen dat hij de volgende keer sneller zal leveren, maar hij laat het zitten. Misschien is ze een Dooddoener. Misschien krijgt ze het moeilijk als het over een dag of twee volle maan wordt. En goddomme, de laatste keer dat hij met Heidi vergaderde, was hij de chef en niet zij. Alsof Christiano Ronaldo een achtjarige heeft leren voetballen en vervolgens een paar jaar later van datzelfde joch een schouderklopje krijgt voor een goede voorzet.

Oké, niet zo'n goede vergelijking, maar wat maakt het uit? Hij weet zeker dat Heidi zijn gedachten kan lezen, maar Gundersen redt hem door binnen te komen.

'Zijn wij de enigen?' vraagt hij.

'Ja.'

'En Jørgen en Rita dan?'

'Jørgen zit vandaag op de redactie en Rita heeft avonddienst.'

Gundersen knikt. Heidi gaat aan het korte eind van de tafel zitten en haalt een vel papier tevoorschijn. Ze loopt de zaken van die dag na. Het is snel gebeurd. Henning weet dat de redactie of de groep die het nieuws volgt en voortdurend nieuwe artikelen op de site zet, het werk wel aan kan. Daarom zitten ze hier niet. Heidi wil alleen maar laten zien dat ze de Chef is en dat ze het overzicht heeft.

Dan komt de eigenlijke reden: 'Hoe staat het met de steniging? Hebben we vandaag nieuwe ontwikkelingen?'

Henning kijkt naar Gundersen. Gundersen kijkt naar Henning. Hij is terug in zijn rol van groentje, dus hij wacht op de grote doorbraak. Gundersen neemt een teug warme koffie en leunt tegen de tafel.

'De politie is er redelijk zeker van dat Marhoni het heeft gedaan. Ik heb een goede bron op het bureau die misschien iets kan loslaten over het verhoor dat ze die vent hebben afgenomen.'

Heidi knikt, maakt een korte aantekening.

'Nog meer?'

'Voorlopig niet. Ik zal mijn bronnen vragen of er nog iets nieuws te melden valt.'

Heidi knikt weer. Dan kijkt ze naar Henning.

'Henning, wat heb jij vandaag?'

Heidi zit klaar met de pen in aanslag. Hij is niet gewend verslag te moeten doen, dus hij aarzelt even voor hij zijn keel schraapt.

'Ik weet het nog niet precies.'

Heidi wil al iets noteren, maar kijkt op.

'Je weet het nog niet precies?'

'Nee. Ik heb een paar ideeën, maar ik weet niet of er wat uit zal komen.'

Eigenlijk is het zo dat hij niet weet of hij contact kan krijgen met de personen die hij wil opzoeken, of ze hem iets kunnen vertellen wat de moeite waard is, iets wat het relevant maakt om die ideeën nu te noemen. Dus hij zegt niets.

'Wat voor ideeën, Henning?' vraagt ze. Hij hoort de scepsis in haar stem. En hij ziet dat ze snel een blik werpt op Gundersen.

'Ik wil nog wat verder praten met een paar mensen op de school van Hagerup, maar ik weet niet of ze er vandaag zijn.'

'We hebben de human touch nu wel gehad.'

'Dit is geen human touch. Het is iets heel anders.'

'Wat dan?'

Hij aarzelt weer, voelt dat hij de behoefte krijgt om te vertellen over de ogen van Anette, over de koppeling met de hudud waar niet automatisch een verband mee lijkt te bestaan, maar hij vertrouwt hen niet. Nog niet. Hij weet dat ze zijn collega's zijn en dat hij in principe met hen moet samenwerken, maar dan moeten ze zijn vertrouwen eerst verdienen. Het heeft niets met byline-onanie en grote ego's te maken.

'Ik geloof dat de achtergrond en de omgeving van Hagerup van belang kunnen zijn voor deze zaak,' zegt hij. 'De bronnen op school kunnen meer licht werpen op wie ze was en waarom iemand ervoor koos haar met een stungun te verdoven om haar hoofd vervolgens te bekogelen met zware stenen tot ze dood was.'

Hij is tevreden over zijn eigen formulering tot het tot hem doordringt wat hij eigenlijk heeft gezegd.

'Een stungun?'

Gundersen kijkt hem aan. Henning vloekt inwendig. Hij zegt: 'Ja?'

Beroerde poging om tijd te winnen.

'Ik kan me niet herinneren dat ik ergens iets heb gelezen over een stungun.'

Henning zegt niets, voelt twee paar ogen als naalden prikken. Zijn wangen gloeien.

'Hoe weet je dat, Henning?'

'Ik dacht dat ik ergens gehoord had dat er in elk geval iets met een stungun was,' zegt hij; hij hoort op hetzelfde moment hoe impotent zijn verklaring klinkt. Hij ziet dat ze hem niet geloven. Maar ze zeggen niets. Ze kijken hem alleen maar aan.

De schuimkoppen tegen de zoute rotsen helpen je nu niet, Henning. Hij hoort zichzelf ademhalen. Dan zegt hij: 'Zijn we klaar?'

Hij kijkt hen niet aan, maar staat op, vermijdt hun blikken terwijl hij naar de deur loopt, hij verwacht elk moment Heidi's scherpe stem te horen die hem commandeert om weer te gaan zitten – hier, labrador Henning, zit – maar hij pakt de deurklink vast zonder dat er iets gebeurt, hij duwt hem naar beneden, trekt de deur naar zich toe en gaat weg.

De stilte die hij achterlaat is als een vliegtuigcrash in zijn hoofd. Hij kan zich maar al te goed voorstellen wat Gundersen en Heidi over hem zeggen als hij er niet meer is. Het geeft niet.

Hij is alleen maar blij dat hij de kamer uit is.

Hoofdstuk 23

Henning loopt al op straat voordat Heidi en Gundersen klaar zijn in de vergaderruimte. Het is aanzienlijk warmer geworden sinds hij op zijn werk arriveerde. Het is drukkend. Hij kijkt omhoog. Wolken, witte en grijze, glijden in hoog tempo langs de hemel. Het is bijna negen uur. Tariq Mahoni is vast nog niet op.

Henning kon op internet niet veel interessants over hem vinden. Tariq was halverwege de jaren negentig naar Noorwegen gekomen, vanuit Islamabad, Pakistan. Zijn broer was er toen al een paar jaar en samen hadden ze op drie verschillende adressen gewoond. Van Mahmoud was geen spoor te vinden, hij werd in geen enkel krantenartikel genoemd, zat niet op chatforums, had geen website en ontbrak op de overzichten van de belasting die op internet waren in te zien, maar Tariq kwam voor in een enquête die *VG* een paar jaar geleden had gehouden, over de vraag of hij voor of tegen aansluiting bij de EU was.

Tariq plaatste zichzelf in de 'weet-ik-niet'-categorie. Dat was alles wat Henning kon vinden. De gebroeders Marhoni hielden zich dus kennelijk gedeisd, maar Henning liep al lang genoeg mee om te weten dat dat niets wilde zeggen. Tariq is hoe dan ook de meest geschikte persoon om vragen aan te stellen over Mahmoud, de enige die tot nu toe het stempel 'schuldig' op zijn voorhoofd heeft staan. Om die reden wil Henning zoveel mogelijk over hem te weten komen.

Het is nu negen uur geweest en hij besluit om toch maar bij Tariq langs te gaan. In het ergste geval, als broer Marhoni niet opendoet omdat hij slaapt of niet thuis is, kan Henning in een café in de buurt gaan zitten en wat eten. God mag weten dat hij dat nodig heeft.

Op weg naar de Oslogaten loopt hij langs het politiebureau en ziet op het grasveld ervoor een man in een lichtgevend hesje het gras maaien. Auto's rijden af en aan. Hij loopt naar het park met de ruïnes uit de middeleeuwen. Ze hebben de afgelopen jaren veel opgeknapt in dit deel van de stad, oude huizen gerestaureerd en nieuwe woonprojecten in de omgeving gebouwd waardoor het gebied een stuk aantrekkelijker is geworden. Bjørvika, het drukke deel van de stad waar het Centraal Station ligt, is maar een paar honderd meter verderop. Het nieuwe operagebouw kun je in een rustig wandeltempo in tien minuten bereiken.

Voordat hij het portiek met nummer 37 bereikt, zet hij zijn mobiel op trillen. Te veel interviews worden verpest of raken uit het ritme vanwege een doordringend geluid uit de laptoptas of een jaszak.

De deur naar de binnenplaats staat open. Hij stapt kalm naar binnen. Het is donker in de gang tussen de ingang en de binnenplaats. Hij komt niemand tegen. Uit een van de ramen klinkt muziek die hem aan het Midden-Oosten doet denken. Uit dezelfde woning klinkt het geluid van een heftige discussie. Er hangt een zoete lucht.

Hij loopt naar portiek B, waar volgens zijn informatie de gebroeders Marhoni wonen. Hij wil op de bel drukken waar Marhoni bij staat als de deur opengaat. Een man met een rode baard komt naar buiten. Hij kijkt Henning niet aan en loopt door zonder af te sluiten. Henning grijpt de deur vast voordat die weer in het slot valt.

In het trapportaal ruikt het sterk naar kruiden. Zijn heup protesteert terwijl hij de trap op loopt. Hij vloekt inwendig omdat hij vanochtend zijn pillen is vergeten. Maar die gedachte verdwijnt op het moment dat hij de naam Marhoni op een bordje naast een deur op de eerste woonlaag ziet staan. Hij stopt en haalt adem. Het eerste huisbezoek. Gisteren was je roestig, Henning. Misschien loopt het vandaag iets gesmeerder.

Hij belt aan. Geen geluid. Hij wacht en luistert. Geen voetstappen op de vloer. Hij belt weer aan. De bel lijkt het niet te doen. Hij besluit aan te kloppen. Hij balt zijn vuist en bonst drie keer hard op de deur. Zijn knokkels doen zeer.

Bewoog daarbinnen iets? Het klonk wel zo. Alsof iemand zich in bed omdraaide. Hij klopt weer aan. Voeten op de vloer. Hij doet een stap terug. De deur gaat open. Een suffige Tariq Marhoni staat op de drempel. Het lijkt alsof hij nog slaapt. Zijn ogen zijn smal. Hij zwaait heen en weer. Hij heeft alleen een onderbroek en een vuile singlet aan. Zijn gezicht staat vermoeid, hij heeft donkere wallen onder zijn ogen en het haar op zijn gezicht verraadt dat hij een wanhopige poging doet een baard te laten staan. Hij is mollig en het haar op zijn hoofd zit vol verwarde krullen. Het lijkt alsof het dagen geleden is dat hij voor het laatst heeft gedoucht.

Om zijn evenwicht te bewaren steunt Tariq met een hand tegen de wand.

'Dag, ik ben Henning Juul.'

Tariq zegt niets.

'Ik werk voor *123nieuws* en...'

Tariq doet een stap terug en smijt de deur dicht. Hij draait hem hoorbaar op slot.

Fantastisch, Henning. Heel goed.

'Twee minuten maar, Tariq!'

De voetstappen verwijderen zich. Hij vloekt inwendig, maar klopt opnieuw aan. Geen respons. Dan neemt hij zijn toevlucht tot het laatste wapen dat hij heeft.

'Ik ben hier omdat ik denk dat je broer onschuldig is.'

Hij roept iets harder dan hij van plan was. Het geluid weergalmt tussen de muren. Hij wacht. En wacht. Hij hoort geen geluid in het appartement. Weer vloekt hij.

Dit ging altijd zo gemakkelijk.

Hij laat een minuut verstrijken, misschien twee, en besluit dan te vertrekken. Hij wil juist naar de uitgang lopen als hij een geluid achter zich hoort. Hij draait zich om. De deur gaat open. Tariq kijk hem aan. De apathie in zijn ogen is verdwenen. Henning besluit van de gelegenheid gebruik te maken. Hij steekt zijn handen op.

'Ik ben hier niet om allerlei shit over je broer te weten te komen.'

Zijn stem klinkt zacht, vol sympathie. Tariq lijkt de woorden te overdenken.

'Jij denkt hij is onschuldig?'

Hij praat gebroken, met een hoge stem. Henning knikt. Tariq aarzelt, denkt na. Zijn buik puilt uit onder de singlet.

'Als jij shit over mijn broer schrijft...'

Hij zet een agressief gezicht op, maar maakt zijn zin niet af. Henning steekt zijn handen weer op. Aan zijn ogen zou te zien moeten zijn dat hij het meent. Tariq gaat naar binnen, maar laat de deur openstaan. Henning volgt hem.

Goed zo, Henning. Je herstelt je.

Hij gaat naar binnen, sluit de deur en kijkt naar het plafond. En hij vindt wat hij zoekt.

'Ik kleed me even aan,' zegt Tariq. Henning loopt verder, hij verbaast zich dat het appartement zo netjes is en op het eerste gezicht schoon. In de gang zijn aan de rechterkant twee deuren, bij de plint staan schoenen in een keurige rij naast elkaar. Een deur ertegenover staat open. Hij werpt een snelle blik naar binnen. De wc-bril staat omhoog. Een zwakke geur van schuurmiddel met citroengeur zweeft de gang in.

Hij loopt langs de keuken. In de gootsteen staan een bordje met wat kruimels en een glas met een restje melk. Hij loopt naar de woonkamer en gaat zitten in een stoel die zo zacht is dat hij zich afvraagt of hij met zijn billen de vloer zal raken. Hij kan de gang in kijken, langs de schoenen, naar de voordeur. Overal is het schoon.

Hij kijkt om zich heen, zoals gebruikelijk als hij bij iemand is. *Details*, zoals zijn oude leermeester Jarle Høgseth altijd zei. *Alles komt aan op de details.* Het eerste dat hem opvalt is dat er opvallend veel planten en bloemen zijn voor een appartement waar twee broers wonen. In de vensterbank staat een forse geranium met frisse, roze bloemen. Op een hoekkastje een vaas met orchideeën. Roze rozen. De broers hebben kennelijk een voorliefde voor roze. Twee kandelaars met witte kaarsen. Een grote tv, minstens 45 inch schat hij, staat tegen de wand. Een thuisbioscoopinstallatie, uiteraard, van Pioneer, met grote smalle luidsprekers naast de tv en één erachter. Henning kijkt of hij de subwoofer ziet, maar die ligt waarschijnlijk onder de donkerbruine bank. Als hij in een huis in het chique westen van de stad was geweest, zou hij aan Bolia denken. Of aan R.O.O.M.

De salontafel is laag en lijkt Aziatisch, met gebogen poten en een vierkant blad. De tafel is zwart geweest, maar is nu wit geverfd. Een schone glazen asbak staat in het midden. Meer bloemen. Nog een kandelaar. Een foto van een grote Pakistaanse familie, vermoedelijk de familie in Islamabad, hangt aan de vanillekleurige wand. In een van de hoeken staat een witgeverfde, ovale haard.

Maar geen foto's van Henriette Hagerup.

De woning waar hij zich bevindt, doet iets met hem. Hij had zich een puinhoop voorgesteld, met overal stof, rotzooi en afval. Maar het is hier netter dan in zijn eigen appartement, in elk geval het laatste halfjaar, misschien wel altijd.

Hij weet dat hij vol vooroordelen zit. Maar hij houdt van vooroordelen, hij vindt het fijn om er op een later tijdstip opnieuw over te moeten nadenken en van standpunt te veranderen, omdat hij iets geleerd heeft over iets of iemand waardoor hij een vooropgezette mening moet herzien. De kennis die hij opdoet door het appartement van de gebroeders Marhoni te bestuderen, is als een toffee die er vanbuiten weinig aantrekkelijk uitziet, maar die voortreffelijk smaakt als hij hem uit het papiertje haalt en in zijn mond stopt.

Hij glimlacht als Tariq de kamer in komt. Hij heeft een zwarte jeans aangetrokken en een bijpassend zwart linnen overhemd. Hij loopt de keuken in. Henning hoort hem de koelkast opendoen en weer snel dichtslaan, daarna een kast openmaken waar hij een glas uithaalt.

'Wil je een glas melk?' roept hij.

'Eh, nee, dank je wel.'

Melk, denkt Henning. Hij is bij veel mensen thuisgeweest, maar nooit eerder bood iemand hem melk aan. Hij hoort een harde glas-op-aanrecht-klap, gevolgd door een tevreden gekreun. Tariq komt de kamer in en gaat tegenover hem op een houten stoel zitten. Hij haalt een pakje sigaretten tevoorschijn en biedt Henning een witte vriend aan. Hij bedankt en mompelt dat hij gestopt is.

'Wat is er met jouw gezicht gebeurd?'

Henning wordt overrompeld door die plotselinge vraag. Hij geeft antwoord voordat hij erover kan nadenken.

'Er was twee jaar geleden brand in mijn woning. Mijn zoon is daarbij omgekomen.'

Hij weet niet of het door de rauwe waarheid komt of door de onsentimentele manier waarop hij het zegt, maar Tariq raakt van zijn stuk. Hij probeert iets te zeggen, maar slaagt er niet in. Schutterig steekt hij een sigaret op, gooit de aansteker op tafel. Henning volgt het helse, rechthoekige apparaatje met zijn blik en ziet dat het tegen de asbak tot stilstand komt.

Tariq kijkt hem aan. Een hele tijd. Henning zegt niets, weet dat hij Tariq nieuwsgierig heeft gemaakt, maar hij is niet van plan om hem met vragen te bombarderen. Nog niet.

'Dus jij gelooft niet dat mijn broer schuldig is?' vraagt Tariq, waarna hij een diepe haal neemt. Hij trekt een scheve grijns alsof de sigaret naar zweetvoeten smaakt.

'Nee.'

'Waarom niet?'

Hij geeft eerlijk antwoord.

'Ik weet het niet.'

Tariq snuift.

'Maar toch geloof je dat hij onschuldig is?'

'Ja.'

Ze kijken elkaar aan. Henning wendt zijn blik niet af, hij is niet bang voor wat zijn ogen vertellen.

'Nou, wat wil je weten?'

'Heb je er bezwaar tegen dat ik er zo een gebruik?'

Hij haalt een recorder tevoorschijn en legt hem op tafel. Tariq haalt zijn schouders op.

Veel te weinig journalisten maken gebruik van opnameapparatuur als ze aan het werk zijn. Toen hij pas begon, noteerde hij als een gek terwijl hij naar zijn interviewobjecten luisterde en tegelijkertijd bedacht wat hij moest vragen. Het spreekt voor zich dat dat nooit goed gaat. Je krijgt niet alles mee wat er wordt gezegd en je slaagt er ook niet in om tijdens het interview de juiste vragen te stellen, omdat je je tevens op twee andere dingen moet concentreren. Recorders zijn ideaal.

Hij drukt op *record* en leunt achterover. Hij legt zijn notitieblok op schoot. De pen in gereedheid. Een recorder mag nooit pen en papier vervangen. Er kan iets mis gaan tijdens de opname, het kan goed zijn om af en toe een trefwoord op te schrijven, waar je later over door kunt vragen.

Hij kijkt Tariq aan, ziet dat hij aangeslagen is door de arrestatie van zijn broer. De verdenking van moord. Hij heeft ongetwijfeld zitten denken hoe hij dit moet uitleggen aan de familie thuis. Hoe zijn vrienden zullen reageren. De groep.

'Wat kun je me over je broer vertellen?'

Tariq kijkt hem in zijn ogen.

'Mijn broer is een goede man. Hij heeft altijd voor mij gezorgd. Hij heeft mij hierheen gehaald, uit Islamabad, uit de sloppen en de misdaad daar. Het was een goed leven in Noorwegen, zei hij. Hij heeft het ticket betaald, mij onderdak gegeven.'

'Wat voor werk doet hij?'

Tariq kijkt hem aan, maar antwoordt niet. Te vroeg, denkt Henning. Laat hem maar praten.

'We hadden het eerst niet zo gemakkelijk. We kenden de taal niet. Alleen Pakistaanse vrienden. Maar mijn broer zorgde dat ik op Noorse les ging. We maakten kennis met mensen uit andere landen. Vrouwen. Noorse vrouwen...'

Het laatste woord klinkt zangerig en hij glimlacht. De glimlach verdwijnt snel. Henning zegt niets.

'Mijn broer heeft niemand vermoord. Hij is een goede man. En hij hield van haar.'

'Van Henriette?'

Tariq knikt.

'Waren ze al lang bij elkaar?'

'Nee. Een jaar, misschien.'

'Hoe was hun verhouding?'

'Goed, geloof ik. Veel actie.'

'Veel seks, bedoel je?'

Tariq glimlacht. Henning ziet dat Tariq teruggaat in zijn herinnering, hij denkt ergens aan, misschien wel aan verschillende dingen. Hij knikt.

'Waren ze elkaar trouw?'

'Waarom vraag je dat?'

'Denk je niet dat de politie dat aan je broer vraagt?'

Tariq geeft geen antwoord, maar Henning ziet dat hij over de vraag nadenkt.

'Het ging wat af en aan.'

'Wat bedoel je?'

'Ik heb vaak gedacht dat het uit was, maar dan vonden ze elkaar altijd weer terug. En zoals ze gistermiddag met elkaar omgingen, dat heb ik anderen nog nooit zien doen.'

'Dus ze...'

Tariq knikt.

'Henriette maakte veel geluid. Ze maakte altijd veel geluid, maar gisteren was het extra veel.'

De glimlach glijdt langzaam van zijn gezicht. Hij heeft een minuut niet gerookt, maar nu neemt hij een diepe haal en drukt de sigaret uit in de asbak.

'Ze kwamen elkaar tegen op het Mela-festival. Er gebeurde niets, maar toen kwamen ze elkaar weer tegen bij een auditie voor een film. Toen was het...'

Tariqs mobiel klinkt uit een kamer die, naar Henning aanneemt, zijn slaapkamer is. Hij heeft het deuntje eerder gehoord, maar hij kan het niet plaatsen. Tariq richt zich op, maar laat de mobiel overgaan tot het afgelopen is. Hij reikt weer naar de aansteker, pakt hem en kijkt ernaar.

'Het is verschrikkelijk wat er is gebeurd,' zegt hij zonder op te kijken.

'Heb je enig idee wie het gedaan kan hebben?'

Hij schudt zijn hoofd.

'Hadden Henriette en je broer gezamenlijke vrienden met wie jullie veel omgingen?'

Tariq drukt met zijn duim hard op het wieltje van de aansteker. Een trotse vlam ontsteekt. Henning voelt zijn borstspieren samentrekken.

'Wij komen uit Pakistan. Wij hebben veel vrienden.'

'Ook etnisch Noorse vrienden?'

'Veel.'

'Waren die ook gehuwd?'

'Gehuwd?'

'Ja, getrouwd, ring aan hun vinger?'

'Ik begrijp de vraag niet.'

'Waren ze in de kerk geweest met...'

'Ik weet wat getrouwd is. Maar ik begrijp niet waarom je het vraagt.'

Tariq blijft met de aansteker zitten frunniken terwijl hij Henning weer aankijkt. Die weet niet precies hoe hij het moet formuleren zonder te veel te zeggen of iets te zeggen wat bot overkomt.

'Was een van hen ontrouw?'

Tariq aarzelt even. Hij houdt Hennings blik vast, slaat dan zijn ogen weer neer en kijkt naar beneden.

'Ik weet het niet.'

Zijn stem klinkt nu zachter. Henning vermoedt dat Tariq meer weet dan hij vertelt. 'Allebei ontrouw?' noteert hij.

'Wat voor werk deed je broer?'

Tariq kijkt weer op.

'Waarom is dat zo belangrijk voor jou?'

Henning haalt zijn schouders op.

'Misschien is het helemaal niet belangrijk. Of juist het allerbelangrijkst. Ik weet het niet. Daarom vraag ik het, om beter te kunnen begrijpen wie je broer is. De meeste mensen zijn één met hun werk. We leven door te werken.'

'Doe jij dat dan?'

Henning wil verdergaan nu hij lekker bezig is, maar de vraag brengt hem van zijn stuk. Hij probeert een verstandig antwoord te bedenken, maar slaagt er niet in.

'Nee,' zegt hij.

Tariq knikt. Henning gelooft dat er erkenning in zijn blik zit, maar hij weet het niet zeker.

'Mijn broer rijdt taxi.'

'Heeft hij een eigen vergunning?'

'Nee.'

'Voor wie rijdt hij dan?'

'Voor Omar.'

'Wie is dat?'

'Een vriend.'

'Hoe heet hij nog meer?'

Tariq zucht.

'Omar Rabia Rashid.'

'En wat doe jij?'

Hij kijkt Henning gelaten aan.

'Ik ben fotograaf.'

'Freelance, of werk je voor iemand?'

'Freelance.'

Henning probeert wat rechterop te gaan zitten in de zachte stoel, maar hij zakt weer terug.

'Je broer wilde gisteren de deur niet opendoen voor de politie en hij zette ook zijn laptop in de fik. Weet jij waarom hij dat deed?'

Nu worden Tariqs ogen wat onrustig, ziet Henning. Tariq pakt een nieuwe sigaret en steekt hem aan. Dan schudt hij zijn hoofd.

'Je hebt geen idee?'

'Alleen mijn broer gebruikte die laptop. Ik heb mijn eigen.'

'Je hebt nooit gezien waar hij zich mee bezighield?'

'Nee, vast de gewone dingen. Surfen. Mail. Zijn we gauw klaar? Ik heb zo een afspraak met een kameraad.'

Henning knikt.

'Nog een paar vragen, dan ga ik.'

Op dat moment wordt er op de deur geklopt. Drie korte bonzen. Tariq draait zich om, alsof hij verbaasd is.

'Je kameraad?'

Tariq geeft geen antwoord, maar komt overeind.

'Als het een andere journalist is, smijt de deur dan maar in zijn gezicht,' zegt Henning met een lachje. Tariq loopt naar de deur. Henning kan hem zien vanuit zijn stoel. Tariq doet de deur met een snelle beweging open.

Henning buigt zich over de tafel, hij zet de recorder uit en maakt zich klaar om te vertrekken. Hij heeft net de recorder in zijn zak gestopt als hij Tariq hoort zeggen: 'Hé, wat...'

Dan wordt Tariq door twee kogels getroffen, midden in zijn borst.

Hoofdstuk 24

De schoten maken geen geluid, maar ze hebben zoveel kracht dat Tariq Marhoni tegen de wand wordt geslingerd. Het gaat heel snel, Henning registreert twee kleine, rode fonteintjes die uit Tariqs borst komen, maar hij reageert pas als hij de loop van een pistool ziet. Er komt iemand binnen. Die persoon ziet dat Tariq tegen de wand neervalt. Dan schiet de indringer Tariq nog een kogel in het hoofd.

Godallemachtig!

Henning probeert geruisloos overeind te komen, maar hij zit zo diep in de zachte stoel weggezonken dat hij er onmogelijk uit kan komen zonder dat de indringer het merkt. Henning ziet de loop van het pistool negentig graden draaien, in zijn richting, en hij slaagt er maar net in om zich de kamer in te werpen als de stoel een gat ter grootte van een oog krijgt, op de plaats waar zijn hoofd zich bevond. De voering van de stoel barst open, vlokken schuimrubber en textiel wervelen omhoog, hij hoort voetstappen en denkt dat het nu afgelopen is, terwijl het nog niet eens goed en wel begonnen was, in paniek kijkt hij om zich heen, hij ziet een deur van een andere kamer, hij heeft geen keuze, hij moet erheen, hij krabbelt overeind, rent, voor zover hij daar met zijn benen toe in staat is, hij voelt de pijn in zijn heup, zijn benen werken niet mee, maar hij beweegt zich naar de deur, duwt ertegenaan, die glijdt open, weer hoort hij een snel 'pof', vlak bij hem versplintert hout en ziet hij een gat in de deur, maar de kogel treft hem niet, hij komt in een andere kamer terecht, een kleine met een groot raam, hij kijkt waar het openingsmechanisme zit, morrelt eraan, maar het gaat verkeerd, hij duwt het raam een paar centimeter naar buiten en dan stokt het, weer duwt hij, harder, maar opnieuw blijft het raam in dezelfde stand staan; hij draait zich om, de indringer is nog niet in de kamer verschenen, Henning kijkt naar het kozijn, ziet dan dat er een speciaal mechaniek zit, een kinderslot dat hij kan indrukken, en terwijl hij dat doet en tegelijkertijd tegen het raam duwt gaat het helemaal open, hij klimt op de vensterbank en kijkt naar buiten, minstens twee meter scheidt hem van de grond, en even denkt hij weer aan het balkon waar hij met Jonas op stond toen

hij wilde springen, op dat moment hoort hij iemand de kamer binnenkomen, hij verwacht elk moment een scherpe, verlammende pijn in zijn rug
te voelen, maar voor hij erover kan nadenken zweeft hij door de lucht, hij
voelt niets onder zich, hij maait met zijn armen, durft niet te kijken, hij
weet alleen dat de grond zich ergens onder hem bevindt en opeens is die
daar, zijn knieën begeven het, hij valt voorover, steekt zijn armen naar voren en schaaft zijn handpalmen, hij rolt opzij, valt bijna op de weg, op de
tramrails, maar boven mij zit een groter gevaar, denkt hij, achter het raam,
alles wat de indringer hoeft te doen is een paar stappen te zetten en te mik-
ken, dan is alles afgelopen; Henning komt weer op de been, hoort een auto
aankomen, maar hij zet het op een lopen, ik moet de pijn in mijn heup en
benen vergeten, ik moet rennen, zegt hij tegen zichzelf, hij ziet niet welke
kant hij opgaat, overal is rommel en asfalt, hij ziet een straathoek, een gele
muur, hij heeft geen idee waar hij is, hij blijft maar rennen, pakt iets vast
wat op een muur lijkt en slaat de hoek om op het moment dat twee kogels
vlak na elkaar de muur raken, maar Henning is ongedeerd, hij bevindt
zich in een klein straatje met eenrichtingsverkeer, dat moet St. Hallvards
gate zijn, denkt hij, wat een ongelooflijk toeval zou dat zijn als het hier zou
eindigen, maar hij wil nu niet denken aan het lievelingsdrankje van zijn
moeder, het enige wat van belang is, is dat de indringer hem niet kan raken
en hij blijft rennen, hij voelt het hameren in zijn borst, pure adrenaline,
recht zijn aderen in, hij rent langs geparkeerde auto's, figuren op de muur
in rode en zwarte kleuren, de weg maakt een bocht, hij volgt hem en loopt
zo hard hij kan, hij voelt zijn benen niet, merkt alleen dat hij wat raars
voelt, alsof zijn hele lichaam uit balans is omdat zijn benen en heup niet
helemaal goed weten wie wat moet doen, maar hij maalt er niet om, denkt
alleen maar dat hij een zo groot mogelijke afstand moet laten ontstaan tussen het woonblok en de schutter, want ook de indringer moet zien weg te
komen, Henning beseft dat hij de politie moet waarschuwen, maar eerst
in veiligheid, hij moet een plek zien te bereiken waar hij op adem kan komen en kan praten zonder zichzelf te verraden, hij ziet een stuk braaklig-
gend terrein, GAMLEBYEN SPORT EN VRIJE TIJD, staat er op een verweerd,
zwart gebogen bord bij de ingang, en hij holt het terrein op, passeert een
rode Mitsubishi stationwagen, geen mens te zien, alleen zwarte vuilnis-
zakken voor een oude keet, muren vol graffiti en letters, zijn schoenen
roffelen over het gladde beton, hij ziet een schuin oplopende baan en een
skateboard, een oude plastic stoel, het is er niet erg groot, HARTELIJK WEL-

KOM IEDEREEN staat er met onhandig geschreven hoofdletters op een bord boven een blauwgeverfde muur met vlammen en een onduidelijke achtergrond, op het bord staat verder nog geschreven: 'Wij zorgen voor elkaar omdat verdomme bijna niemand anders dat doet', hij kijkt nog eens om zich heen, het terrein is met gaas afgesloten, shit, het is afgesloten, er staan bomen omheen, maar hij ziet een opening in het gaas, hij rent naar het gat en wurmt zich erdoorheen, zijn jack blijft ergens achter haken, maar hij trekt het naar zich toe, hij hoort het scheuren, dan baant hij zich een weg door bomen en struikgewas, het lijkt wel een jungle zo dicht is het begroeid, hij glipt langs een oude, verroeste koelkast, ziet dat er op de aangrenzende helling een huis staat, en dan weet hij waar hij is, hij daalt zo snel hij kan af naar de treinrails en draait zich om om te zien of de schutter hem achtervolgt, maar die is niet te zien, Henning verbergt zich achter een grote boom waar hij gaat zitten en naar adem hapt.

Ademhalen, Henning. Vooruit, ademhalen!

Hij haalt zijn mobiel tevoorschijn en toetst het nummer van de politie in, hij wacht tot er wordt opgenomen terwijl hij met diepe teugen inademt. Al snel neemt iemand op. Hij maakt zich bekend en zegt: 'Ik moet inspecteur Bjarne Brogeland spreken. Het is dringend!'

Hoofdstuk 25

Toen hij dertien werd, mocht hij de film *Witness* kijken, met Harrison Ford en Kelly McGillis in de hoofdrollen en Danny Glover in een sublieme rol als moordenaar. Het duurde daarna een hele tijd voordat Henning weer een openbaar toilet durfde binnen te gaan.

Ook al is het tweeëntwintig jaar geleden, hij heeft nooit de scène kunnen vergeten waarin het doodsbenauwde Amishjongetje zich wanhopig probeert te verbergen terwijl Danny Glover de ene toiletdeur na de andere opendoet om erachter te komen of iemand de moord heeft gezien. Henning moet toegeven dat hij aan Danny moest denken toen hij in het struikgewas zat en de treinen voorbij zag razen, terwijl hij luisterde of er iemand aankwam die de deuren opende.

Nu zit hij in een wachtruimte. Hij weet waarom ze dat zo noemen. Hier moet je wachten. Dus hij wacht. Hij heeft een glas water gekregen. Niets te lezen. Dat is omdat hij moet nadenken. Als de rechercheurs die hem gaan verhoren straks komen, moet hij zijn herinneringen zo goed mogelijk geordend hebben, zijn verhaal moet zo gedetailleerd en zo precies mogelijk zijn.

Doorgaans is hij erg precies, maar hij merkt dat hij er weer in moet komen. Hij denkt aan Iver Gundersen en Heidi Kjus, dat hij misschien had moeten melden wat er is gebeurd, maar hij krijgt geen tijd meer om er verder over na te denken want de deur gaat open. Als eerste komt een lange, vrouwelijke inspecteur met kortgeknipt haar binnen. Ze kijkt hem aan.

'Ella Sandland,' zegt ze terwijl ze haar hand uitsteekt. Henning komt overeind, drukt haar de hand en knikt kort. Bjarne Brogeland, die vlak na haar binnenkomt, kan zijn ogen niet van haar afhouden, maar ziet dan zijn oude schoolkameraad en glimlacht breed.

'Dag Henning.'

Onmiddellijk is het er weer, het gevoel dat hij als kind had wanneer Bjarne in de buurt was. Dat gevoel van ik-vind-jou-niet-aardig. Het heeft nu nauwelijks meer met Trine te maken, maar sommige dingen veranderen kennelijk nooit.

Ella Sandland gaat aan de andere kant van de tafel zitten. Bjarne loopt op Henning af en steekt eveneens een hand uit. Bjarne heeft waarschijnlijk honderden mensen verhoord, denkt Henning, hij heeft allerlei soorten mensen ontmoet, maar hoe goed hij ook getraind is, die kleine verandering van zijn gelaatsuitdrukking die Henning al zo vaak in een veel duidelijker vorm heeft gezien, is er toch, hoe gering ook. Het duurt niet meer dan een fractie van een seconde, want Brogeland probeert zich te beheersen, hij probeert professioneel te zijn, maar Henning ziet dat hij schrikt als zijn oog op de littekens valt.

Ze schudden elkaar de hand. Knijpen hard.

'Godsamme, Henning,' zegt Brogeland terwijl hij plaatsneemt. 'Dat is lang geleden,' gaat hij verder. 'Hoeveel jaar, denk je?'

De toon is joviaal en vriendelijk. Ook al probeerden ze destijds tegelijkertijd op de politieacademie te komen, ze gingen toen helemaal niet met elkaar om. Dus Henning antwoordt: 'Vijftien jaar, twintig misschien?'

'Ja, op zijn minst.'

Stilte. Meestal houdt hij van stilte, maar nu schreeuwen de wanden om geluid.

'Goed je weer te zien, Henning.'

Omgekeerd vindt hij van niet, maar hij antwoordt: 'Insgelijks.'

'Ik had alleen wel graag gezien dat de omstandigheden anders waren geweest. We hebben een heleboel te bepraten.'

O ja? denkt Henning. Misschien wel. Maar hij kijkt Brogeland aan zonder antwoord te geven.

'Zullen we maar beginnen?' vraagt Ella Sandland. Haar stem klink vastberaden. Brogeland kijkt haar aan alsof ze zijn ontbijt, lunch en diner tegelijk is. Sandland werkt de formaliteiten af. Henning luistert naar haar en vermoedt dat ze ergens uit het westen van Noorwegen komt.

'Hebben jullie die kerel gepakt?' vraagt hij als ze de eerste vraag wil stellen. De rechercheurs kijken elkaar aan.

'Nee,' antwoordt Brogeland.

'Weten jullie waar hij heen is gevlucht?'

'Mag ik eraan herinneren dat wij jou verhoren en niet omgekeerd?' zegt Sandland.

'Het geeft niet,' zegt Brogeland terwijl hij een hand op haar arm legt. 'Het is niet gek dat hij het zich afvraagt. Nee, we weten niet waar de dader is. Maar we hopen dat jij ons kunt helpen.'

'Kun je ons vertellen wat er is gebeurd?' vult Sandland aan. Henning haalt diep adem en vertelt over het interview, de schoten en zijn ontsnapping, hij praat zacht en beheerst, ook al voelt hij dat inwendig alles draait en op zijn kop staat. Het is vreemd om het weer opnieuw te moeten beleven, het onder woorden te moeten brengen in het besef dat hij slechts een paar millimeter van de dood verwijderd is geweest.

'Wat moest je bij Marhoni?' vraagt Sandland.

'Ik nam hem een interview af.'

'Waarom?'

'Waarom niet? Zijn broer zit in voorlopige hechtenis voor een moord die hij niet heeft begaan. Tariq kent, of kende, zijn broer het best. Als jullie niet ook op die gedachte zijn gekomen, begin ik me zorgen te maken.'

'Natuurlijk hebben we daaraan gedacht,' zegt Sandland lichtelijk beledigd. 'We waren er alleen nog niet aan toegekomen.'

'Nee, nee.'

'Waar hadden jullie het over?'

'Over zijn broer.'

'Kun je wat specifieker zijn?'

Hij haalt theatraal adem terwijl hij het zich allemaal weer voor de geest probeert te halen. Hij heeft natuurlijk alles opgenomen, maar hij is niet van plan om het bandje in te leveren.

'Ik vroeg hem om wat over zijn broer te vertellen, wat die deed, hoe zijn verhouding met Henriette Hagerup was, vragen die je doorgaans stelt aan mensen over wie je meer wilt weten.'

'En wat zei hij?'

'Niet zoveel interessants. Zo ver kwamen we niet.'

'Je zei dat zijn broer in voorlopige hechtenis zit voor een moord die hij niet heeft begaan. Wat bedoel je daarmee? Waarom vind je dat?'

'Omdat ik ernstig twijfel of hij het gedaan heeft.'

'Waarom?'

'Omdat er in zijn achtergrond nauwelijks aanknopingspunten zijn te vinden dat hij een warm voorstander van de hudud is, en voor zover ik heb begrepen, heeft de moord daarmee te maken.'

Sandland zit hem lange tijd roerloos aan te staren en wisselt dan een blik met Brogeland.

'Hoe weet je dat?'

'Dat weet ik gewoon.'

Sandland en Brogeland kijken elkaar weer aan. Henning kan zien wat ze denken. *Wie heeft er uit de school geklapt?*

Sandland kijkt hem aan met haar ijsblauwe ogen. Henning krijgt opeens zin in een gin-tonic.

'Jij schijnt wel heel veel te weten, is het niet?'

Sandland laat het klinken als een vraag. Hij haalt zijn schouders op.

'In elk geval was dat vroeger zo. Al die kranten waar jij een artikel op de voorpagina had. Hoeveel voorpagina's zijn het geweest, Juul? Hoeveel scoops heb je gehad? Of noemen jullie journalisten dat niet zo?'

Zijn schouders gaan weer in de richting van zijn oren.

'Als het van belang is voor het onderzoek, kan ik dat wel uitzoeken.'

Sandland glimlacht. Het is voor het eerst dat hij haar ziet glimlachen. Perfecte tanden. Een rode, uitnodigende tong. Brogeland heeft die vast al eens geproefd, denkt hij.

Hoewel, waarschijnlijk niet. Zo dom is ze niet.

'En opnieuw zit je in het middelpunt van een onderzoek, maar deze keer als getuige. Hoe voelt dat?'

'Heb je een bijbaantje als sportverslaggever?'

'Volgens mij gaat dit verhoor sneller en beter als we het sarcasme kunnen weglaten, Henning,' zegt Brogeland en hij kijkt hem vriendelijk aan. Henning knikt en bedenkt dat Brogeland op dat punt gelijk kan hebben.

'Nou, het is een heel nieuwe ervaring,' begint hij, iets beleefder nu. 'Ik heb heel wat van dichtbij gezien, een overval en steekpartijen, twee eigen doelpunten van een en dezelfde speler in dezelfde wedstrijd, maar het is toch een heel bijzondere ervaring om te zien hoe een mens met wie ik zojuist nog gesproken heb en die me nog een glas melk heeft aangeboden, twee kogels in zijn borst krijgt en een in zijn hoofd.'

'Melk?'

'Halfvolle.'

Brogeland knikt en glimlacht even.

'Heb je de dader kunnen zien?'

Hij denkt na.

'Het ging zo snel.'

'Maar zelfs in korte ogenblikken kunnen de hersens veel informatie registreren. Probeer er nog eens aan te denken. Concentreer je.'

Hij denkt. Hij concentreert zich. En opeens is het alsof er een gordijn voor zijn ogen wegschuift. Hij ziet iets. Een gezicht. Een ovaal gezicht. Een baard. Maar niet om zijn hele kin heen, alleen om de mond. Een vierkant. Dicht behaard.

Hij vertelt. Hij vertelt nog iets: de lippen. Links een beetje scheef. Bjarne had gelijk, denkt hij. Goddomme, Bjarne IJdeltuit had gelijk!

'Zag je wat voor wapen hij gebruikte?'

'Nee.'

'Zeker weten?'

'Een handwapen. Een pistool misschien. Ik heb niet zoveel verstand van wapens.'

'Een geluiddemper?'

'Ja. Hebben jullie geen patroonhulzen op de plaats delict gevonden?'

Sandland kijkt weer naar Brogeland. O, ja, die hebben ze gevonden, denkt Henning, maar dan voelt hij iets trillen tegen zijn lichaam. Hij probeert te doen alsof zijn neus bloedt, maar het gaat maar door.

'Sorry,' zegt hij, wijzend op zijn binnenzak.

'Zet je mobiel uit,' zegt Sandland met een gezaghebbende stem. Hij haalt het toestel tevoorschijn en ziet nog net dat het Iver Gundersen is. Hij drukt extra hard op de uit-knop en houdt die lang ingedrukt.

'Heb je gezien hoe de dader gekleed was?'

Henning graaft in zijn geheugen.

'Donkere broek. Ik geloof dat hij een zwart jack droeg. Hoewel, nee. Beige.'

'Zwart of beige?'

'Beige.'

'Wat voor kleur haar had hij?'

'Weet ik niet meer, ik geloof dat dat ook donker was. Die hele knaap was donker.'

Sandland kijkt hem argwanend aan.

'Op zijn beige jack na,' voegt hij er snel aan toe.

'Allochtoon?' vraagt Brogeland.

'Dat denk ik wel, ja.'

'Een Pakistaan? Net als het slachtoffer?'

'Heel goed mogelijk.'

Brogeland en Sandland noteren beiden iets op het vel papier dat voor hen ligt. Henning kan het niet lezen, maar hij weet toch wel wat ze schrijven.

De dader kende het slachtoffer.

Hij maakt gebruik van de kleine pauze die is ontstaan.

'Dus wat denken jullie, hebben jullie de verkeerde Marhoni gearresteerd?'

Hij haalt zijn notitieblok tevoorschijn. Sandland en Brogeland kijken elkaar weer aan.

'Ik dacht dat ik duidelijk had gezegd...'

Brogeland kucht. Weer zijn hand op haar arm. Sandland krijgt rode wangen.

'Het is te vroeg om daar iets over te kunnen zeggen.'

'Dus jullie sluiten wraak als motief niet uit?'

'We sluiten niets uit.'

'Van welke theorieën gaan jullie uit? Mahmoud wordt gearresteerd, verdacht van moord en nog geen dag later wordt zijn broer vermoord?'

'Bjarne...'

'Daar geef ik geen commentaar op. En nu is het interview afgelopen,' zegt Brogeland op serieuze toon.

'Denk je dat je de dader zou herkennen als je hem nog een keer zou zien?' gaat Sandland verder. Henning denkt na, beleeft de scène in Marhoni's woning opnieuw als in een snelle film en zegt: 'Ik weet het niet.'

'Kun je het proberen?'

Hij begrijpt meteen wat ze bedoelt.

'Moet ik nu naar foto's kijken en zo?'

Ze knikt met een ernstig gezicht.

'Ik kan het altijd proberen,' zegt hij.

Hoofdstuk 26

'Ben je altijd zo?' vraagt Brogeland als hij achter een tafel gaat zitten en het scherm van een notebook aanzet. Ze zijn naar een kleinere kamer gegaan. Henning zit aan de overkant van de tafel toe te kijken hoe Brogeland op een piepklein toetsenbord zit te tikken en te klikken.

'Wat bedoel je met "zo"?' antwoordt Henning.

'Respectloos en arrogant?'

Brogeland draait de notebook naar hem toe en glimlacht. Henning is overrompeld door de vraag. Hij trekt een zure grijns en beweegt zijn hoofd eerst naar links en dan naar rechts. Als deze politie-inspecteur een bron voor hem zou moeten worden, is arrogant en respectloos gedrag volgens het abc van de journalistiek niet bepaald de aanbevolen houding. Dus hij zegt: 'Sorry, dat was niet de bedoeling.' Hij steekt zijn handen op. 'Ik ben niet helemaal mezelf meer na wat er is gebeurd. Ik ben niet elke dag getuige van een moord. Zo doe ik meestal niet. Het is waarschijnlijk een verdedigingsmechanisme of zoiets.'

Brogeland knikt. 'Ik snap het.'

Niet helemaal in de roos misschien, maar hij heeft wel de schijf getroffen. Brogeland schuift de notebook wat meer zijn kant op. 'Met de pijltjestoetsen ga je vooruit en terug. Als je een foto wat beter wilt bekijken, kun je er gewoon op klikken.'

'Zijn dit mensen met een strafblad?'

'Ja. Ik heb alleen de mensen met een allochtone achtergrond geselecteerd. Ook heb ik een paar andere categorieën uitgesloten.'

Henning knikt en gaat aan de gang. De ene foto na de andere verschijnt op het scherm.

'En, wat heb jij allemaal gedaan na je schooltijd?' vraagt hij terwijl hij naar het scherm blijft kijken.

'Tja, van alles wat, zoals de meeste mensen. Na de middelbare school ben ik een jaar in dienst geweest, ik ben een jaar in het buitenland geweest, in Kosovo, en daarna heb ik drie jaar op de sportacademie gezeten. Daarna ben ik naar de politieacademie gegaan. En ten slotte ben ik hier gekomen.'

'Heb je een gezin?'

Henning krijgt onmiddellijk een hekel aan zichzelf.

'Een vrouw en een kind.'

'Je vrouw... ken ik haar of weet ik wie ze is?'

'Dat denk ik niet. Ik ben haar op de sportacademie tegengekomen. Anita komt uit Hamar.'

Henning knikt terwijl hij verder scrolt. Hij herkent sommige gezichten, maar alleen omdat hij eerder over hen heeft geschreven of hun foto in de krant heeft zien staan.

'Vind je het prettig bij de politie?'

Waarom is er nooit een teiltje als je er een nodig hebt?

'Geweldig, al is het hard werken. Ik zie mijn dochter niet zo vaak als ik zou willen. Onregelmatige werktijden. Er is altijd wel een zaak.'

'Hoe oud is je dochter?'

'Drie. Drieënhalf,' voegt hij er snel aan toe.

'Leuke leeftijd,' zegt Henning en hij heeft er direct spijt van, hij hoopt dat Brogeland niet de obligate wedervraag stelt die altijd volgt op een dergelijke opmerking. Henning is hem voor.

'Hoe heet ze?'

'Alisha.'

'Mooie naam.'

Alles komt boven. Gal, de koffie van gisteren.

'Mijn vrouw vindt dat namen internationaal moeten zijn. Zodat ons kind ook in het buitenland kan wonen zonder steeds haar naam te moeten spellen.'

Bjarne lacht even. Henning probeert ook te lachen, maar het klinkt vals, dus hij zwijgt snel en gaat door. Gezichten, gezichten, gezichten. De criminaliteit druipt eraf. Boze blikken, verbeten monden. Maar geen schutter.

Hij is misschien een kwartier bezig als Bjarne zegt: 'Denk je dat de dader jou heeft kunnen zien?'

Henning wendt zijn blik af van het scherm en kijkt de politieman aan. Gek dat ik dat niet eerder heb bedacht, zegt hij tegen zichzelf.

'Ik weet het niet,' antwoordt hij en hij denkt weer terug aan zijn eigen ontsnapping. De schutter heeft vooral zijn rug gezien, maar er was een moment waarop hun blikken elkaar hebben gekruist. En Henning heeft een gezicht dat je niet zo gemakkelijk vergeet.

Ja, hij heeft me gezien, denkt hij. Dat moet wel.

Hij kijkt Bjarne aan en weet wat de inspecteur denkt. Als de technici geen bewijs vinden dat de moordenaar met de plaats delict verbindt, is híj de enige die de schutter daar positief en fysiek kan plaatsen. In juridisch opzicht, met Henning als getuige, is het strafschoppen nemen zonder keeper.

Er is maar één voorwaarde.

Dat Henning in leven is.

Hoofdstuk 27

Drie kwartier later drukt hij zijn wijsvinger enthousiast op het scherm. Brogeland komt overeind en gaat aan de andere kant van de tafel staan.

'Weet je het zeker?'

Henning kijkt naar de scheve bovenlip van de man.

'Ja.'

Er gaat iets gloeien in Brogelands blik. Hij trekt de notebook naar zich toe, draait hem weg van Henning, gaat zitten en toetst wat in.

'Wie is het?' vraagt Henning. Brogeland richt zijn blik op van het scherm, rolt met zijn ogen.

'Hij heet Yasser Shah,' zegt hij met tegenzin. 'Maar waag het niet dat in je krant te zetten.'

Henning steekt zijn handen op.

'Wie is dat?'

'Eigenlijk niemand. Hij heeft een paar veroordelingen gehad voor drugsbezit. Kleinigheden eigenlijk.'

'Van kleinschalig dealen tot pure liquidatie, dus.'

'Daar lijkt het op.'

'Hm.'

'Hij hoort bij een bende die zich BBB noemt. Bad Boys Burning.'

Henning trekt zijn neus op. 'Wat is dat voor bende? Ik heb er nog nooit van gehoord.'

'Die is het afgelopen jaar boven komen drijven. Ze houden zich bezig met diverse criminele activiteiten, smokkel, drugs, incassowerk met vuisten en wapens als... eh, wapens. De collega's die direct met georganiseerde criminaliteit werken, hebben hen dacht ik aardig in de peiling.'

'Hadden de broers Marhoni iets met BBB te maken?'

Brogeland wil antwoord geven, maar houdt zich in en kijkt Henning aan. Weer weet hij wat de politieman denkt.

Henning, je bent ongetwijfeld een beste kerel, maar ik ken je nog niet goed genoeg.

'Fantastisch gedaan,' zegt Brogeland ten slotte. 'Hartelijk dank. Je hebt ons enorm geholpen.'

Ze gaan staan. Brogeland steekt zijn hand uit. Ze knijpen weer. Henning verlaat het politiebureau met het gevoel dat hij zichzelf misschien nog het meest heeft geholpen.

Als hij weer op straat staat, heeft hij de kop al klaar: *Tariqs laatste woorden*. Dat zal heel wat lezers trekken. Kåre met zijn Tourette kan weer stuiteren. Letterlijk.

Hij zet zijn mobiel weer aan terwijl hij de Grønlandsleiret inloopt. Een halve minuut later stromen de sms'jes binnen. Verschillende mensen hebben zijn voice-mail ingesproken. Iver Gundersen is een van hen. Henning weet uiteraard waarom. Het ontbrak er nog maar aan. Hij heeft de puf niet om de berichten te lezen en wil ze net allemaal wissen, als Iver Gundersen opnieuw belt. Henning zucht en neemt op met een nuchter klinkend: 'Hallo.'

'Waar ben je?'

'Op het politiebureau.'

'Waarom heb je niet meteen hierheen gebeld? Dat was juist een geweldige scoop geweest!'

'Ik vond het belangrijker om het er zelf levend vanaf te brengen, om het zo maar uit te drukken. Voor zover ik dan nog leef.'

'Shit, ik heb je nu drieënhalf uur proberen te pakken te krijgen!'

'Drieënhalf uur?'

'Ja!'

'Heb je de tijd opgenomen?'

Gundersen haalt diep adem en blaast zo hard uit dat Hennings oor ervan suist.

'Het is godverdomme een schande dat NRK de primeur heeft van een zaak waarbij een journalist van *123nieuws* getuige was van een moord en zelf nog beschoten werd ook.'

'Jørn Bendiksen zeker?'

'Ja!'

'Hij heeft goede bronnen.'

Henning zegt het op een manier die niet mis te verstaan is. Hij weet dat Gundersen het als een persoonlijke belediging opvat.

'Ik moet op zijn minst nu een interview met je doen, zodat jij kunt vertellen wat er is gebeurd. We hebben met opzet NRK niet geciteerd en het doen voorkomen alsof we je gesproken hebben, maar ik heb er gewoon buikpijn van. Een ooggetuigeverslag zou een heleboel goedmaken.'

'Hebben jullie geen citaten gefaket?'

'Nee, nee. Dat kun je zelf zien als je langskomt of je mobiel checkt. Zullen we het hier doen of over de telefoon?'

'Nee.'

'Wat bedoel je met "nee"?'

'Nee, nee,' zegt Henning terwijl hij Gundersens stem nadoet. 'Er komt geen interview.'

Het wordt stil.

'Hou je me voor de gek?'

'Nee, nee.'

'Waarom niet in godsnaam?'

'Omdat er ongeveer drieënhalf uur geleden een aantal kogels om mijn kop vlogen. Ik ben niet van plan het de dader gemakkelijk te maken om me te vinden, mocht hij zin hebben het nog eens te proberen. Hij weet dat ik hem heb gezien. Of liever gezegd: als hij dat nu nog niet weet, zal hij dat binnenkort wel te weten komen.'

Gundersen zucht diep.

'Ik ga nu naar huis om het interview op te schrijven dat ik met Tariq heb gehad. Daarna neem ik een paar dagen vrij,' gaat Henning verder. Hij heeft de laatste zin nog niet uitgesproken of de verbinding wordt verbroken. Henning moet er bijna om glimlachen.

Hij wil een supermarkt binnengaan, maar opnieuw wordt er gebeld. Hij kent het nummer niet. Misschien is het Gundersen die zich vermomd heeft als abonnementenverkoper van het spiksplinternieuwe blad *Paard & Lul*. Henning drukt de uit-knop in, terwijl hij besluit een paar verse, warme viskoekjes te kopen. Dat wordt smullen.

Hoofdstuk 28

Het zakje met batterijen raakt aardig leeg, maar hij heeft er nog genoeg om in alle acht rookmelders nieuwe te doen. Hij gaat de woonkamer binnen. Geen schutter die op de loer ligt. Daar had hij ook niet op gerekend, maar je kunt nooit weten.

Hij neemt een douche terwijl zijn pc met een slakkengang de opstartprocedure afwerkt. Een kwartier later ruikt hij schoner dan een pasgewassen baby en hij start FireCracker 2.0. Hij moet *6tiermes7* iets vragen. Deze keer is Deep Throat al ingelogd.

TinkyWinky:
Turbo.

6tiermes7:
Negro.
Je bent wel heel snel een schietschijf geworden.

TinkyWinky:
Ik heb ervaring op dat gebied.

6tiermes7:
Ben je nog heel?

TinkyWinky:
Ja hoor. Gelukkig doe ik 's nachts toch nauwelijks een oog dicht.

6tiermes7:
Tel schaapjes. Of ruk je af.

TinkyWinky:
Te vermoeiend.

6tiermes7:

:-)

TinkyWinky:

Ik denk erover een paar dagen vrij te nemen, maar nu ben ik gewoon nieuwsgierig.

6tiermes7:

Vrij? Jij?

TinkyWinky:

Hebben de gebroeders Marhoni iets met BBB te maken? Zijn ze daar lid van?

6tiermes7:

Nee. We zijn nog steeds op zoek naar een verband.

TinkyWinky:

Maar dat is er wel?

6tiermes7:

Dacht jij van niet?

TinkyWinky:

Ik weet het niet. Ze kunnen elkaar natuurlijk gewoon kennen.

6tiermes7:

Yeah, right.

TinkyWinky:

Gaan jullie binnenkort actie tegen hen ondernemen?

6tiermes7:

Daar weet ik nog niets van. Maar volgens mij proberen ze eerst Yasser Shah thuis op te pakken.

TinkyWinky:

Die is natuurlijk ondergedoken.

6tiermes7:

Denk je niet dat hij zal proberen jou uit te schakelen?

TinkyWinky:

Zou jij dat doen? Nu? Als iedereen naar je op zoek is?

6tiermes7:

Nee. Maar hebben ze je bescherming aangeboden?

TinkyWinky:

Ja.

6tiermes7:

Mooi. Het kan zijn dat iemand anders het werk opknapt.

TinkyWinky:

Ik heb voor de eer bedankt.

6tiermes7:

O. Echt waar?

TinkyWinky:

Grappig.

6tiermes7:

En wat gebeurt er nu?

TinkyWinky:

Ik denk dat ik me een paar dagen gedeisd ga houden.

6tiermes7:

Ja, dat ken ik.

TinkyWinky:

OK. Misschien dat ik thuis nog wat ga werken. Ik zie wel.

6tiermes7:
OK.

TinkyWinky:
Is er verder nog wat gebeurd in het onderzoek?

6tiermes7:
Weinig. Ze zoeken overal naar verbanden en sporen. Veel verhoren.

TinkyWinky:
Kun je me nog wat details geven?

6tiermes7:
Nou ja, ze zijn in elk geval afgestapt van de eerwraaktheorie.

TinkyWinky:
Nog meer interessants?

6tiermes7:
Weet ik niet goed. Ik weet niet zeker of het iets te betekenen heeft, maar een filmmaatschappij had een optie genomen op het script dat Hagerup had geschreven.

TinkyWinky:
Onlangs nog?

6tiermes7:
Een tijdje geleden, geloof ik.

TinkyWinky:
Jaloezie op school misschien?

6tiermes7:
Geen idee. Maar ze praten met iedereen die ook maar enigszins als vriend of begeleider kan worden beschouwd.

TinkyWinky:
Had Hagerup een begeleider?

6tiermes7:
Ja. Ene Yngve Foldvik.

TinkyWinky:
Die naam klinkt bekend.

6tiermes7:
Ik had nog nooit van hem gehoord.

TinkyWinky:
Weten jullie nog iets over die tent op de Ekebergsletta?

6tiermes7:
Ja, de school had die opgezet. Ze waren een film aan het opnemen.

TinkyWinky:
Verdenken jullie een medestudent?

6tiermes7:
Voorlopig niet. Ik geloof dat ze zich concentreren op Mahmoud Marhoni. Er zijn nog steeds aanwijzingen dat hij erbij betrokken was.

TinkyWinky:
Is hij verhoord na de moord op zijn broer?

6tiermes7:
Nee, de advocaat maakte bezwaar.

TinkyWinky:
OK. Bedankt. Voor nu.

6tiermes7:
Stay healthy.

Stay healthy.

Dat citaat komt uit de film *Heat* met Robert de Niro en Al Pacino in de hoofdrollen. Jon Voigt zit samen met De Niro in de auto om een kraak te plannen en als De Niro wil uitstappen zegt Voigt: 'Stay healthy.'

6tiermes7 kijkt graag naar *Heat*. En die beste Jon Voigt zegt iets. Het is goed om gezond te blijven. En het is goed om te weten dat iemand zich om je bekommert. Ook al heeft hij geen idee wie die iemand is.

Hoofdstuk 29

6tiermes7 had gelijk. Het valt niet mee om je gedeisd te houden. Er malen te veel vragen door zijn hoofd, en hoe meer hij daaraan denkt, des te meer raakt hij ervan overtuigd dat veel antwoorden te vinden zijn op de school en bij de klasgenoten van Henriette Hagerup.

Hij klikt op de website van de Westerdals School terwijl hij tegelijkertijd zijn mobiel aanzet. Net als gisteren stromen de berichten binnen. En net als gisteren wist hij ze allemaal zonder ze te bekijken. Hij klikt op een van de filmsites van de school, zoekt de lijst met medewerkers en vindt Yngve Foldvik na wat snel scrollen en klikken. Een foto met een cv en contactgegevens verschijnt op het scherm. Henning bestudeert hem.

Waar heeft hij die man toch eerder gezien? Donker haar, met links een scheiding. Een smalle neus. Een donkere huid, niet chocoladebruin, maar hij heeft een huidtype dat snel bruin wordt in de zomer. Hier en daar baardstoppels met een grijs streepje. Hij lijkt eind veertig te zijn, maar is nog steeds een knappe man. Henning vermoedt dat sommige leerlingen in het geheim over hem fantaseren.

Hij kijkt op zijn horloge. Half zes. Tariqs laatste woorden moeten maar wachten. Hij toetst het mobiele nummer van Foldvik in. Na drie keer overgaan krijgt hij contact. Henning stelt zich voor. Foldvik groet op een toon die Henning pijlsnel herkent als de 'o-shit'-toon.

'Ik heb niet zo veel tegen jullie te zeggen,' begint hij. Zijn stem klinkt helder.

'Ik wil ook niet dat je nu wat zegt,' pareert Henning. Het wordt stil. Hij weet dat Foldvik niet precies begrijpt wat hij bedoelt. Maar dat is ook de bedoeling. Hij laat hem zo lang wachten dat Foldvik nieuwsgierig wordt en wel moet vragen: 'Wat bedoel je?'

'Als ik je morgen kan spreken op een moment dat jou goed uitkomt, dan kan ik je uitleggen waar ik met je over wil praten. Maar ik zou liegen als ik zei dat het niets te maken heeft met die overleden studente.'

'Ik weet niet of ik...'

'Het kost je maar een paar minuten.'

'Zoals ik zei, ik...'

'Ik wil graag dat mensen die over Henriette lezen, een zo correct moge-lijk beeld van haar krijgen. Volgens mij ben jij de meest geschikte persoon om dat beeld weer te geven. Je kende haar misschien net op een iets ande-re manier dan haar vrienden en vriendinnen van school die, als ik eerlijk mag zijn, geneigd zijn om nogal wat onzin uit te kramen.'

Het wordt stil. Hij kan Foldvik horen denken. Dat is ook een deel van het geheim. Het ego van de mensen die je wilt interviewen maar blijven stre-len, tot ze uiteindelijk geen nee meer kunnen zeggen.

'Goed. Twee minuten. Morgen om tien uur?'

Een brede glimlach plooit zich om zijn lippen.

'Tien uur komt prima uit.'

Een interview uitschrijven dat hij op de band heeft staan, is een onge-compliceerde bezigheid. Aanvankelijk was hij van plan om alles wat Tariq heeft gezegd te gebruiken, woord voor woord, omdat het zijn laatste wa-ren, maar dat plan laat Henning varen zodra het interview vorm krijgt op de pc. Het zijn te veel onbelangrijke dingen. Hij wil ook niet dat de men-sen alles te weten komen wat Tariq over zijn broer heeft gezegd. Mahmoud zit ondanks alles in voorlopige hechtenis en het onderzoek is nog steeds in volle gang.

Het kost hem een halfuur om alles in te tikken wat Tariq Marhoni heeft gezegd. Hij besluit uit te gaan van de mooie typering die Tariq van zijn broer gaf.

Mijn broer is een goede man.

Het scheelt niet veel of hij gaat ervan gapen, maar het is een begin. Hij schrijft verder: *In zijn laatste woorden prees Tariq Marhoni zijn van moord verdachte broer. Lees hier het exclusieve interview.*

Hij weet dat mensen dit zullen lezen, ook al staat er niet veel bijzonders in. Dat heb je met iemands laatste woorden. Die spreken aan, waar het ook over gaat. En als het zo exclusief is als in dit geval zal iedereen die zich ook maar een piepklein beetje voor de zaak interesseert, het artikel aanklik-ken. Andere media zullen het stuk scannen op citaten die ze kunnen over-nemen. Op deze manier: *'..., zei Tariq Marhoni tegen* 123nieuws *vlak voor hij stierf.'*

Citaten. Afgezien van de advertenties en het binnenstromende geld gaat het voor veel kranten om citaten in concurrerende media. Tegelijkertijd is het misschien de grootste bron van ergernis voor de redactie, vooral bij de relatief kleine media, dat de grote vissen een citaat uit een artikel overnemen en nalaten de bron te vermelden.

Het gebeurt elke dag. De Groten zijn zo bang dat de Kleinen groter worden dat het ten koste gaat van fatsoen en collegialiteit. Het hoeft niet eens om regelrecht pikken te gaan, een telefoontje naar dezelfde bron is genoeg, dan kunnen ze dezelfde citaten gebruiken en hardnekkig en met merkbare tegenzin volhouden dat ze hetzelfde idee hadden gehad. Zo vindt NRK bijvoorbeeld dat een bron waaruit geciteerd wordt, door hen niet hoeft te worden genoemd als het citaat in ten minste twee andere media staat.

Hij weet niet of die praktijk zich in de afgelopen twee jaren waarin hij buitenspel stond ook gewijzigd is, maar het is onmogelijk te voorkomen dat er uit het artikel over Tariq zal worden geciteerd. Hij vermoedt dat Heidi Kjus daar heel tevreden over zal zijn. Misschien Iver Gundersen ook wel.

Hoewel, nee. Iver Gundersen niet.

Hij denkt aan BBB. Bad Boys Burning. Wat een naam voor een club. Er zijn nu eenmaal mensen die het nodig vinden om een waarschuwing af te geven. Bandidos. Hell's Angels. Hij merkt dat hij nieuwsgierig wordt naar BBB. Hij googelt de volledige naam van de bende en krijgt algauw duizenden hits, veel ervan onbelangrijk of niet ter zake doende. De recensie van de film *Bad Boys*, artikelen over een blatende Zweed die een paar jaar geleden een hitje scoorde dat 'Burning' heette, mensen die omschreven worden als '*bad boys*' en een groep uit Furuset die zichzelf dezelfde naam heeft gegeven. Weinig relevant.

Toch vindt hij een artikel uit *Aftenposten* van een halfjaar geleden dat gaat over een vechtpartij tussen bendes in, jawel, Furuset. In de begeleidende tekst staat niets over BBB, maar toch klikt hij het artikel aan.

Onmiddellijk krijgt hij het benauwd. Het artikel is geschreven door Nora. Ze heeft zich dus op gevaarlijk terrein begeven. Bendes worden in de regel geassocieerd met drugs, beroepscriminelen en misdadige wannabe's. Grofweg gezegd met mensen die op zoek zijn naar een identiteit. Precies dezelfde reden waarom mensen hooligans worden. Om ergens deel van uit te maken.

De kop van Nora's artikel luidt: *Gewelddadige benderuzie in Furuset.* Hij bestudeert het artikel. Geen foto's van de plek waar gevochten is. Alleen een plaatje van een bijl en een honkbalknuppel. Waarschijnlijk was Nora die avond standby en had de krant geen zin om een verse foto van Scanpix te kopen. Of misschien moeten ze bij Scanpix ook bezuinigen.

Toch ziet hij dat Nora goed werk heeft geleverd. Ze heeft gesproken met de leider van de operatie, een van de chefs van het bendeproject van de Oslose politie, ze heeft twee getuigen gesproken, een hooggeprofileerde ex-gangster geïnterviewd die weet om wat voor soort ruzie het ging en ze heeft ten minste vijftig regels geschreven over iets wat normaal gesproken maar een of twee alinea's in de krant krijgt.

De meeste mensen interesseren zich niet voor benderuzies. Ze vinden het alleen maar prima dat die kerels elkaar verrot slaan, dan lopen er weer wat minder idioten op straat rond. Hij weet niet precies waarom, maar hij besluit haar te bellen. Misschien heeft ze actuele informatie over die branden de idioten, maar misschien heeft hij ook wel een andere reden.

Hij wil weten waar ze is.

Hij weet dat het stom is en absoluut onverstandig, maar hij kan er niets aan doen. Hij wil weten of ze bij Gundersen is, of haar stem vrolijk of spijtig klinkt, of er een zweempje gemis in haar stem doorklinkt als ze hem weer hoort. Ze hebben sinds de dood van Jonas niet meer met elkaar getelefoneerd. Ze belde om te vragen of hij Jonas van de opvang kon afhalen en tot de volgende dag voor hem wilde zorgen, ook al was het eigenlijk haar week. Ze was namelijk ziek geworden. Hij had geantwoord: 'Ja, natuurlijk, dat is toch logisch.'

Hij weet dat het niet door de brand komt of door het feit dat Jonas stierf, dat Nora van binnen verteerd wordt. Ze zal het zichzelf nooit kunnen vergeven dat ze die dag ziek werd en hem vroeg of ze konden ruilen. Als ze niet ziek was geworden, zou Jonas niet bij hem zijn geweest. Dan had Jonas nog geleefd.

Hij is ervan overtuigd dat Nora elke keer dat ze zich grieperig voelt of ergens pijn heeft, denkt dat het niets is. Dat het prima gaat. Dat ze het wel redt en naar haar werk kan gaan. En elke keer zullen dezelfde gedachten haar weer parten spelen: waarom heb ik toen niet mijn kiezen op elkaar geklemd en hem zelf opgehaald? Hoe ziek was ik nou eigenlijk?

Gedachten om gek van te worden. Zelf denkt hij aan de drie bellen cognac die hij had gedronken nadat Jonas in slaap was gevallen. Misschien had hij hem kunnen redden als hij er maar twee had genomen. Of een? Als hij de vorige avond vroeg naar bed was gegaan, dan was hij niet zo uitgeput geweest en voor de tv in slaap gevallen toen er plotseling brand ontstond.

Als, als...

Hoofdstuk 30

Hij laat de telefoon lang overgaan. Misschien ziet ze op de display dat hij het is. Of misschien heeft ze een andere telefoon gekregen en haar oude contacten niet opgeslagen. Misschien heeft ze hem gewoon gewist. Of is ze heel ergens anders mee bezig. Met leven, bijvoorbeeld.

Ze verrast hem door uiteindelijk op te nemen. Hij had eigenlijk na tien keer overgaan moeten ophangen, maar hij kon het niet. Haar stem klinkt alert wanneer ze 'Hallo Henning' zegt.

Hij antwoordt: 'Hallo Nora.'

Shit, wat vreselijk om haar naam hardop te moeten uitspreken.

'Hoe gaat het met je?' zegt ze. 'Ik heb gehoord wat er is gebeurd.'

'Het gaat wel.'

'Was je niet doodsbang?'

'Meer kwaad, eigenlijk.'

Dat is waar, nu hij er over nadenkt. Hij probeert zich niet voor te doen als een of andere macho actieheld. Hij werd écht kwaad, vooral omdat hij niet wilde dat het zo zou eindigen, midden in een crescendo, in iets wat nog niet ten einde was.

Ze zwijgen allebei. Ze konden goed zwijgen met zijn tweeën, maar nu is het alleen maar onaangenaam. Ze stelt geen vervolgvraag. Hij moet opschieten, voor het te erg wordt. Hij gaat ervan uit dat ze niet te geïnteresseerd in zijn wel en wee wil overkomen terwijl ze zich in dezelfde ruimte bevindt als Gundersen.

'Zeg, ik ben met iets bezig en kwam een artikel tegen dat jij een halfjaar geleden hebt geschreven over de bende Bad Boys Burning. Weet je dat nog?'

Het blijft een paar seconden stil.

'Ja. Er was een vechtpartij met een andere bende, als ik me niet vergis. De Hemoraiders, of hoe ze ook maar heetten.'

Weer zo'n naam.

'Klopt.'

'Een stuk of vier moesten naar het ziekenhuis. Steekwonden en gebroken benen.'

'Ja, klopt.'

'Waarom schrijf je over hen?'

Hij overweegt haar alles te vertellen, maar bedenkt dan dat ze voor concurrerende kranten werken en dat vertrouwelijkheid een hoofdstuk is in hun gezamenlijke en inmiddels afgesloten boek. Nou ja, gedeeltelijk afgesloten.

'Ik ga niet over hen schrijven. Tenminste, ik denk van niet.'

'Met BBB valt niet te spotten, Henning.'

'Ik spot nooit.'

'Ik meen het, hoor. Sommige leden zijn echt gevaarlijk. Die hebben overal schijt aan. Denk je dat zij achter de moord op Tariq Marhoni zitten?'

Die Nora. Ze kent hem veel te goed.

'Ik weet het niet. Het is te vroeg om er iets over te kunnen zeggen.'

'Als je die lui gaat opzoeken, Henning, wees dan wel voorzichtig. Oké? Het zijn geen lieverdjes.'

'Komt wel goed,' zegt hij en hij bedenkt dat het vreemd is om weer met Nora over artikelen en bronnen te praten. Journalisten kunnen het nooit laten om over hun werk te beginnen. Als je dan ook nog samenwoont en alles deelt, komt het werk nog meer op de voorgrond. Tot het te veel wordt.

Op een gegeven moment werkte hij zo hard dat hij altijd pas 's avonds laat of 's nachts thuiskwam en dan was Nora zo pissig dat ze niets meer over het werk wilde horen. Het was gewoon te veel. Zijn fout, natuurlijk. Dat ook. Het lijkt wel de rode draad in zijn leven te zijn. Ik maak zelfs de beste dingen kapot, denkt hij.

Hij bedankt haar voor de hulp en hangt op. Hij blijft naar de telefoon zitten kijken alsof ze zich nog steeds aan de andere kant van de lijn bevindt. Hij houdt de telefoon weer tegen zijn oor. Alleen maar stilte.

Hij moet denken aan de dubbele moord in Bodø, waar hij een paar jaar geleden over had geschreven. Op een van de eerste avonden dat hij daar was, had hij Nora gebeld voordat ze naar bed ging. Ze praatten een half-uur met elkaar, misschien langer. Toen hij haar hoorde gapen, vroeg hij of ze de telefoon op het kussen kon neerleggen, zonder de verbinding te verbreken. Hij wilde haar horen slapen. Hij zat op zijn hotelkamer te luisteren naar haar ademhaling, die aanvankelijk snel was. Toen steeds langzamer en langzamer. Ten slotte ging hij zelf ook liggen, hij weet niet meer of hij de verbinding verbrak. Maar hij herinnert zich nog wel dat hij die nacht goed sliep.

Hoofdstuk 31

Zaheerullah Hassan Mintroza zit voorovergebogen op de krakende stoel in de glazen kooi. Hij telt het geld. Cash. In de autowasserij werken ze alleen maar met cash. Hij heeft een kassa, die ook aan staat, maar hij gebruikt hem nooit.

Er gaat niets boven zwart geld.

Hij is tevreden over de voorlopige dagopbrengst. Twaalf personenauto's maal honderdvijftig kronen. Achttienhonderd kronen in totaal. Plus twee keer waxen maal achthonderd kronen. En zesendertig taxi's maal honderd kronen. Zevenduizend in totaal. Niet slecht. En ze gaan pas over twee uur dicht.

Een goed idee om taxi's korting te geven.

Hij wil net naar buiten gaan om een nieuwe klant te begroeten als twee andere auto's stilhouden achter de vieze Mercedes die buiten staat geparkeerd. Twee politieauto's.

Shit, denkt Hassan. De politiemensen, drie in totaal, stappen uit. Hassan loopt op hen af. Een van hen heeft hij eerder gezien.

'Bent u de eigenaar en exploiteur van deze wasserij?' vraagt Bjarne Brogeland. Hij praat hard om het geluid van de hogedrukspuit in de hal te overstemmen. Hassan knikt.

'Hebt u een medewerker die Yasser Shah heet?'

Shit, denkt Hassan weer.

'Ja.'

'Waar is hij? We willen hem graag spreken.'

'Waarom?' vraagt Hassan.

'Is hij hier?'

'Nee.'

'Weet u waar hij is?'

Hassan schudt zijn hoofd.

'Moest hij niet werken vandaag?'

'Nee.'

'Hebt u er bezwaar tegen dat we een kijkje in uw wasserij nemen?'

Hassan haalt onverschillig zijn schouders op en blijft buiten staan terwijl de politiemensen de hal in gaan. De vieze Mercedes vertrekt weer.

Hassan denkt aan Yasser. Verdomde amateur. Hij had toch gezegd dat hij geen fouten mocht maken?

Het werk in de wasserij stopt. Een taxi van Avensis is bijna klaar. De inspecteurs praten met de anderen in de hal, maar Hassan hoort niet wat er wordt gezegd. Hij ziet dat Mohammed zijn hoofd schudt. Omar ook.

De inspecteurs controleren alle ruimtes, ze gaan de glazen kooi binnen en kammen de hele wasserij uit. Brogeland zegt iets tegen de andere politiemensen en loopt dan weer naar Hassan.

'We moeten zo snel mogelijk met Yasser Shah praten. Als u hem ziet, vertel hem dan dat hij met mij contact op moet nemen of met een andere politiefunctionaris.'

Brogeland geeft hem zijn kaartje. Hassan neemt het met tegenzin aan, maar kijkt er niet naar. Droom maar lekker verder, smeris.

'We weten wat jullie hier uitspoken, Hassan.'

Hassan probeert zich te beheersen, maar hij voelt zijn wangen gloeien. Hij wacht op een dreigement dat niet zal volgen. Het is namelijk al geuit. Hassan beseft het.

Brogeland zegt niets. Hij heeft al gezegd dat ze de wasserij de komende tijd in de gaten zullen houden, zowel om Yasser Shah te pakken te krijgen als om hun activiteiten te controleren.

Hassan kijkt naar Brogeland en naar de andere politiemensen als ze weer in de auto gaan zitten. Misschien moet ik de politie ook maar korting geven, denkt hij terwijl hij hen ziet vertrekken. En een gratis douche op de bodem van de Oslofjord op de koop toe.

Hij loopt de hal in en wenkt de anderen. Ze gaan de glazen kooi in. Hassan blijft staan. Hij kijkt hen om de beurt aan.

'Ze weten dat het Yasser was,' zegt hij.

'Hoe kunnen ze dat weten?' vraagt Mohammed.

'Hoe dom ben jij? Yasser zei toch dat er nog iemand was. Die moet Yasser hebben gezien en hem bij de politie hebben geïdentificeerd. Hij kan alles voor ons verpesten.'

'Wie? Yasser?'

Hassan zucht en schudt zijn hoofd.

'Die getuige, idioot!'

Mohammed krimpt in elkaar.

'Het kan me niet schelen hoe jullie het doen, maar ik wil dat jullie hem vinden.'

Hassan kijkt hen weer aan, een voor een.

'Lees alles wat je aan kranten kunt vinden, praat met mensen die je kent voor het geval iemand de naam kent van de getuige. Yasser zei dat die vent littekens in zijn gezicht had. Brandwonden. Dat zou de zaak gemakkelijker moeten maken. Als de politie geen andere bewijzen vindt dat Yasser in de woning was, dan kan alleen de getuige het voor hem en voor ons verpesten. Als jullie hem vinden, zeg het me dan.'

'Wat ga jij dan doen?' vraagt een van de anderen. Hassan haalt diep adem.

'Wat ik ga doen? Wat denk je verdomme dat ik ga doen?'

*

Henning maakt het interview met Tariq af en stuurt het naar de redactie. Met grote letters zet hij erbij dat zijn naam en foto onder geen beding mogen worden geplaatst als het artikel wordt gepubliceerd. Hij is niet van plan om onder te duiken, maar het is nu ook weer niet nodig om zichzelf op een presenteerblaadje aan te bieden.

Hij kijkt op zijn horloge. Shit. De slijter is alweer dicht. En hij kan niet zonder St. Hallvard naar zijn moeder. Hij besluit toch maar naar buiten te gaan. Ik kan vast nog wel een stuk of zeven trainingen zien, denkt hij, dan komen mijn gedachten een beetje tot rust.

De zon boven de oude zeilfabriek schijnt hem in zijn nek als hij de straat op loopt. Voor het eethuisje *Mr. Tang* staat een tafeltje met twee stoelen. Onder de tafel ligt een hond met zijn ogen dicht. Een Ierse setter, denkt hij.

Hij hield van honden toen hij klein was. En honden hielden van hem. Zijn grootouders hadden een hond die Bianca heette. Bianca verafgoodde hem. Ze werd nog doller op hem toen hij allergisch voor haar was geworden.

Een gele Opel Corsa komt over de Markveien aanrijden als hij de straat wil oversteken. Henning moet altijd aan Jonas denken als hij een gele auto ziet. Toen hij zijn zoon een keer uit de opvang moest ophalen, wees Jonas op de terugweg naar alle gele auto's die hij zag. Het ging erom wie ze het eerst zag. De volgende dag hetzelfde. En de dag daarna. Een hele zomer lang. Nu gaat er geen dag meer voorbij dat Henning niet naar gele auto's uitkijkt. En elke keer weer hoort hij zijn eigen stem: '*Gele auto! En de stem van Jonas: 'Ik zag hem het eerst.' 'Die was niet echt geel.' 'Die telt niet, want we waren nog niet begonnen.'*

Kinderen. Ze maken van de gekste dingen een spelletje.

Er is bijna geen plekje meer vrij op het veld. Voetballers, ouders, ballen, kinderwagens. Hij zit waar hij altijd zit, samen met zijn nachtschade. Hij kijkt afwisselend naar wedstrijden en trainingen, herkent de meeste mensen. Groepjes kinderen. Een van hen heeft een zak chips mee op het veld. Een blondgelokt joch met keepershandschoenen probeert een handstand. De trainer zet een strenge stem op en zegt dat de jongen weer met zijn voeten op de grond moet gaan staan, want de wedstrijd gaat zo beginnen.

Ze dragen het paarse oversized shirt van Grüners. Dat stond Jonas altijd zo goed. Een witte broek en witte kousen. Henning sluit zijn ogen en probeert hem voor zich te zien. Twee jaar ouder. Misschien had hij nu lang haar gehad. Hij vond dat mooi. Misschien was het mogelijk de contouren te zien van een grote jongen, een kleine, jonge man. Misschien zou hij al naar meisjes kijken, maar dat in alle toonaarden ontkennen.

Misschien.

Als...

Hij doet zijn ogen open. De zak chips is leeg. De jongen gooit hem tevreden weg en neemt een slok cola.

Hoofdstuk 32

Die nacht droomt hij over pistolen. Grote pistolen die kogels uitspugen. De kogels gaan zijn richting op, maar hij wordt elke keer wakker vlak voordat ze hem zullen raken.

Wat heeft hij een hekel aan slapen.

Hij brengt het niet op om binnen te blijven, dus hij besluit om deze ochtend in alle vroegte naar de Ekebergsletta te gaan. Hij bestijgt zijn Vespa, zijn lichtblauwe, verroeste Vespa, en baant zich brommend een weg door een stad die nog niet is ontwaakt.

Vroeger deed hij dat vaker, hij reed op zijn brommer naar de plekken waar de moorden waren gepleegd waarover hij had geschreven. Zijn oude leermeester Jarle Høgseth had gezegd dat hij dat moest doen. Een gevoel krijgen bij de omgeving, liefst op het tijdstip waarop de moord was gepleegd. Misschien merk je details op die niet in interviews of politierapporten en getuigenverhoren naar voren komen.

Jarle Høgseth was een wijs man. Behalve als het over roken ging.

Henning zet zijn Vespa naast het geasfalteerde pad dat dwars door het groen loopt, naast de Ekeberg-school. De tent staat er nog steeds, met afzetlint eromheen. Er is verder niemand. Het is nog maar net zes uur geweest.

Hij kijkt om zich heen. Een eenzaam paard graast in het weiland. Een vrouw met het blonde haar in een paardenstaart is aan het joggen. Hij ziet een hond draven op het gras waar de grote berken tot één boom lijken te zijn samengegroeid. Het beest heeft een stok in zijn bek.

Hij loopt naar de tent en probeert zich voor te stellen wat er is gebeurd. Henriette Hagerup in de kuil, verdoofd met een stungun. Een man bekogelt haar met stenen, geselt haar en hakt een van haar handen af. Ze kon misschien pas schreeuwen toen het al te laat was. Niemand zag of hoorde haar.

Ze moet in de nacht of heel vroeg in de ochtend zijn vermoord. En ze moet er uit eigen beweging naartoe zijn gegaan. Niemand kan iemand anders die bewusteloos is de hele Ekebergsletta op sjouwen zonder ontdekt te worden. Zelfs niet midden in de nacht. Er rijden daar altijd auto's. Dat doet hem eraan denken dat ze een bekende moet hebben ontmoet. Zouden die filmopnames er iets mee te maken kunnen hebben?

Zijn gedachten worden onderbroken doordat een hond tegen hem opspringt. Hij kan nog maar net zijn handen opheffen om de hond af te weren of het dier doet een uitval naar zijn arm. Hij schrikt, stapt achteruit en duwt de hond van zich af. Het dier bijt niet, maar gromt. De eigenaar komt aangelopen.

'Hierrr!'

De stem van de man is vol gezag. De hond draait om Henning heen en loopt dan met tegenzin terug naar zijn baas.

'Neem me niet kwalijk,' zegt de oude man met opgeheven hand. 'Hij wil alleen maar spelen. Het is zo'n speels beest, weet je. Is het goed gegaan? Heeft hij niet gebeten?'

Henning heeft niets tegen speelse honden, maar aan een moordaanslag heeft hij geen behoefte. Hij heeft zin om die belachelijke hondeneigenaar de huid vol te schelden omdat hij een moordwapen op openbaar terrein laat loslopen. Maar hij doet het niet, want hij herinnert zich iets wat commissaris Nøkleby op de persconferentie heeft gezegd.

De vondst werd gedaan door een oudere man die zijn hond uitliet. We kregen de melding vanochtend binnen om 6.09 uur.

Hij kijkt op zijn horloge. Bijna tien over. Hij haalt diep adem en kijkt de man aan.

'Het is in orde,' zegt hij en hij veegt hondenharen die hij niet ziet van zich af. Met een beetje pech heeft hij er een paar van in zijn neusgaten gekregen en dan is het feest de komende dagen.

'Leuk enthousiast beest,' zegt hij terwijl hij probeert te glimlachen.

'Ja, hij heeft energie genoeg. Hij heet Kama Sutra.'

Henning kijkt de man aan.

'Kama Sutra?'

De man knikt vol trots. Henning gaat er maar niet op in.

'Jullie zijn vroeg, is het niet?'

'Dat doen we elke morgen. Ik word altijd vroeg wakker en Kama Sutra vindt het fijn om de dag hier te beginnen. Ik ook. Dan is het nog lekker stil en is de lucht fris.'

'Ik begrijp wat je bedoelt,' zegt Henning en hij kijkt om zich heen.

'Thorbjørn Skagestad,' zegt de man en hij steekt zijn hand uit. Henning neemt hem aan.

'Henning Juul.'

Skagestad draagt een legermuts, ook al is het zomer. De muts hangt er zielig bij. Ook zijn laarzen zijn legergroen. De ruw katoenen broek heeft zakken aan de voorkant, zijkant en achterkant en extra leren inzetstukken tussen de benen. Zijn jack heeft een bijpassende kleur en snit. Skagestad kan zo op een cover van het blad *Jacht en Visvangst*. Zijn gezicht zit vol rimpels en zijn gebit draagt de sporen van veel koffie en tabak. Toch heeft hij een gezicht dat je voor hem inneemt. Er lijkt altijd een glimlach op de loer te liggen.

'Werk je bij de politie?' vraagt Skagestad terwijl hij een stok zover mogelijk weggooit. Kama Sutra schiet er als een pijl vandoor. Henning ziet de pootjes over het zachte gras hollen.

'Ik ben journalist. Ik werk voor de internetkrant *123nieuws*.'

'*123nieuws*?'

'Ja.'

'Wat is dat nou weer voor naam voor een krant?'

Henning steekt zijn handen op.

'Moet je mij niet vragen. Ik heb hem niet verzonnen.'

'Wat doe je hier eigenlijk? Er is hier geen mens.'

'Jij bent er toch? Was jij niet degene die haar heeft gevonden?'

Henning ziet dat de man sceptisch wordt. Dat worden de meeste mensen als ze beseffen dat ze geïnterviewd zullen worden. Maar deze man zal netjes alle vragen van Henning beantwoorden. Nu zijn hond een aanslag op hem heeft gepleegd, heeft Henning geen schuldgevoel meer dat hij zich opdringt.

'Ik wil niet in de krant.'

'Dat hoeft ook helemaal niet.'

Kama Sutra komt terug met de stok in zijn bek. Skagestad pakt het ene eind vast en trekt zo hard hij kan. De hond bromt weer, vastpakken en nooit meer loslaten is het spel, totdat Skagestad te sterk wordt. De hond hijgt, zijn tong bungelt uit zijn mond. Hij gaat met een verwachtingsvolle blik zitten. Skagestad gooit de stok weer weg.

'Ik had nog nooit zoiets gezien.'

Henning kan het zich voorstellen.

'In wat voor maatschappij leven we tegenwoordig toch?' gaat Skagestad verder. 'Steniging in Noorwegen?'

Hij schudt zijn hoofd.

'Natuurlijk die verrekte buitenlanders weer.'

Henning krijgt zin om wat te zeggen, maar houdt zijn mond. Zoals Jarle Høgseth altijd zei: *Als mensen iets op hun hart hebben en beginnen te praten, laat ze dan maar praten. Laat ze zich maar uiten. Ook al vind je het niet prettig wat ze zeggen.*

'Daar zijn er hier veel te veel van.'

Skagestad schudt zijn hoofd weer.

'Ik heb er niets op tegen om mensen te helpen die uit een afschuwelijke situatie in hun eigen land komen, maar als ze hier zijn, moeten ze goddomme de Noorse wet gehoorzamen en onze cultuur en onze normen en waarden respecteren die wij in al die jaren hebben opgebouwd.'

'Het is niet zeker dat een buitenlander het heeft gedaan,' zei Henning.

'Ha! We hebben in Noorwegen nog nooit een steniging gehad.'

Het is te vroeg in de ochtend voor een discussie over immigranten, dus zegt Henning: 'Waarom liep je de tent binnen?'

'Tja, zeg het maar. Ik weet het niet goed. Maar die tent stond er de dag ervoor nog niet, ik loop hier immers elke dag, dus ik was nieuwsgierig.'

'Heb je ook iemand gezien?'

'Je komt meestal wel iemand tegen, maar niet hier, op dat moment. Ook niemand die me was opgevallen toen ik hierheen liep. Ik woon aan de Samvirkeveien.'

'Kun je de plaats delict beschrijven?'

'De plaats delict?'

'Ja. Hoe het er in de tent uitzag, dingen die je opvielen.'

Skagestad haalt diep adem.

'Ik heb het al tegen de politie gezegd.'

'Ja, maar je hoeft je niet alles herinnerd te hebben. Ons brein is nogal bijzonder. We herinneren ons meteen alle details zodra we iets traumatisch hebben meegemaakt. Maar als er wat tijd verstreken is, kunnen er toch nog dingen opduiken die je niet als erg belangrijk beschouwt, maar die dat toch zijn.'

Alsof ik bij de politie werk, denkt Henning. Maar het werkt. Hij kan zien dat Skagestad in de database van zijn geheugen graaft.

'Het kan van alles zijn. Geluiden, geuren, kleuren,' gaat Henning verder. Opeens verandert er iets in de gelaatsuitdrukking van Skagestad. Hij kijkt wat alerter.

'Er is inderdaad iets wat ik me nu weer herinner,' zegt hij terwijl hij Henning aankijkt. Kama Sutra komt terug. Skagestad negeert de hond.

'Ik weet nog dat het me opviel toen ik de tent binnenging, maar toen vergat ik het verder.'

'Wat dan?' vraagt Henning.

'De geur,' zegt Skagestad en hij ziet het hele tafereel weer voor zich. 'Het rook er zo benauwd, zoals gebruikelijk in een tent. Maar er was ook nog iets anders.'

Opeens begint hij te lachen. Henning begrijpt er niets van.

'Het is eigenlijk een beetje stom,' zegt hij. Henning krijgt zin om de oude donderpad door elkaar te rammelen.

'Wat is stom?' vraagt hij. Skagestad schudt zijn hoofd terwijl hij glimlacht. Dan richt hij zijn blik op Henning.

'Het rook er naar deodorant.'

'Naar deodorant?'

'Ja.'

'Niet naar parfum?'

'Nee. Mannendeodorant.'

'Weet je dat echt zeker?'

Hij knikt.

'Hoe kun je daar zo zeker van zijn?'

Hij glimlacht weer.

'Dat is nou juist het stomme,' zegt hij, maar hij gaat niet verder. Die man zou een uitstekende beul in Guantánamo Bay zijn, denkt Henning.

'Romance,' zegt hij. Henning snapt er niets van.

'Van Ralph Lauren,' gaat Skagestad door.

'Hoe...'

'Ik gebruik het zelf, weet je. Die deodorant was een cadeautje van mijn kleinkind. Daarom herkende ik de geur.'

'Was het een sterke geur?'

'Nee. Erg zwak. Maar ik heb een goed getrainde neus. Plus dat ik, zoals gezegd, die deodorant zelf wel eens gebruik, als ik... eh... iemand ga ontmoeten.'

Kama Sutra gromt weer. Skagestad gooit de stok weg. Rennen, kwijlen, kauwen, rennen.

'En volgens mij vinden de vrouwtjes het ook lekker.'

De man glimlacht even. Henning heeft weinig zin om te vragen wat de man daarmee bedoelt. Skagestad wordt meteen weer serieus.

'Arm meisje.'

'Is je nog iets anders opgevallen in de tent?'

'Vind je het nog niet genoeg?'

'O ja. Maar alles kan belangrijk zijn.'

'Ja. Nee, ik geloof niet dat er nog wat was.'

Ze blijven een tijdje stil.

'Je schrijft hier toch niets over in die krant van je... hoe heette die ook maar weer?'

'*123nieuws*. Nee, ik zal hier niets over in de krant schrijven.'

Skagestad knikt en zegt dank je wel. Dan zet hij zich weer in beweging.

'Leuk om met je gesproken te hebben. Nu moet ik naar huis, tijd voor mijn koffie en een sigaret,' zegt hij. Henning steekt een hand op en bedenkt dat Thorbjørn Skagestad, stom of niet, misschien een belangrijk stukje heeft gevonden van de Legpuzzel.

Jarle Høgseth kijkt ongetwijfeld glimlachend toe vanuit zijn graf.

Hoofdstuk 33

Hij heeft nog een paar uur te besteden voordat hij Yngve Foldvik zal ontmoeten, dus hij gaat naar de redactie. Hij doet het met het gevoel dat de dag goed is begonnen. Dat gebeurt maar zelden.

Hij had gezegd dat hij zich een paar dagen niet zou laten zien, maar hij kan het nu niet opbrengen om naar huis te gaan. De vermoeide stand-by van de vorige nacht zit opnieuw op zijn post als Henning binnenkomt. Een meisje zit met haar rug naar hem toe. De stand-by ziet hem en gaat rechtop zitten, maar zegt niets. Henning begrijpt dat de man heeft meegekregen wat er het laatste etmaal is gebeurd. Hij is kennelijk verbaasd hem zo kort daarna op het werk te zien.

Dat verbaast Henning zelf ook. Het verbaast hem dat hij helemaal geen vrije tijd nodig heeft. Het heeft er waarschijnlijk mee te maken dat hij iets nuttigs kan doen, waarmee hij zijn dagen kan vullen en wat de aandacht wegleidt van Dat Waar Hij Niet Aan Denkt. Zo is het altijd geweest als zijn nieuwsgierigheid ergens door was geprikkeld. Hij kan het niet naast zich neerleggen.

Dokter Helge zou zich zorgen maken als hij mij nu zou zien, denkt hij.

Je moet niet te hard van stapel lopen, Henning. Doe het de eerste weken rustig aan.

Rustig aan doen, ja, ja. Dat doe ik toch?

Hij drukt op een knop voor een knop koffie, wacht negenentwintig seconden, laat de machine uitlekken en gaat naar zijn bureau. Hij zet de computer aan. Het is stil. Alleen het geluid van sporadisch getik op een toetsenbord en de tv bij de redacteur. Het klinkt als CNN. Veel *breaking news*.

Een minuut later zit hij op internet. Hij constateert snel dat er weinig is gebeurd in de loop van de nacht. Zijn artikel over Tariq Marhoni staat nog steeds bovenaan. In de rechtermarge kan hij zien dat zijn artikel in de afgelopen vierentwintig uur het meest is gelezen.

Hij neemt het artikel door om te zien of alles er staat zoals de bedoeling was. Hij heeft net de eerste slok koffie genomen als hij die bijna weer uit-spuwt. Hij kijkt naar het scherm. Zijn naam staat in de byline en er is bovendien een foto van hem bij geplaatst. In de broodtekst staat zelfs een nog grotere foto van hem.

Hij schiet overeind en loopt naar de standby, die schrikt als hij Henning met grote stappen op zich ziet af komen. De man zegt niets, maar gaat stijf rechtop zitten.

'Heb jíj mijn artikel soms op de site gezet?'

'Welk artikel?'

'Over Tariq Marhoni!'

'Wanneer had je dat gestuurd?'

'Gisteravond!'

'Ik ben om middernacht begonnen, dus ik kan het niet hebben gedaan.' Henning schudt zijn hoofd en vloekt inwendig.

'Is er iets verkeerd dan?'

'Er is godverdomme van alles verkeerd! Ik had geschreven dat er geen byline bij mocht, en bovendien staat mijn foto ook nog eens uitvergroot in het artikel zelf!'

De standby zegt niets. Het meisje dat tegenover hem zit, blijft op haar toetsenbord tikken alsof er niets is gebeurd. Henning zucht, luid en diep.

'Kun je uitzoeken wie het heeft gepubliceerd?'

'Ja, wacht even.'

De standby klikt. Henning gaat achter hem staan. De applicatie Escentic Content Studio is geactiveerd. De man klikt wat door en kucht.

'Het is gisteravond om 20.03 uur door Jørgen op de site gezet, om 20.06 en om 20.08 door Jørgen geredigeerd en daarna om 21.39 en 21.42 door Heidi.'

'Heidi Kjus?'

'Ja.'

Hij voelt zijn wangen branden. Hij loopt terug naar zijn plaats zonder te bedanken. Heidi mag blij zijn dat ze er nog niet is.

Een halfuur later verschijnt ze. Ze loopt recht op hem af. Ze is boos. Dat komt dan goed uit, denkt Henning.

'Waarom neem je niet op als ik je bel?' zegt ze en ze smijt haar tas op het bureau. Hij staat perplex.

'Ik...'

'Als ik bel, neem je op. Of het nou vier uur is of half twee. Is dat duidelijk!'

'Nee.'

'Wat zei je?'

Ze zet haar handen in de zij.

'Ik zei nee. Als ik niet aan het werk ben, ben ik niet aan het werk. Ik hoef me niet bij jou te melden. En waarom heb jij in godsnaam mijn foto erbij gezet terwijl ik toch expliciet heb gezegd dat er geen byline mocht komen bij het artikel over Tariq!'

Nu staat Heidi perplex.

'Ik...'

'Besef je wel hoe gemakkelijk het nu voor de moordenaar is om mij te vinden, als hij dat wil?'

Ze denkt na, probeert de zaken op een rijtje te zetten.

'Bij onze artikelen staat altijd een byline,' begint ze voorzichtig, terwijl in haar stem geleidelijk aan steeds meer gezag klinkt. 'Als we niet genoeg guts hebben om te staan voor wat we schrijven, met volledige naam en foto, dan hoeven we het ook niet te publiceren.'

Hij weet niet zeker of hij haar goed heeft verstaan, dus hij bromt wat en kijkt haar aan.

'Bovendien staan jouw naam en foto vandaag in alle kranten, dus dan kunnen wíj dat ook wel doen.'

Hij kijkt haar aan, maar weet niets te zeggen. Want ze heeft inderdaad een punt. Verdomme, denkt hij, ze heeft een verrekte goed punt.

Heidi gaat zitten en begint met het ochtendritueel. De computer aan, de mobiel uit haar tas, de agenda op tafel. Ze heeft gewonnen. Die vervloekte heks heeft gewonnen!

En de dag was nog wel zo goed begonnen.

Hoofdstuk 34

Hij drinkt zijn koffie in stilte terwijl Heidi wat rondloopt. Zeker veel be-langrijke besprekingen, denkt hij. Steeds als ze gaat zitten, kijkt ze hem aan, snel, om dan weer een zakelijke blik in haar ogen te krijgen.

De tijd verstrijkt, het is al na achten, maar Lord Du Roy is nog niet ver-schenen. Hij heeft zeker tot diep in de nacht gewerkt. Misschien is hij er-gens mee bezig. Misschien heeft hij een stuk gemaild. Henning besluit hem te bellen, ook al was hun laatste gesprek niet echt gezellig te noemen. Maar soms moet je een hand uitsteken, een gebaar maken en dat soort dingen. Het is niet bepaald Hennings sterkste kant.

Gundersen neemt snel op, maar zijn stem klinkt vermoeid.

'Dag, met Henning.'

'Goedemorgen.'

Geen geluid op de achtergrond. Mooi.

'Waar ben je?' vraagt hij, hoewel hij het antwoord niet wil weten.

'Thuis. Ik kom wat later. Ik heb het met Heidi overlegd.'

'Daarom bel ik niet.'

'O?'

Gundersen is nu iets meer op zijn hoede, maar de pauze die daardoor ontstaat, geeft Henning het gevoel dat ze allebei graag iets hadden willen zeggen. Maar het lukt hun geen van beiden. Ze zijn net twee klunzige bak-vissen.

'Ben je ergens mee bezig?' vraagt Henning ten slotte. 'Heb je nog plan-nen voor vandaag?'

Hij hoort dat Gundersen zich opricht. Zijn stem klinkt wat verder weg. Hij steekt een sigaret op en blaast de rook hard in de hoorn.

'Ik heb even met Emil Hagen gesproken,' zegt hij terwijl hij inhaleert.

'Wie is dat?'

'Een van de rechercheurs. Een groentje nog. Hij steigerde nogal toen ik dat stroomstootwapen noemde.'

Henning moet iets wegslikken.

'Wat zei hij dan?'

'Hij wilde geen commentaar geven. Mahmoud ontkent nog steeds iets verkeerds te hebben gedaan, maar hij zegt niets waaruit het tegendeel zou blijken, dus de politie is in wezen nog net zo ver. Hij heeft geen alibi voor die avond. De enige die hem dat zou kunnen geven, heb jij gistermiddag ontmoet.'

'Denk je dat hij daarom is vermoord?'

Hij vraagt het zonder na te denken. Maar nu de vraag eenmaal geuit is, vindt hij die eigenlijk best goed.

'Lastig te zeggen. Het kan.'

Hij knikt. Het kan inderdaad absoluut. In dat geval betekent het dat iemand er geen bezwaar tegen heeft dat Mahmoud Marhoni zich in de cel bevindt. Maar waarom blijft Mahmoud zwijgen?

'En jij? Ben je op het werk, aangezien je ernaar vroeg?'

Henning kijkt naar Heidi.

'Ja, ik ben op de krant.'

'Ik dacht dat je het een paar dagen rustig aan zou doen.'

'Ja, dat dacht ik ook.'

Hij heeft geen zin om zijn geestelijke gezondheid met Gundersen te bespreken, dus hij gaat verder: 'Zei Emil Hagen nog wat over de jacht op Yasser Shah?

'Yasser wie?'

'De man die gisteren op mij schoot. Ik heb hem op het politiebureau via hun database geïdentificeerd.'

'Ik vroeg hoever ze waren met de jacht op de dader, maar hij wist het niet. Hij is volgens mij niet het grootste licht dat er rondloopt. Hagen, bedoel ik.'

Henning knikt weer; hij vermoedt dat met name de politie-eenheid die over de bendes gaat, zich met de jacht op Shah bezighoudt, aangezien hij lid is van BBB.

'Ik heb later vandaag een afspraak met de begeleider van het eerste slachtoffer. Ik weet niet of hij iets verstandigs te zeggen heeft, maar ik zal ook proberen nog wat vrienden van haar te spreken te krijgen. Er klopt iets niet op die school.'

'Dat klinkt goed. Dan zien we elkaar later misschien nog,' zegt Gundersen en hij laat het klinken als een vraag. Henning heeft geen idee wat hij gaat doen als hij met Yngve Foldvik heeft gesproken, maar toch zegt hij: 'Ongetwijfeld.'

Dan hangt hij op. Hij houdt er een raar gevoel aan over. Dit was misschien wel hun eerste fatsoenlijke gesprek. In elk geval hun eerste gesprek dat meer dan twee zinnen lang was.

'Denk je eraan dat we om twee uur een plenaire vergadering hebben?'

Heidi's stem klinkt koel. Ze kijkt hem niet aan.

'Een plenaire vergadering?'

'Ja. Sture wil iedereen informeren over de stand van zaken. Het gaat de laatste tijd niet zo goed.'

Waar gaat het wel goed?

'Ik noem het maar, aangezien ik je hoorde zeggen dat je later vandaag een afspraak had. De vergadering is verplicht.'

Je kunt me wat, denkt Henning, maar met het oog op de sfeer spreekt hij die gedachte niet hardop uit.

Sture Skipsrud. De oprichter en hoofdredacteur van de krant. Sture en Henning werkten een paar jaar samen bij *Kapital*. Het voordeel van het werken bij nichepublicaties, tijdschriften die niet zo dikwijls uitkomen, is dat je voor een artikel echt de diepte kunt ingaan, een heleboel bronnen interviewen zodat je een behoorlijke en genuanceerde indruk kunt krijgen van het onderwerp waarover je schrijft. Zo ontstaan de beste artikelen. Artikelen waar tijd voor nodig is.

Sture was erg goed in artikelen waar tijd voor nodig was. Hij kreeg in de jaren negentig de prijs van de SKUP, de stichting voor kritische en onderzoekende pers, voor een serie artikelen over de minister van Economische Zaken die ertoe hadden geleid dat de minister aftrad. Sture werd een superster in de branche, hij gebruikte zijn status om elders betere voorwaarden te krijgen, belandde bij *Dagens Nærlingsliv*, schreef daarnaast nog enkele boeken over financiële jongleurs, en ging vervolgens naar TV2 om ten slotte aan het einde van de jaren negentig *123nieuws* op te richten. Veel mensen verbaasden zich erover dat een man die zijn plek had gevonden binnen de langzame journalistiek, plotseling naar de snelle tegenpool switchte.

Henning had het altijd maar gehouden bij de simpelste verklaring, namelijk dat Sture er uiteindelijk genoeg van had gekregen dat alles zo langzaam ging. Hij wilde resultaten zien. En het liefst 1-2-3.

'Ik ga nu weg,' zegt Henning. Hij wil nog ontbijten voordat hij met Yngve Foldvik gaat praten.

'Kom je niet op het Ochtendgebed?'

'Je weet toch wat ik vandaag ga doen?'

'Jawel, maar...'

'Ik zal proberen op de plenaire vergadering te komen.'

'Niet proberen, komen.'

'Ik zal eraan denken als ik een pistool in mijn nek voel.'

Goed, het is wat melodramatisch, maar het werkt. Heidi zegt niets meer en laat hem vertrekken.

1-1, denkt hij.

Hoofdstuk 35

Hij loopt de Deli de Luca in de Thorvald Meyers gate binnen en koopt een calzone kip met pesto. Hij graait de twee tabloids mee en een kop koffie en gaat aan de overkant van de straat voor de Deichmanske-bibliotheek op een bankje zitten. De grootste ochtenddrukte is voorbij, maar nog steeds razen auto's, trams en mensen die te laat op hun werk komen langs hem heen. Voorzichtig drinkt hij zijn koffie terwijl hij aan *VG* begint. Op de voorpagina een uitgebreid verhaal over een dodelijke bacterie die paniek zaait in Denemarken en die, naar het Instituut voor Volksgezondheid vreest, nog voor de herfst Noorwegen zal bereiken. Bovenaan in de rechterhoek een kleine pasfoto van hem met daaronder de kop: 'Moordaanslag op journalist'.

Hij vloekt inwendig, er staat inderdaad een foto van hem in de krant, Heidi Kjus had potdomme gelijk. Hij slaat het artikel op dat op pagina vier staat. Volgens de byline is het geschreven door Petter Stanghelle. Henning scant de tekst tot zijn ogen blijven steken bij een citaat:

'Juul had geluk dat hij aan de dader wist te ontsnappen. Behalve de drie schoten waarmee Tariq Marhoni werd gedood, zijn er nog vier kogels afgevuurd. Geen ervan raakte de journalist,' aldus Arild Gjerstad, die het onderzoek leidt.

Vier schoten, denkt Henning. Hij kan zich niet herinneren dat het er vier waren. Hij leest verder:

Het is VG *niet gelukt om met Henning Juul zelf in contact te komen, maar Heidi Kjus, zijn chef, vertelt het volgende over de dramatische gebeurtenis: 'Wij zijn uiteraard erg blij dat het met Henning goed is afgelopen. Ik moet er niet aan denken wat er had kunnen gebeuren.'*

Inwendig glimlacht hij.

Die Heidi.

Stanghelle vraagt vervolgens of er een verband is tussen de moord op Marhoni en de moord op Henriette Hagerup, maar de politie geeft geen commentaar.

Verrassend.

Bij *Dagbladet* staat de moord op Tariq Marhoni op de voorpagina, maar niets over Henning. Ze brengen het als een simpele afrekening. Schijnbaar professioneel. Behalve dan dat Henning ontkwam.

Hij wil net opstaan en vertrekken als een taxi langzaam langs de Deli de Luca rijdt. De auto blijft staan voor rood. Er zitten twee mannen in de taxi, beiden voorin. Hennings blik blijft op hen rusten, omdat zij naar hem kijken. En ze blijven dat doen, ook al is het licht inmiddels op groen gesprongen.

De tram achter de taxi toetert, waarna de Mercedes langzaam optrekt. Henning kijkt de auto na terwijl die rechts afslaat de Nordre gate in en achter de bibliotheek verdwijnt. Het kan natuurlijk toeval zijn, denkt hij. Maar het kan ook het compleet tegenovergestelde zijn. Hij drinkt zijn koffie op, gooit de beker in een al overvolle prullenbak en loopt naar het kruispunt. Hij kijkt of hij de zilvergrijze Mercedes kan zien. De auto slaat verderop naar links, de Toftes gate in. Hij kan het kenteken en het registratienummer op het dak niet onderscheiden.

Hij probeert te denken dat hij er niet aan moet denken, maar dat valt niet mee. Hij zag alleen maar dat het duo in de auto op elkaar leek. Allebei donker, zwart haar, donkere baard. Misschien broers. Buitenlanders.

Toeval?

Misschien zou hij zich snel uit de voeten moeten maken, voordat de zilvergrijze Mercedes terugkomt. Hij loopt in de richting van de brug tussen de Markveien en de Fredensborgveien, waar de Akerselva loom onderdoor stroomt, maar besluit dan om de slijterij binnen te gaan. Het heeft niets met zijn moeder te maken.

Hij stelt zich op bij het raam en blijft daar een tijdje staan. Verborgen tussen de andere klanten pakt hij een brochure die hij doorbladert terwijl hij geregeld een blik op het verkeer werpt. Veel Mercedessen, ook veel zilvergrijze, maar geen een met twee donkere inzittenden.

Geruime tijd later gaat hij weer naar buiten. Hij kijkt goed naar links en naar rechts en loopt dan zo snel hij kan naar de Westerdals School of Communication. Hij ademt iets sneller dan gewoonlijk. En hij draait zich voortdurend om.

Als hij uiteindelijk het verkeer achter zich heeft gelaten en zich op het terrein van de school bevindt, is het in zijn borst wat rustiger geworden. Als dat duo in de taxi hem achterna zat, hebben ze niet goed hun best gedaan, aangezien hij er zo gemakkelijk vandoor kon gaan. Tenzij ze hun werk juist heel goed doen, omdat hij ze niet meer ziet. Maar het kan ook zijn dat ze gewoon naar zijn gezicht staarden. Hij besluit het te vergeten. Het is bijna tien uur. Tijd voor een praatje met de begeleider van Henriette Hagerup.

Hoofdstuk 36

Het schoolterrein biedt een heel andere aanblik dan twee dagen eerder. De camera's zijn weg en datzelfde geldt voor de mensen met het plastic verdriet. Hagerups altaartje staat er nog wel, maar er branden geen waxinelichtjes. Hij ziet dat er nog een paar kaartjes zijn bijgekomen, boeketten en rozen die er al verwelkt uitzien, maar geen medestudenten die voor haar foto staan te huilen. De weinige mensen die buiten staan te praten hebben geen sombere blik meer in de ogen. Twee studenten, van elk geslacht een, staan bij de ingang te roken.

Misschien is het semester binnenkort afgelopen, denkt Henning, en zitten de meesten in de laatste fase van hun examenvoorbereidingen. Of ze zijn al op vakantie. Dat kan het schrijven over de zaak of het oplossen ervan aanzienlijk lastiger maken.

Hij voelt de blikken van de rokers als hij het hoofdgebouw binnengaat. Zodra hij binnen is, ziet hij links een receptie, een halfronde balie waar twee personen achter zitten. Ze zijn aan het zoenen. Hij maakt met opzet lawaai als hij zijn handen op de balie legt.

Ze schrikken op, grinniken wat en kijken hem aan, waarna ze elkaar weer aankijken met een blik alsof ze willen zeggen: zullen we straks een kamertje voor onszelf zoeken. Ach, wat heerlijk om twintig te zijn, denkt Henning.

'Ik heb een afspraak met Yngve Foldvik,' zegt hij. De man, die lange dreads heeft en een woeste baardgroei, wijst naar een trap.

'Ga naar de eerste verdieping, dan twee keer naar rechts en dan gewoon rechtdoor. Dan loop je recht op zijn kamer af.'

Henning bedankt voor de hulp. Hij wil al gaan, maar bedenkt dan iets.

'Je weet toevallig niet wie Anette is?'

'Anette?'

Idioot, zegt hij tegen zichzelf. Er lopen daar natuurlijk zeker vijftien Anettes rond.

'Een achternaam weet ik niet. Ze was een vriendin van Henriette Hagerup. Zat bij haar in de klas.'

'O, die Anette. Anette Skoppum.'

'Je hebt haar toevallig niet gezien vandaag?'

'Nee, ik dacht het niet. Jij dan?' vraagt hij terwijl hij zijn vriendinnetje aankijkt. Zij toetst wat in op een mobiele telefoon. Ze schudt haar hoofd zonder hem aan te kijken.

'Sorry,' zegt Dreads.

'Geeft niet,' zegt Henning en hij loopt verder. Een stroom studenten loopt om hem heen. Hij komt er ook een aantal tegen op de trap. Het is alsof de klok twaalf jaar terug is gedraaid. Hij herinnert zich zijn tijd op de campus van Blindern, de mensen, de vrije tijd, de feesten, de krampen in zijn buik als de tentamens naderden, de koffiepauzes, de blikken in de bibliotheek. Hij vond het fijn, die blikken in de bibliotheek, het was fijn om student te zijn, om helemaal op te gaan in het materiaal dat hij over zijn onderwerpen kon vinden en de diepte in te gaan.

Foldviks kamer op de eerste verdieping is gemakkelijk te vinden. Henning klopt aan. Geen antwoord. Hij klopt nog een keer en kijkt op zijn horloge. Een minuut voor tien. Hij klopt weer en duwt tegen de deur. Die zit op slot.

Hij kijkt om zich heen. Er is op dit moment niemand anders op deze verdieping. Hij ziet deuren. Een heleboel deuren. Op de meeste staat 'redactiekamer' of 'repetitieruimte'. Hij ziet een zwart toneeldoek en een filmaffiche van *Für Elise*.

Hij draait zich om als hij voetstappen op de trap hoort. Een man slaat de hoek om en loopt hem tegemoet. Yngve Foldvik ziet er net zo uit als op de foto. Dezelfde scheiding. Opnieuw krijgt Henning het gevoel dat hij die man eerder heeft gezien, maar hij kan niet bedenken waar.

Hij probeert het te vergeten en loopt op Foldvik af. Foldvik steekt zijn hand uit.

'Jij moet Henning Juul zijn.'

Hij knikt.

'Yngve Foldvik. Aangenaam.'

Henning knikt weer. Soms, als hij mensen ontmoet die hij nooit eerder heeft gesproken, verbaast hij zich over hun manier van praten, over de stopwoordjes waarmee ze hun zinnen vullen. De voor- en achternaam gevolgd door 'aangenaam', bijvoorbeeld. Heel normaal. Maar waarom zou je zeggen dat het aangenaam is voordat je weet of het dat ook werkelijk is? Het simpele feit dat hij bestaat kan toch niet automatisch aangenaam zijn?

Nora zei altijd: 'Hallo, je belt met Nora,' als ze iets van hem wilde. Elke keer weer ergerde hij zich daaraan, ook al zei hij er nooit iets van. Maar uit het feit dat hij met een telefoon in zijn hand met haar stond te praten, bleek toch overduidelijk dat hij wist dat zij bélde?

Frases, denkt hij. We omgeven ons met holle frases, zonder erover na te denken wat ze eigenlijk betekenen, hoe overbodig ze zijn en hoe weinig inhoud erachter schuilgaat. Natuurlijk hoopt hij dat het gesprek met Yngve Foldvik aangenaam zal zijn, maar strikt genomen is dat niet de reden dat hij hier is.

'Ik hoop dat je niet te lang hebt hoeven wachten,' zegt Foldvik met een áángename stem.

'Ik ben er net,' zegt Henning en hij loopt achter hem de kamer binnen. Het is een kleine ruimte. Een groot beeldscherm, twee kleinere monitors aan de wand, twee stoelen, een werktafel en allemaal filmaffiches aan de wand. De boekenplanken staan vol naslagwerken en biografieën die met films te maken hebben, ziet hij in een snelle blik. Hij ziet ook dat Foldvik het manuscript van *Pulp Fiction* in boekvorm heeft. Foldvik gaat zitten op de stoel die het verst in de kamer staat en biedt Henning de andere aan. Hij rolt naar het raam en doet het open.

'Bah, muf,' zegt hij. Henning heeft uitzicht op de parkeerplaats. Zijn blik blijft steken bij een auto die voor een groen verkeerslicht staat op het kruispunt met de Fredensborgveien en de Rosteds gate. Het is een zilvergrijze Mercedes. Zelfs vanaf deze afstand kan hij de twee mannen voorin zien zitten. Deze keer kan hij ook het registratienummer van de taxi op het dak onderscheiden: A2052.

Hij besluit het nummer te checken zodra hij er de gelegenheid voor heeft.

'En waar kan ik je mee helpen?' vraagt Foldvik. Henning haalt zijn recorder tevoorschijn en kijkt Foldvik vragend aan terwijl hij die neerzet. De leraar knikt dat het in orde is.

'Henriette Hagerup,' zegt Henning.

'Dat had ik begrepen.'

Foldvik glimlacht. Nog steeds aangenaam.

'Wat kun je me over haar vertellen?'

Foldvik haalt diep adem en logt in op de database van zijn geheugen. Hij trekt een treurig gezicht en schudt zijn hoofd.

'Het is...'

Nog meer hoofdschudden. Henning wacht tot het schudden is afgelopen.

'Henriette was een ongewoon groot talent. Ze had een heel goede pen en een scherp verstand. Ik heb al heel wat studenten zien komen en gaan, maar ik geloof niet dat ik me iemand kan herinneren met een grotere potentie dan zij.'

'In wat voor opzicht?'

'Ze was nergens bang voor. Ze wilde graag provoceren, dat lukte haar ook, maar het waren provocaties met inhoud, als je begrijpt wat ik bedoel.'

Henning knikt.

'Was ze populair bij de andere leerlingen?'

'Henriette, ja! Ze was heel populair!'

'Sociaal, extrovert?'

'Enorm. Ik geloof dat ze geen feest heeft overgeslagen.'

'Is de sfeer goed op deze school?'

'Geweldig. Er heerst een grote saamhorigheid, volgens mij. De groep met wie Henriette omging, was buitengewoon goed van samenstelling. Wij gaan hier uit van de gedachte dat alles is toegestaan in een creatief proces. Alles naar buiten laten komen, geen remmingen, gas durven geven. Je durft geen gas te geven als je bang bent voor wat anderen van je zullen vinden. Het alfa en omega van een scheppend proces. Zorg dat je die eerste verlegenheid kwijtraakt.'

Henning krijgt bijna de neiging om zichzelf als student aan te melden, maar hij dwingt zichzelf weer terug naar de werkelijkheid.

'Dus er heerst hier met andere woorden geen jaloezie?'

'Niet voor zover ik weet, in elk geval. Als leraren krijgen we natuurlijk niet alles mee,' zegt hij lachend. Dan beseft Foldvik opeens wat Henning eigenlijk heeft gevraagd.

'Denk je dat het iets met de moord te maken heeft?' vraagt hij. 'Jaloezie of zo?'

'Op dit moment denk ik helemaal niets.'

Ik lijk wel een politieman, denkt Henning. Alweer.

'Maar ze hebben haar vriend toch gearresteerd voor de moord?'

'Hij is alleen maar een verdachte.'

'Ja, maar hij is het toch? Wie zou het anders hebben gedaan?'

Waarom denk je dat ik hier ben? wil Henning eigenlijk zeggen, maar hij laat het zitten. Hij wil het graag zo lang mogelijk aangenaam houden en ziet dat Foldvik een verdedigende houding aanneemt.

'Ik kan natuurlijk niet uitsluiten dat er wrijvingen zijn tussen de studenten onderling, maar binnen een creatieve groep is het niet ongebruikelijk dat er verschillende ideeën bestaan over de gezamenlijke projecten.'

'Hebben sommige studenten spitsere ellebogen dan andere?'

'Nee, dat zou ik niet willen zeggen.'

'Wil je dat niet zeggen of weet je het niet?'

'Ik weet het niet. En ik weet evenmin of ik het jou zou zeggen als ik het had geweten.'

Henning moet inwendig glimlachen. Hij trekt zich niets aan van de iets minder aangename toon die tijdens de laatste minuut is aangeslagen.

'Was het niet zo dat een filmmaatschappij een optie had genomen op een manuscript van haar?'

'Ja, dat klopt.'

'Welke maatschappij was dat?'

'Take Five Films noemen ze zich. Goede club. Serieus.'

Henning noteert de naam.

'Komt het vaker voor dat de studenten projecten verkopen aan serieuze maatschappijen voordat ze zijn afgestudeerd?'

'Ja, dat gebeurt voortdurend. Er bestaan veel maatschappijen die wanhopig op zoek zijn naar nieuwe, spannende stemmen. Maar om eerlijk te zijn, veel van die manuscripten zijn behoorlijk slecht.'

'Dus hier leren veel mensen het vak, terwijl ze het ook al proberen uit te oefenen?'

'Dat klopt. En ik zou liegen als ik beweerde dat er hier geen mensen rondlopen die vinden dat ze niet op school thuishoren, maar in de werkelijke wereld waar ze films kunnen maken en produceren.'

'Mensen met een groot ego, dus.'

'Dat heb je nu eenmaal met ambitieuze mensen. Het rare is dat vaak de beste mensen de grootste ego's hebben.'

Henning knikt. Er ontstaat een pauze. Een ingelijst krantenartikel dat achter Foldvik aan de wand hangt, trekt Hennings belangstelling. Het is een artikel uit *Dagsavisen*. Een foto van een jonge knul. Dat moet wel haast Foldviks zoon zijn, denkt hij. Dezelfde mond, dezelfde neus. Een tiener, zo lijkt het. 'Da Vinci-code light', luidt de kop. Het artikel gaat over Stefan Foldvik, die een tijdje terug met een manuscript een wedstrijd heeft gewonnen.

'De belangstelling voor film zit in de familie, zie ik,' zegt Henning terwijl hij naar het artikel wijst. Hij doet dat vaker als hij een interview afneemt, over iets heel anders beginnen, bij voorkeur iets persoonlijks, iets wat voor de hand ligt en wat hij om zich heen ziet. Het is moeilijk om een goed interview te maken als je alleen maar over het eigenlijke onderwerp praat. Het kan wel, maar het gaat gemakkelijker als je door het raamwerk heen kunt breken en iets vindt waar het interviewobject gemakkelijk over praat en op zichzelf kan betrekken. Het is bovendien nooit verkeerd om een detail uit het persoonlijke leven prijs te geven, zodat het gesprek meer op een praatje lijkt. Het gaat erom de geïnterviewde te laten vergeten dat hij of zij wordt geïnterviewd. Vaak zit de beste informatie verstopt in dingen die worden geuit zonder dat erover wordt nagedacht.

Hij hoopt dat Foldvik dat zal doen. Foldvik kijkt naar het krantenartikel en glimlacht.

'Ja, zo gaat het vaak. Stefan won die wedstrijd toen hij zestien was.'

'Wauw.'

'Ja, hij heeft echt talent.'

'Evenveel als Henriette Hagerup?'

Foldvik denkt na.

'Nee, Henriette had meer talent. Ten minste, zo lijkt het nu.'

'Hoe bedoel je dat?'

Foldvik trekt een bezorgd gezicht.

'Ach, Stefan heeft er niet meer zoveel belangstelling voor. Zo gaat dat, weet je. Pubers.'

'Meisjes, bier en uitgaan.'

'Precies. Ik zie hem nauwelijks. Heb jij kinderen?'

Door die vraag raakt Henning van slag. Want het antwoord is zowel positief als negatief. Hij heeft nooit bedacht hoe hij op die vraag moet antwoorden, hij heeft er zelfs nooit over nagedacht, ook al wist hij dat de vraag vroeg of laat zou komen.

Hij antwoordt zo eenvoudig mogelijk.

'Nee.'

Maar zijn hart krimpt ineen als hij het zegt.

'Af en toe is het een bezoeking.'

Henning bromt.

Zijn blik blijft steken bij een ingelijst fotootje op Foldviks bureau. Het is de foto van een vrouw. Lang, zwart haar dat al gaat grijzen. Halverwege de veertig, denkt hij. Foldviks vrouw.

Op dat moment weet Henning weer waar hij Yngve Foldvik van kent.

De vrouw van Yngve Foldvik heet Ingvild. Henning herinnert het zich weer allemaal. Ingvild Foldvik werd een paar jaar geleden op brute wijze verkracht. Hij weet het nog omdat hij als verslaggever de rechtszaak volgde. Yngve Foldvik zat elke dag in de zaal en hoorde alle afschuwelijke details die boven water kwamen.

Henning ziet Ingvild Foldvik weer voor zich zoals ze in de getuigenbank zat, ze beefde aan één stuk door en was voor het leven getekend door de man die haar in elkaar had geslagen en verkracht. Als er die avond niet toevallig een uit de kluiten gewassen man was gepasseerd die zijn hond uitliet, zou ze waarschijnlijk zijn vermoord. Ze werd namelijk stevig met een mes bewerkt, over haar hele lichaam. De dader kreeg vijf jaar. Ingvild kreeg levenslang. Henning ziet dat de wonden er nog zitten. Dat de nachtmerries er nog zijn. Misschien ook de kreten.

Hij smaakt de voldoening van het eindelijk kunnen plaatsen van een naam bij een bekend gezicht, maar schuift het terzijde.

'Wat schreef Henriette precies?'

'Voornamelijk korte films.'

'Maar waar gingen ze over? Je zei dat ze graag provoceerde.'

'Henriette heeft twee korte films gemaakt tijdens... tijdens haar studietijd. De ene heette *Een duivel klopt aan,* die ging over incest, en de andere heette *Sneeuwwitje.* Die ging over een meisje dat verslaafd raakte aan cocaïne. Heel vernuftige films. Ze zou er nog een maken, maar daar is ze niet aan toegekomen.'

'Was dat de film die ze op de Ekebergsletta zou opnemen?'

'Ja.'

'Waarom wilde ze die nu opnemen? Zo vlak voor de zomervakantie?'

'Omdat die zich kennelijk in de vroege zomer moest afspelen. Het is voor de geloofwaardigheid belangrijk om de details zo correct mogelijk weer te geven.'

'Waar ging die over?'

'De film die ze zou opnemen?'

'Ja.'

'Ik weet het niet precies, want we hebben het er alleen maar mondeling over gehad.'

'Maar zo'n beetje, voor zover je het nog weet?'

Foldvik zucht diep.

'Ik geloof dat ze iets over de sharia wilde maken.'

Er gaat een schok door Henning heen.

'De sharia?'

'Ja.'

Hij kucht, probeert de gedachtestroom te kanaliseren die hem overvalt. Het eerste wat hem invalt is het afscheidsbriefje van Anette.

'Werkte Anette Skoppum samen met Henriette aan deze film?'

Foldvik knikt.

'Henriette schreef het manuscript en Anette zou regisseren. Maar als ik Anette goed ken, werkte die ook mee aan het manuscript.'

Anette, denkt Henning. Ik moet je vinden. Als er één ding is waarvan hij honderd procent is overtuigd, is het dat de film die ze zouden draaien iets met de moord te maken heeft.

'Weet je of ze hier nog is, of dat ze voor de zomervakantie naar huis is gegaan?'

'Ik geloof dat ze hier nog is. Ik zag haar gisteren. En als ik me niet vergis heb ik over een paar dagen een gesprek met haar, dus ze zal nog niet vertrokken zijn.'

'Heb je misschien ook een telefoonnummer waarop ik haar kan bereiken?'

'Jawel, maar ik mag het je niet geven. En ik weet ook niet of ik het prettig vind dat je mijn studenten lastigvalt. Het is voor ons allemaal een enorme schok geweest.'

Ja, dat heb ik gezien, denkt Henning. Maar hij laat het zitten.

'Het manuscript van die korte film, heb je daar ook een kopie van?'

Foldvik zucht.

'Zoals ik zei, heb ik het er alleen mondeling met Henriette over gehad. Ze zou het me mailen als ze het af had, maar ik heb nooit iets ontvangen.'

'Wat gebeurt er nu met de film?'

'Daar hebben we nog geen beslissing over genomen. Heb je nog meer vragen? Ik heb zo een andere afspraak.'

Foldvik staat op.

'Nee, ik geloof het niet,' zegt Henning.

Hoofdstuk 37

Dreads is weer druk bezig als Henning terug is op de begane grond. Lieve hemel, denkt hij, het lijkt wel een reanimatie. Henning schraapt zijn keel. Dreads kijkt op. Die eerste verlegenheid waar Yngve Foldvik het zo enthousiast over had, is definitief verdwenen.

'Nog hartelijk bedankt voor je hulp,' begint Henning. 'De kamer van Foldvik was gemakkelijk te vinden.'

'Graag gedaan.'

Dreads likt zijn lippen af.

'Ik vroeg me af of ik je nog een keer om een gunst mag vragen. Ik ben journalist, begrijp je, en ik ben bezig met een verhaal over Henriette Hagerup en de studenten met wie ze optrok, hoe ze door kunnen gaan met hun leven na die gruwelijke gebeurtenis. Het gaat geen indringend artikel worden, maar een wat uitgebreid verslag dat ingaat op de stilte die daarna ontstaat, welke invloed zo'n voorval op een studiegroep heeft.'

Als er een prijs voor ongegeneerd aandikken zou bestaan, maakt hij een goede kans. Dreads knikt geïnteresseerd.

'Waar kan ik je mee helpen?'

'Ik zou heel graag een overzicht hebben van de studenten die bij haar in de groep zaten. Dat staat niet toevallig op jouw pc?'

'Jawel, dat heb ik geloof ik wel. Wacht even,' zegt hij en hij grijpt de muis. Hij klikt en tikt wat in. Het licht van het beeldscherm weerspiegelt in zijn ogen.

'Wil je een uitdraai?' vraagt Dreads.

Henning glimlacht.

'Ja, dank je. Graag.'

Wat klikken en tikken. Een printer vlakbij warmt op. Een vel papier glijdt naar buiten. Dreads pakt het en geeft het aan hem met een dienstverlenende glimlach om zijn mond.

'Super! Heel hartelijk dank,' zegt Henning en hij pakt het papier aan. Zijn ogen vliegen over alle tweeëntwintig namen. Een van de afscheidsgroeten die hij de eerste dag dat hij daar was las, duikt weer in zijn hoofd op. *Ik mis je, Henry. Ik mis je. Tore.*

Tore Benjaminsen.

'Sorry,' zegt hij tegen zijn barmhartige helper aan de andere kant van de balie. Dreads was weer op weg naar zijn bijna verslonden liefje, maar draait zich om als hij Hennings stem hoort.

'Ja?'

'Ken je Tore Benjaminsen?'

'Tore, ja. Ja hoor. Die ken ik. Iedereen kent Tore, ha ha.'

'Is hij hier vandaag? Heb je hem gezien?'

'Ik heb hem hier buiten ergens gezien.'

Henning kijkt naar de uitgang.

'Hoe ziet hij eruit?'

'Kort haar, klein, mager. Ik geloof dat hij een donkerblauw jack aanheeft. Dat heeft hij tenminste meestal aan.'

'Hartelijk dank voor je hulp!' zegt Henning en hij glimlacht. Dreads steekt een hand op en buigt zijn hoofd. Henning loopt naar buiten en kijkt om zich heen. Het duurt maar een tel voordat hij Tore Benjaminsen heeft ontdekt. Hij staat te roken; hij was een van de rokers toen Henning een klein uur geleden het schoolterrein betrad.

Tore en het meisje met wie hij staat te roken zien hem al voordat hij bij hen is. Ze beseffen dat hij iets van hen wil, want ze houden op met praten en kijken hem aan.

'Ben jij Tore?' vraagt Henning. Benjaminsen knikt. Henning ziet nu om wie het gaat. Tore werd een paar dagen geleden voor het schoolgebouw door Petter Stanghelle geïnterviewd, in de motregen. Henning heeft niet gelezen wat Tore over zijn overleden medestudente zei, maar hij herinnert zich de Björn Borg-slip.

'Henning Juul,' zegt hij. 'Ik werk bij *123nieuws*. Zou ik je even kunnen spreken?'

Tore kijkt zijn vriendin aan.

'Ik spreek je straks wel verder,' zegt hij en hij trekt een gezicht van 'ik-ben-belangrijk'. Tores ego zal niet moeilijk te strelen zijn.

Als ze elkaar de hand schudden, voelt die van Tore als van een klein kind. Ze gaan op een bankje vlakbij zitten. Tore haalt zijn pakje sigaretten tevoorschijn, wipt er een witte kameraad uit en biedt Henning er ook eentje aan. Die weigert beleefd, hoewel hij naar zijn oude vriend staart.

'Ik dacht dat Henriette oud nieuws was?'

'Op een bepaalde manier wel, ja. Op een andere manier niet.'

'Moord zal wel nooit uit de belangstelling raken,' zegt Tore terwijl hij zijn sigaret opsteekt.

'Nee.'

Tore stopt de aansteker in zijn zak en neemt een diepe trek. Henning kijkt hem aan.

'Henry was een leuke meid. Op allerlei manieren. Ze was heel gek op mensen. Misschien wel een beetje té gek.'

'Wat bedoel je?' vraagt Henning en hij bedenkt op hetzelfde moment dat hij de recorder had moeten aanzetten. Maar dat is nu te laat.

'Ze was extreem extrovert en – wat zal ik zeggen – eigenlijk iets te gek op iederéén, als je begrijpt wat ik bedoel.'

Tore neemt opnieuw een trekje, blaast de rook uit en kijkt om zich heen. Hij knikt naar een meisje dat langsloopt.

'Flirtte ze veel?'

Hij knikt.

'Er was waarschijnlijk geen mens met drie benen op deze school die niet, op enig moment, zin had om...'

Hij stopt en schudt zijn hoofd.

'Het is volslagen krankzinnig,' gaat hij verder. 'Dat ze dood is, dus.'

Henning knikt zwijgend.

'Heb je haar vriend wel eens ontmoet?'

'Mahmoud Marhoni?'

Tore spuugt de naam uit en laat de ch-klank extra lang schrapen.

'Ja?'

'Ik snap niet wat Henry in die sukkel zag.'

'Is hij een sukkel?'

'Hij is een megasukkel. Rijdt rond in een vette BMW en vindt zichzelf stoer. Strooit met geld.'

'Dus hij is nogal gul?'

'Ja, maar op een totaal verkeerde manier. Hij legt zijn creditcard op de bar, loopt naar Henry's vrienden en zegt dat we maar biertjes moeten bestellen en die op zijn card kunnen laten zetten. Dus alsof hij wanhopig probeert te bewijzen dat hij een hele kerel is. Het zou me niet verbazen als...'

Hij stopt weer.

'Het zou je niet verbazen als wat?'

'Ik wilde zeggen dat het me niet zou verbazen als er een luchtje aan zijn geld zit, maar ik weet dat dat racistisch klinkt.'

'Misschien wel, maar het kan toch ook waar zijn?'

'Daar weet ik niets van. En om het maar gezegd te hebben, ik ben geen racist.'

'Dat geloofde ik ook niet.'

'Maar hij verdiende haar niet. Hij was een sukkel.'

Tore rookt het laatste stukje van zijn sigaret en gooit de peuk op de grond zonder hem uit te trappen. De witte vriend blijft vlak bij een modderplas liggen en geeft een blauwgrijze pluim af.

'Hoe was de relatie tussen hen?'

'Stormachtig, kun je volgens mij wel zeggen.'

'Hoezo?'

'Het was net een knipperlicht, aan en uit. Mahmoud was een jaloers type. Niet zo gek, trouwens, zoals Henry zich gedroeg.'

Henning denkt weer aan de sharia.

'Is ze ooit ontrouw geweest?'

'Niet voor zover ik weet, maar het zou me niet verbazen. Ze kon zich behoorlijk laten gaan, stond op de dansvloer graag in het middelpunt, om het zomaar te zeggen. Ging uitdagend gekleed.'

Hij kijkt weg met een trieste blik in zijn ogen.

'Was er iemand met wie ze meer flirtte dan met anderen?'

'Een heleboel. Er waren er, eh, een heleboel.'

'Viel jij ook voor haar?'

Henning kijkt op van zijn notitieblok en ontmoet Tores blik. Tore glimlacht en slaat zijn ogen neer. Hij zucht.

'Het was nooit leeg rond de tafel als Henriette er zat. Volgens mij wilden de meesten in de groep ook graag met haar samenwerken. Ik kreeg in elk geval al snel een heel goed contact met haar. Henry en ik hadden ontzettend veel lol met elkaar. Altijd een flirterige toon. Ik had net een relatie achter de rug toen we elkaar leerden kennen en we hadden het daar vaak over. Ze was heel begripvol, zat vol medeleven, warmte. Ze was een van die mensen die echt luisteren. En als ik mijn hart had uitgestort, volgde er altijd een knuffel. Een lange knuffel. Ik stortte mijn hart vaak uit, kun je zeggen, dat halfjaar,' zegt hij lachend.

Henning ziet het voor zich, ziet háár voor zich. Knap, vrolijk, open, sociaal, flirterig. Wie had er niet in de buurt van zo'n zonnestraaltje willen zijn?

'Je kon haar warmte heel gemakkelijk verkeerd uitleggen, als iets anders, als een interesse, als een flirt, en op een dag ging ik een beetje te ver. Ik probeerde haar te kussen en...'

Hij schudt zijn hoofd weer.

'Daar was ze niet van gediend, om het zomaar te zeggen. Op dat moment werd ik woedend, omdat ik het gevoel had dat ze me daartoe had gebracht, me in haar netten had gelokt, enkel en alleen om me er daarna weer uit te gooien. Alsof dat haar werkwijze was, dus. *Catch and release*. Een paar weken lang bleef ik boos op haar. Maar dat ging geleidelijk aan voorbij. Toen we op een avond met een hele groep de stad in waren, hebben we het uitgepraat. Ze wilde graag vrienden zijn, zei ze, maar meer niet. Ik wilde veel liever bevriend zijn dan veel energie verspillen aan het gevoel dat ik aan de kant was gezet, dus daarna werden we ongelooflijk goede vrienden.'

'Vond je het rot toen het aanging met Mahmoud?'

'Nee, eigenlijk niet. Want ik wist dat ze niet op mij was. Maar natuurlijk... je mag toch wel jaloers zijn.'

Henning knikt. Tore neemt een diepe, begerige trek van zijn volgende sigaret.

'Heb je enig idee wie haar vermoord kan hebben?'

Tore kijkt hem aan.

'Je denkt niet dat het Mahmoud was?'

Henning wacht even, hij weet niet helemaal hoe eerlijk hij moet zijn, want hij heeft het gevoel dat Tore heel vaak met heel veel mensen praat. Dan zegt hij: 'Hij is dan wel gearresteerd, maar je weet het maar nooit.'

'Als het Mahmoud niet is, dan heb ik geen idee.'

'Weet je of ze andere moslimvrienden had dan Mahmoud?'

'*Plenty*. Henriette was met iedereen bevriend. En iedereen wilde met Henriette bevriend zijn.'

'Hoe zit het met Anette Skoppum?'

'Hoezo?'

'Ze werkte wel eens samen met Henriette, als ik het goed heb begrepen?'

Tore knikt.

'Ken je haar goed?'

'Nee, bijna niet. Ze is eigenlijk puur het tegenovergestelde van Henriette. Zegt niet zo veel. Heeft epilepsie, heb ik gehoord, maar ik heb nooit gezien dat ze een aanval had. Ze laat weinig van zichzelf zien. In elk geval niet als ze nuchter is. Maar als ze dronken is...'

'Dan wordt ze losser?'

'Tja, zo kun je het wel noemen. Weet je wat ze altijd zegt als ze bezopen is?'

'Nee?'

'"Wat heeft het voor zin om een genie te zijn als niemand dat weet?"' Tore bootst haar stem na en lacht.

'Als er íémand is die geen reden heeft om hoog van de toren te blazen, dan is zij het. Niet uitgesproken slim. Ik ken ten minste drie lui die bij haar in de broek hebben gezeten toen ze dronken was. Eigenlijk denk ik dat ze lesbisch is.'

'Waarom zeg je dat?'

'Het is eigenlijk stom van me om dat te zeggen. Maar dat denk ik gewoon. Heb jij dat niet af en toe met mensen? Dat je gewoon denkt dat je dingen van hen weet?'

'Over het algemeen altijd,' antwoordt Henning en hij glimlacht even.

'Ze mocht Henriette in elk geval graag, dat kon je zo zien. Maar dat deed overigens iedereen. Verdomme,' zegt Tore en hij schudt weer zijn hoofd.

'Ik had ook graag even met Anette gesproken. Jij hebt zeker niet toevallig haar mobiele nummer?'

Tore haalt zijn telefoon tevoorschijn. Het is een glimmende, donkerblauwe Sony Ericsson.

'Dat geloof ik wel.'

Hij drukt op wat toetsen en houdt de telefoon in de richting van Henning, die de cijfers leest en ze tegelijkertijd opschrijft.

'Bedankt,' zegt hij. 'Meer vragen heb ik niet. Wil je er nog iets aan toevoegen?'

Tore staat op van het bankje.

'Nee. Maar ik hoop dat de politie de juiste kerel heeft opgepakt. Ik zou graag...'

Hij slikt de rest in.

'Wat zou je graag?'

'Vergeet het. Het is nu toch te laat.'

Tore Benjaminsen steekt een hand op naar Henning en loopt in de richting van de rode trap.

'Bedankt voor het gesprek.'

'Jij ook.'

Henning kijkt hem na. Tore probeert stoer te zijn, zoals hij daar met zijn afgezakte broek loopt. Björn Borg zit ook vandaag op zijn plaats.

Hoofdstuk 38

Hij zit een tijdje op het bankje nadat Tore naar binnen is gegaan. Hij is goed in het verslijten van bankjes. Het is daar fijn. Aangenaam. En er is geen nachtschade te bekennen. Maar Anette ziet hij niet. Mensen zijn het gebouw in- en uitgelopen, en telkens richtte zijn blik zich op de rode trap. En elke keer werd hij even teleurgesteld.

Hij besluit haar te bellen. Voordat hij het nummer intoetst, beseft hij dat het al half twee is. Hij bedenkt welke represailles hem te wachten staan als hij de legendarische plenaire vergadering laat schieten, maar hij gokt erop dat Sture hem, omwille van vroeger tijden, na afloop de korte versie zal geven. Bovendien heeft Henning wel een beetje een beeld van wat zijn baas zal zeggen: *'Op grond van onvoorziene schommelingen op de advertentiemarkt zien we ons genoodzaakt de uitgaven te verminderen. Op korte termijn zal dit geen gevolgen hebben voor de werknemers, maar op lange termijn kan dit wel het geval zijn, tenzij we met meer pagina's komen. Hoe meer pagina's er gelezen worden, hoe sneller we door onze voorraad advertenties heen raken, zodat er nieuwe adverteerders bij kunnen. We zijn eigenlijk uitverkocht, maar we leveren onvoldoende links. Dit betekent dat we de artikelen enigszins moeten aanpassen. We moeten cynischer zijn bij de selectie van materiaal. En blablabla...'*

Sommigen zullen ongetwijfeld luid schreeuwen over integriteit en 'hoe zit het dan met belangrijkheid en relevantie', maar hij weet dat Sture met het grootste deel zal instemmen en toch een strakkere koers zal eisen. En een strakkere koers voor internetkranten die het hoofd boven water willen houden, betekent meer seks, meer tieten en meer porno. Dát willen de meeste mensen zien. En als ze zeggen dat ze dat niet willen, dan gaan ze er toch naartoe als ze een minuut of twee over hebben, om het achterste of de tieten die als lokmiddel zijn gebruikt, beter te bekijken. Internetkranten weten dit natuurlijk, ze beschikken over cijfers en statistieken die aantonen welke artikelen links genereren, en op basis van dat criterium is de keus simpel.

Heidi ergert zich daar vast aan, denkt Henning, maar aangezien ze leidinggevende is, heeft ze geen andere optie dan uit te voeren wat de directie heeft besloten. Ze zal nooit openlijk iets negatiefs zeggen over haar bazen of de ondoordachte beslissingen die ze nemen. Want dat heeft ze op de cursus voor leidinggevenden geleerd.

Henning toetst Anettes nummer in en wacht op antwoord. Hij heeft de telefoon elf keer horen overgaan als ze opneemt.

'Hallo?'

Anettes stem is iel en voorzichtig.

'Anette, je spreekt met Henning Juul. Ik werk bij *123nieuws*. We hebben elkaar maandag even gesproken.'

'Ik heb je niets te zeggen.'

'Wacht, niet op...'

Aan de andere kant van de lijn wordt het stil. Hij vloekt inwendig, kijkt om zich heen. Een man in werkkleren komt het schoolterrein op gelopen. Hij draagt een emmer.

Verdorie, ik doe het, zegt Henning tegen zichzelf. Ik bel haar nog een keer, ook al is het een gevaarlijke manoeuvre. Ik loop het risico haar nog meer tegen me in het harnas te jagen. Zeuren is zelden een goed idee, maar ze heeft me nog niets gegeven. Hij krijgt eerst de ringtone, maar die verandert na een paar seconden in de bezettoon. Shit, ze blokkeert de oproep, denkt hij terwijl hij nog een man in werkkleren ziet. Hij besluit dan maar een sms te sturen:

> Ik weet dat je niet met me wilt praten, maar ik ben niet uit op een interview.
> Ik denk dat Henriette werd vermoord om de korte film die jullie zouden
> maken. Ik wil daar graag met je over praten. Kunnen we elkaar ontmoeten?

Hij drukt op verzenden en wacht. Hij wacht. En wacht. Geen antwoord. Hij vloekt weer. Wat nu?

Nee, denkt hij. Goddomme. Hij schrijft nog een sms:

> Ik weet dat je bang bent, Anette. Dat zie ik aan je. Maar ik denk dat ik je kan
> helpen. Mag ik je helpen?

Opnieuw verzenden. Hij weet dat hij wanhopig begint te klinken, en dat is niet zo heel ver bezijden de waarheid. Hij schrikt op als een paar tellen later zijn mobieltje piept. Hij opent het bericht.

Niemand kan me helpen.

Zijn bloed kookt. Want nu begint het pas echt interessant te worden. Hij schrijft weer:

> Dat weet je niet, Anette. Als je mij het filmscript kunt laten zien, dan kunnen we daar misschien beginnen? Ik beloof discreet te zijn. Als je me niet wilt ontmoeten, kun je me het script dan misschien per e-mail sturen? Mijn adres is hjuul@123nieuws.no

Verzenden.

Een eeuwigheid samengepakt in seconden. Hij kan ze horen tikken.

Nee, denkt hij. Dit gaat niet. Anette is weg. Ze wil niet, ze wil geen bron van informatie zijn, zelfs niet een geheime bron. Het troost hem enigszins dat hij zijn best heeft gedaan, maar magere troost is hem toch niet voldoende. Hij komt overeind en begint te lopen.

Dan klinkt weer gepiep. Vier korte geluidjes.

> Over een uur in Den Gode-café.

Hoofdstuk 39

Bjarne Brogeland zucht. Hij bestudeert een document op het scherm, maar krijgt hoofdpijn van het turen. Ik moet pauzeren, zegt hij tegen zichzelf. Een hele tijd. Misschien moet ik Sandland vragen of ze zin heeft om ergens te gaan lunchen, wat over het werk, het vak, seks te praten. Die donders strakke fopkut. Het duurt niet lang meer of ik moet een knoop in mijn jongeheer leggen als ik niet mag...

Brogelands gedachten worden onderbroken doordat er een venster op het scherm opent. Ann-Mari Sara, een van de technisch rechercheurs in Bryn, vult het scherm via een webcam. Brogeland buigt zich naar voren en draait het volume open.

'We zijn al een eind op weg met de laptop,' zegt ze.

'De laptop van Marhoni?'

'Nee. Die van Mahatma Ghandi. Van wie anders?'

'Hebben jullie iets gevonden?'

'Dat kun je wel zeggen.'

'Oké, wacht even. Ik ga Sandland halen.'

'Dat hoeft niet. Ik kan jullie sturen wat ik heb. Ik wilde alleen maar controleren of je er was.'

'Oké.'

Brogeland komt snel overeind en loopt de gang in. Elke aanleiding en elk excuus om bij Sandland aan te kloppen, moet worden aangegrepen. Hij opent de deur. Ze is aan de telefoon. Toch fluistert Brogeland met overduidelijke dictie: 'Marhoni's laptop.'

Hij wijst in de richting van zijn eigen kantoor, hoewel dat eigenlijk niet nodig is. Ze zal de mail immers zelf ontvangen. Sandland zegt geluidloos dat ze zo klaar is en eraan komt.

O, wat zou ik willen dat je klaarkomt, denkt Brogeland en hij doet de deur achter zich dicht. Hij loopt terug en ploft op de stoel neer, opent zijn e-mailprogramma en ziet dat er post is van Ann-Mari Sara. Hij klikt op de mail en ziet dat er een bijlage bij zit die hij downloadt.

Dan komt Sandland de kamer binnen.

'Perfecte timing,' zegt Brogeland. Sandland gaat vlak achter hem staan en buigt zich over zijn hoofd heen. Brogeland kan zich bijna niet beheersen. Zo dichtbij is ze nog nooit geweest. Hij ruikt haar geur, haar...

Nee. Daar mag je zelfs niet aan denken.

Hij leest hardop wat Ann-Mari Sara heeft geschreven:

> De harddisk was volkomen vernietigd en er is nogal wat informatie die we nog niet hebben kunnen terughalen. Toch denk ik dat we het belangrijkste te pakken hebben gekregen. Klik op de bijlage, dan begrijp je wat ik bedoel.

Brogeland klikt op de bijlage en kijkt gespannen naar het scherm. Als de foto zichtbaar wordt, draait hij zich om en kijkt Sandland aan. Ze glimlachen naar elkaar. Brogeland richt zich weer op de computer, drukt op *Beantwoorden* en schrijft:

> Goed werk, ams. Maar blijf aan de harddisk werken. Het kan zijn dat er nog meer is dat we nodig hebben.

Brogeland wrijft zich in zijn handen en bedenkt dat de laatste ronde bijna is aangebroken.

De ereronde.

Hoofdstuk 40

Koffie werkt meestal, maar niet als hij gespannen is. Niet als hij ergens op wacht. Niet als het tijdstip dat Anette heeft genoemd, allang verstreken is.

Hij is bij het raam in Den Gode-café gaan zitten, waar hij het voorbij-suizende verkeer in de gaten kan houden en de mensen kan zien die op slechts een armlengte afstand op het trottoir lopen. Hij is daar ook gaan zitten omdat hij dan snel buiten staat. Voor het geval er iets mocht gebeuren.

Waar ben je toch, Anette? vraagt hij zich af en hij bedenkt dat wanneer dit een film, een thriller, zou zijn, Anette nooit zou opduiken. Iemand zou hem voor zijn, te pakken hebben gekregen waar hij op uit was, en er dan voor hebben gezorgd dat Anettes overblijfselen nooit werden gevonden. Of namen misschien niet eens de moeite haar toe te dekken.

Hij schudt zijn hoofd om zijn eigen gedachten, maar dat soort dingen denk je nu eenmaal snel als het meer dan een halfuur geleden is dat ze er had moeten zijn. Hij probeert zich voor de geest te halen wat er kan zijn gebeurd. Ze kan onverwacht bezoek hebben gekregen, misschien belde haar moeder, misschien wachtte ze tot de wasmachine klaar was of kwam een rondscheurende koerier van Peppes Pizza zoals gebruikelijk een half-uur te laat.

Nee. Weinig kans op dit uur van de dag. Misschien is ze domweg on-betrouwbaar. Zulke types zijn er ook. Maar hij heeft het idee dat Anette er niet zo een is. Zij is iemand die maar blijft proberen. Die probeert iets voor elkaar te krijgen, ergens te komen met haar leven, iemand met grote ambities.

Al te dol, misschien, om na zo'n korte ontmoeting zo te denken, maar hij voelt goed aan wie chagrijnig van aard is en wie opgewekt, oprecht dus, niet alleen voor de show, wie het in zijn hoofd kan halen zijn vrouw in elkaar te slaan, wie al snel een glas of drie te veel drinkt als de gele-genheid zich voordoet, wie het allemaal niets kan schelen en wie blijft proberen. Hij is ervan overtuigd dat Anette voortdurend probeert en hij denkt dat ze dat al een hele tijd doet. Daarom is hij nu wat ongerust.

Dan gaat de deur van Den Gode-café open. Hij schrikt op als het tot hem doordringt dat het Anette is. Ze ziet er anders uit dan twee dagen geleden. De angst ligt nog steeds in haar ogen, maar ze is nu nog geslotener. Ze heeft een capuchon over haar hoofd getrokken. Onopgemaakt en onverzorgd. De rug een beetje gebogen. Er hangt een rugzak aan. Een kleine, grijze rugzak zonder opschrift, maar met een heleboel stickers.

Ze ziet hem, kijkt om zich heen, stapt vastberaden op hem af. In negen van de tien gevallen zou hij nu de wind van voren krijgen. Verdomde journalisten, die fatsoenlijke mensen nooit met rust kunnen laten, geen greintje schaamtegevoel hebben. Hij heeft het eerder gehoord. Hij heeft zich eerder ook aangesproken gevoeld, maar niet nu.

Anette blijft aan het tafeltje staan. Ze gaat niet zitten. Ze kijkt hem aan terwijl ze haar rugzak afdoet. Naar de stickers te oordelen heeft ze flink veel gereisd. Hij ziet namen van exotische steden uit verre landen. Assab (Eritrea), Nzérékoré (Guinee), Osh (Kirgizië), Blantyre (Malawi). Ze zet de rugzak met een plof op de stoel.

'Wil je iets drinken?'

'Ik ben niet van plan te blijven.'

Ze pakt een stapel papieren uit haar rugzak, legt ze voor hem neer en snoert de zak met een snelle beweging weer dicht. Ze tilt het ding op haar rug, draait zich om en wil weer vertrekken.

'Anette, wacht!'

Zijn stem klinkt harder dan hij van plan was. De mensen om hen heen kijken naar hen. Anette blijft staan en draait zich weer om. Ik hoop dat ze de ernst in mijn blik ziet, denkt Henning, de vriendelijkheid, de oprechtheid.

'Alsjeblieft, drink een kop koffie met me.'

Anette doet niets, ze kijkt hem alleen aan.

'Oké, geen koffie dan, die smaakt nergens naar, maar een caffe latte? Een kop thee? *Chai? Ein, zwei, chai?*'

Anette doet een stap in zijn richting.

'Jij bent zeker de leukste thuis.'

Hij voelt zich als een twaalfjarige die bij het examen op spieken is betrapt.

'Zoals ik al zei: ik heb je niets te zeggen.'

'Maar waarom geef je me dit dan?' vraagt hij en hij wijst op de papieren die voor hem liggen. Op de voorzijde staat:

Hij voelt dat hij moeite moet doen om zich te beheersen. Want het liefst zou hij meteen gaan lezen.

'Zodat je het begrijpt.'

'Maar...'

'Please... probeer niet me te helpen.'

'Maar Anette...'

Ze heeft zich al omgedraaid om te vertrekken. Hij wil gaan staan, maar ziet het hopeloze van zo'n handeling in, daar en op dat moment. In plaats daarvan roept hij haar na: 'Voor wie ben je bang, Anette?'

Ze pakt de deurkruk, kijkt hem niet aan, antwoordt niet. Ze loopt gewoon naar buiten en verdwijnt. Hij blijft zitten en kijkt haar na, naar waar ze volgens hem loopt, alleen, met de rugzak op haar rug. Hij vraagt zich af of er nog iets anders in die rugzak zat. Misschien een extra kledingstuk. Misschien een film of een boek.

Of misschien een stungun.

Die gedachte komt volkomen uit het niets opzetten. Maar nu die er eenmaal is, blijven zijn hersens ermee bezig. Het was eigenlijk een interessante gedachte. Want wie zou het script beter kennen dan Anette?

Nee, zegt hij tegen zichzelf. Als Anette iets met de moord op haar vriendin te maken had, waarom zou hij dan het script mogen lezen? Waarom wil ze hem dan helpen om het te begríjpen? Hij zet het van zich af. Domme gedachte. Ik moet het script lezen, redeneert hij, kijken wat dat me aan leidraden kan geven.

Er móét iets zijn.

Hoofdstuk 41

Advocaat Lars Indrehaug haalt zijn vingers door zijn pony, zodat zijn haren tijdelijk op zijn slapen rusten in plaats van boven zijn ogen. Verdomde ijdeltuit, denkt Bjarne Brogeland. Wat zou ik je graag eens te grazen nemen in een geluiddichte kamer wanneer de camera's daar een keer niet aanstaan.

Dromen en werkelijkheid. Twee heel verschillende zaken, helaas. Die gedachte wordt niet minder relevant doordat Ella Sandland naast hem zit. Brogeland kijkt naar de papieren die voor hem liggen, hij probeert de ene schakelaar uit te zetten en een andere aan te doen. Ze hebben het verhoor deze keer goed voorbereid, de bewijzen doorgenomen, afgesproken hoe ze zich gaan presenteren. Hoewel Sandland nog steeds twijfelt of Marhoni schuldig is, zal hij heel wat uit de kast moeten halen om overtuigend te antwoorden op de vragen die ze hem gaan stellen.

Brogeland vindt het heerlijk om met Sandland over zaken te praten, hij smult ervan om naar haar lippen te kijken als ze serieus en verbeten is en uit naam van de samenleving vol verontwaardiging zit. Hij verheugt zich erop de tevredenheid in haar blik te zien als ze haar doel heeft bereikt. Kon ze die tevredenheid maar op hém botvieren.

Verkeerde schakelaar, Bjarne.

Mahmoud Marhoni zit naast Indrehaug. Marhoni is getekend, denkt Brogeland. Getekend door de moord op zijn broer, getekend door de hechtenis. Er zitten absoluut barsten in het ruige voorkomen. Hij ziet er nu onverzorgder uit. Een paar dagen zonder scheermes en liniaal doen dat meestal met een gezicht dat aan warme doeken in de avond is gewend.

Je moet nu ook aan andere dingen wennen, Mahmoud, denkt Brogeland. Hij geeft Sandland een teken, waarop zij met het formele deel van het verhoor begint, de presentatie van de aanwezigen en in welk verband ze daar zijn. Dan kijkt ze Marhoni aan.

'Gecondoleerd,' zegt ze met omfloerste stem. Marhoni kijkt Indrehaug vragend aan.

'Het spijt me van je broer,' voegt ze eraan toe. Marhoni knikt zwijgend.

'Bedankt', zegt hij.

'We doen al het mogelijke om de dader te vinden. Maar je weet misschien al wie dat is?'

Marhoni kijkt haar aan.

'Ik weet niet waarover je het hebt.'

'Heb je iets met Bad Boys Burning te maken, Mahmoud?'

'Nee.'

Hij antwoordt snel. Iets te snel. Brogeland maakt er op het papier voor hem een aantekening van.

'Weet je wie Zaheerullah Hassan Mintroza is? Of gewoon Hassan?'

'Nee.'

'Yasser Shah?'

Marhoni schudt zijn hoofd.

'Geef antwoord op de vraag.'

'Nee.'

'Kende je broer een van hen?'

'Als ik niet weet wie dat zijn, hoe kan ik dan weten of mijn broer iets met hen te maken had?'

Goed zo, Marhoni, denkt Brogeland. Je hebt de eerste schijnbeweging gepareerd.

'We zijn erin geslaagd de inhoud van je laptop terug te halen,' gaat Brogeland verder en hij wacht op antwoord. Marhoni probeert onverschillig over te komen, maar Brogeland kan zien dat de vent inwendig kookt. Tegelijkertijd hebben we niet de hele inhoud, denkt Brogeland. In elk geval nog niet.

Maar dat weet Marhoni niet.

'Weet je zeker dat je de antwoorden die je mijn collega zojuist hebt gegeven niet wilt wijzigen?' vraagt Brogeland.

'Waarom zou ik?'

'Om niet te liegen.'

'Ik lieg nooit.'

'Nee,' zegt Brogeland sarcastisch.

'Misschien moet je mijn cliënt zeggen waar het op staat in plaats van om de hete brij heen te draaien?' zegt Indrehaug. Brogeland werpt hem een vernietigende blik toe, voordat hij zich weer tot Marhoni wendt.

'Hoeveel anderen behalve jij gebruiken jouw laptop, Mahmoud?'

'Niemand.'

'Is er niemand aan wie je hem af en toe leent?'

'Nee.'

'Ook niet als je zelf toekijkt?'

'Nee.'

'En dat weet je heel zeker?'

'Ja.'

'Inspecteur...'

Indrehaug spreidt zijn armen en zucht berustend. Brogeland glimlacht en knikt zonder een woord te zeggen.

'Kun je me dan uitleggen wat je op het mailaccount van Henriette Hagerup deed op de dag dat ze werd vermoord?'

Marhoni kijkt op.

'Wat?'

'Waarom heb je de e-mail van je vriendin zitten lezen?'

Brogeland registreert dat Marhoni er verbaasd uitziet.

'Deed je dat om hiernaar te kunnen kijken?'

Brogeland schuift een vel papier over de tafel heen. Daarop staat een foto van Henriette Hagerup die om de nek van een man hangt. Het gezicht van de man is niet zichtbaar, maar wel zijn nek en haar. Dat is donker en dun. Marhoni kijkt naar de foto.

'Wie is dat, Marhoni?'

Hij geeft geen antwoord.

'Deze foto zat in een e-mail op het account van je overleden vriendin, die dus op de dag van haar overlijden op jouw laptop werd gelezen. Heb je daar iets op te zeggen?'

Marhoni kijkt nog een keer naar de foto.

'Van wie kwam die mail?' vraagt hij.

'Daar zullen wij het hoofd wel over breken. Ik vraag het je nog een keer, ken je de man op de foto?'

Hij schudt zijn hoofd.

'Je begrijpt dat dit er voor jou niet goed uitziet, Mahmoud?'

Marhoni heeft nog steeds niets te zeggen. Brogeland zucht. Indrehaug kijkt naar zijn cliënt. Marhoni wrijft zijn duim heen en weer in zijn andere handpalm. Sandland en Brogeland zeggen een tijdje niets, om hem de tijd te geven.

'Ik was het niet,' zegt hij plotseling, zacht.

'Wat zei je?'

'Ík heb haar mail niet bekeken.'

Brogeland slaat zijn ogen ten hemel alsof hem het grootste onrecht van de wereld is aangedaan.

'Je zei zojuist dat alleen jij je laptop gebruikt. Klopt dat niet meer?'

Marhoni schudt zijn hoofd.

'Dat kan niet zo zijn.'

'Dus heeft er iemand anders aan gezeten, zonder dat je dat wist, en naar een foto van je vriendin om de nek van een andere man gekeken? Moet ik het zo begrijpen?'

Hij knikt voorzichtig.

'Wie zou dat hebben gedaan? Je broer? Henriette?'

'Ik weet het niet.'

'Zijn ze daarom allebei dood, Mahmoud?'

'Ik weet het niet.'

'Je weet het niet, nee.'

Brogeland zucht en kijkt naar Sandland. Ze onderzoekt Marhoni's gezicht nauwkeurig op tekenen van onthullende gebaren of trekken.

'Wat vind je van sharia?' gaat Brogeland verder.

'Sharia?'

'Ja. Een Pakistaanse band. Hij speelde afgelopen jaar op het Mela-festival.'

'Inspecteur...'

'Ik weet het, een flauwe grap. Maar geef antwoord op de vraag, wat vind je ervan? Van de sharia. Vertegenwoordigt de sharia een visie op vrouwen waarmee jij het eens bent, Mahmoud?'

'Nee.'

'Jij vindt niet dat het stenigen van vrouwen – een toevallig gekozen voorbeeld – een passende straf is voor ontrouw? Of het afhakken van een hand omdat je iets hebt gestolen?'

Brogeland wacht niet op antwoord. Marhoni staart niet-begrijpend voor zich uit.

'Met wie maakte Henriette een slippertje, Mahmoud?'

'Als je onschuldig bent en jezelf hieruit wilt helpen, wil ik je sterk aanraden nu te gaan praten.'

'Wie is de man op de foto?'

Brogeland en Sandland wisselen de vragen af. Marhoni zucht.

'Hoe langer je dit rekt, hoe erger het er voor jou uit gaat zien.'

'Met wie maakte ze een slippertje?'

'Was dat de reden dat je haar hebt vermoord?'

'Wie neem je in bescherming?'

Marhoni steekt een hand op.

'Jullie hebben er niets van begrepen.'

Hij slaat zijn blik neer, schudt vastberaden zijn hoofd.

'Help ons dan!' zegt Brogeland. Hij kijkt Marhoni aan, wacht op diens verklaring.

'Henriette is nooit ontrouw geweest,' zegt Marhoni na een hele tijd te hebben nagedacht.

'Wat zei je?'

'Henriette is me nooit ontrouw geweest.'

'Hoe verklaar je die sms'jes dan? *"Sorry. Het had niets te betekenen. hij had niets te betekenen. Ik hou van jou. Kunnen we erover praten? Plies?"*'

Brogeland staart Marhoni aan.

'En dan zeg je dat ze niet ontrouw is geweest?'

'Ja, of ik weet het niet.'

'Ook goed. Als je geen beter antwoord hebt dan dit, dan...'

'Ze heeft me nooit iets verteld over anderen.'

'Dus de inhoud van de sms'jes die je kreeg zei je helemaal niets?'

'Nee.'

'Jullie hadden het nog niet eerder over zoiets gehad?'

'Nee.'

'Neem me niet kwalijk, maar jullie zullen er een hele kluif aan hebben om een jury hiervan te overtuigen. En dat weet je, Indrehaug.'

Brogeland kijkt de advocaat aan. Indrehaug slikt. Dan haalt hij zijn vingers nog een keer door zijn haar.

Hoofdstuk 42

Voordat Henning begint te lezen, tuurt hij een tijdje naar de eerste pagina. Hij voelt zich een beetje gespannen. Ook ietwat nerveus, als hij erover nadenkt, zonder dat hij helemaal de reden daarvan kan verklaren. Misschien omdat hij denkt dat het antwoord op de vraag waarom en hoe Henriette Hagerup werd vermoord vlak voor zijn neus ligt.

Hij haalt diep adem en begint:

```
1. BINNEN - EEN TENT OP DE EKEBERGSLETTA - AVOND:

Een vrouw, MERETE WIIK (21), staat met haar rug naar
de camera. Het licht valt op de schop in haar hand.
Ze ademt zwaar, want ze is moe. Ze veegt het zweet
van haar voorhoofd. Dan steekt ze de schop in de
grond.

2. BUITEN - VOOR DE TENT OP DE EKEBERGSLETTA - AVOND:

Een auto rijdt tot naast de tent. De chauffeur zet de
motor uit. We zien de kofferbak opengaan. MONA KALVIG
(23) stapt uit. Ze opent de kofferbak helemaal.

3. BINNEN - EEN TENT OP DE EKEBERGSLETTA - AVOND:

De tent wordt vanaf de buitenkant geopend. Mona
Kalvig gaat naar binnen. Ze draagt een zware tas. Ze
blijft voor een kuil in de grond staan.

MONA:
Wat ben je al ver.

Merete veegt het zweet weg en glimlacht.
```

MERETE:
Het is een goede training.

MONA:
Heb je hem uitgeprobeerd?

MERETE:
Nee, het is jouw kuil, dus ik dacht de eer aan jou te
laten.

4. BINNEN - EEN TENT OP DE EKEBERGSLETTA - AVOND:

Close-up van de kuil. Mona springt erin en probeert
hem uit. Hij komt tot haar middel.

MONA:
Hij is perfect.

MERETE:
Uitstekend. Heb je je mobieltje bij je?

MONA:
Yep.

MERETE:
Zullen we het eerste bericht versturen?

Mona klimt uit de kuil en klopt een beetje vochtig
zand van zich af. Ze pakt haar mobieltje uit haar
zak en controleert de tijd. Dan kijkt ze Merete met
een samenzweerderige glimlach aan.

5. BINNEN - EEN APPARTEMENT IN GALGEBERG:

Een man, YASHID IQBAL (28), zit Hotel Cæsar op TV2
te kijken. Zijn mobieltje piept. Hij pakt het en
opent het bericht. Hij trekt zijn neus op onder

het lezen. Het bericht is van 'Mona mobiel'. We
zien wat er staat:

'*Sorry. Het had niets te betekenen.* hij *had niets te
betekenen. Ik hou van* jou. *Kunnen we erover praten?
Plies?*'

6. BINNEN - EEN TENT OP DE EKEBERGSLETTA - VROEG IN
DE AVOND:

De meisjes zitten tegen elkaar aan. Samen drinken ze
een kop thee uit de thermosfles. Uit de kop stijgt
damp omhoog.

MERETE:
Was het lekker?

Mona slurpt de hete thee naar binnen.

MONA:
Mmm.

MERETE:
Ik bedoel niet de thee.

MONA:
Wat bedoel je da...

Dan beseft Mona wat Merete bedoelde. Mona glimlacht.

MONA:
Het was vandaag extra lekker. Ik vind het fijn als hij
me hard pakt.

MERETE:
Misschien was het extra lekker omdat je wist dat het
de laatste keer was.

MONA:
Misschien wel.

MERETE:
Ga je het missen?

Mona wacht even met antwoorden. Ze geeft de theekop
aan Merete. Ze zwijgen een paar tellen.

MERETE:
Zullen we de volgende sms versturen?

MONA:
We wachten even. Gun hem wat meer tijd.

MERETE:
Oké.

Einde eerste tekstreeks en vignet.

Zo lang duurt het om de intro van een snuffmovie te lezen, denkt Henning. Hij leest verder:

7. BINNEN - EEN APPARTEMENT IN GALGEBERG - AVOND:

Yashid Iqbal is in de keuken. Hij opent de koelkast
en haalt er een pak magere melk uit. Hij wil een glas
uit de kast pakken als zijn mobieltje weer piept. Hij
haalt het uit zijn zak. Het is weer een bericht van
'Mona mobiel'. Hij leest het:

*Ik beloof dat ik het weer goedmaak. Alsjeblieft, kun
je me nog een kans geven?*

Yashid Iqbal schudt zijn hoofd en mompelt 'Wat zegt
ze verdomme...' Dan drukt hij op 'Afzender bellen'.
Hij is geïrriteerd en ijsbeert door de keuken. Maar

er wordt niet opgenomen. Woedend smijt hij zijn
mobiele telefoon weg.

8. BINNEN - EEN TENT OP DE EKEBERGSLETTA - AVOND:

Mona en Merete zitten nog steeds voor de kuil in de
grond.

MERETE:
Denk je dat dit gaat werken?

MONA:
Dat moet wel.

Mona's mobieltje trilt. Op de display staat YASHID.

MERETE:
Daar zal je hem hebben.

Mona knikt. De telefoon blijft overgaan.

MERETE:
Ga je niet opnemen?

MONA:
Nee.

Merete kijkt Mona aan. Het is duidelijk dat Mona de
baas is.

9. EEN APPARTEMENT IN ST. HANSHAUGEN - AVOND:

De familie GAARDER zit te eten. De stemming is
bedrukt. De zoon, GUSTAV, is chagrijnig en prikt in
zijn eten. De vrouw, CAROLINE, kijkt naar haar man,
HARALD. Hij eet, maar voelt zich niet op zijn gemak.

GUSTAV:
Het was lekker.

CAROLINE:
Maar je hebt bijna niets gegeten!

GUSTAV:
Ik heb geen honger. Mag ik van tafel?

Caroline zucht, knikt naar haar zoon en ziet hoe
Gustav de kamer verlaat. Ze richt haar ogen op haar
man.

CAROLINE:
We vervreemden hem van ons. Jij vervreemdt hem van
ons!

Harald kijkt op van zijn bord.

HARALD:
Ik?

CAROLINE:
Ja, wie anders?

Harald zucht gelaten.

HARALD:
Ga je daar nu weer over zeuren? Ik dacht dat we daar
wel klaar mee waren?

CAROLINE:
Dat moet jíj zeggen. Voor jou is het verdomme nogal
simpel om 'klaar te zijn' met wat er is gebeurd.

Caroline bootst hem na. Harald raakt geïrriteerd.

HARALD:
Ik weet niet wat je wilt dat ik nog meer doe. Ik heb
je gezegd dat ik niets meer met haar te maken zal
hebben. Wat verlang je nog meer?

CAROLINE:
Dat je het ook echt meent, misschien? Dat je ophoudt
met dag in, dag uit aan haar te denken, zoals je nu
doet?

Harald slaat zijn ogen neer, hij begrijpt dat bluffen
niet helpt.

HARALD:
Ik kan er niets aan doen.

CAROLINE:
(bootst haar man na)
'Je kunt er niets aan doen.'

Caroline zucht berustend. Harald geeft geen antwoord.
Er valt een lange pauze.

CAROLINE:
Ik vind dat we moeten scheiden.

HARALD:
Wat?!

CAROLINE:
Waarom niet? Dit is toch een huwelijk van niets.

HARALD:
Dat meen je niet, Caroline. Hoe moet het dan met
Gustav?

CAROLINE:
Dus je trekt je nu opeens iets van hem aan? Dat deed
je niet toen...

Caroline maakt haar zin niet af. Ze barst in tranen
uit. Harald legt gelaten zijn bestek neer.

10. BINNEN - EEN TENT OP DE EKEBERGSLETTA - AVOND:

*Close-up van de display van Mona's mobieltje. We zien
wat ze intoetst. 'Kun je me niet antwoorden? Plies?
Ik zal het nooit meer doen. Ik beloof het!'*
Ze drukt op verzenden.

11. BINNEN - EEN APPARTEMENT IN GALGEBERG - AVOND:

Yashid loopt rusteloos door zijn appartement. Hij
praat tegen zijn broer FAROUK IQBAL, die in de
woonkamer een glas melk drinkt. Ze spreken de taal
gebrekkig.

YASHID:
Hoer.

FAROUK:
Ik jou proberen te vertellen.

YASHID:
Kankerhoer!

Yashids mobieltje piept opnieuw. De broers kijken
elkaar aan.

FAROUK:
Is dat zij?

YASHID:
Weet niet, sukkel. Heb nog niet gekeken.

FAROUK:
Doe dat dan, sukkel.

Yashid kijkt zijn broer boos aan. Dan opent hij het
bericht en leest het. Hij smijt het mobieltje op de
bank.

YASHID:
Verdomde hoer!

Je kunt een paar karakters uit het script gemakkelijk in het echte leven
plaatsen, denkt Henning. Bijna iets té gemakkelijk.

Hij heeft opnieuw trek in koffie en bestelt een kop bij de barman, die zich
eraan ergert dat Henning al die tijd dat hij daar zit nog maar één consump-
tie heeft besteld. Er zitten maar twee andere mensen in het café. Ze eten allebei een salade zonder met elkaar te praten.

De koffie verschijnt op het moment dat hij verder wil lezen.

12. BINNEN – EEN TENT OP DE EKEBERGSLETTA – LAAT OP
DE AVOND:

Dicht op de kuil in de grond. Mona is er weer
ingesprongen. Merete is bezig de kuil met aarde dicht
te gooien.

MERETE:
Heb je dat met zijn laptop geregeld?

MONA:
Ja hoor. Dat ging gemakkelijk. Hij ging douchen na
het vrijen en toen kon ik gewoon aan de slag.

MERETE:
Hebben we overal aan gedacht?

MONA:
Volgens mij wel. Wacht even – ik wil mijn armen
erbuiten hebben.

MERETE:
Oké.

Mona trekt haar armen omhoog uit het zand.

MONA:
Zo. Nu kun je doorgaan.

Merete gaat door met bijvullen. Even later komt het
zand tot onder Mona's oksels. Merete zet de schop
weg. Ze haalt diep adem.

MERETE:
Wil je nog iets zeggen voordat we beginnen?

Mona denkt na. Ze schraapt haar keel.

MONA:
(met plechtige stem):
Dit is voor alle vrouwen overal ter wereld. Maar
speciaal voor ons in Noorwegen.

Merete glimlacht. De camera verplaatst zich langzaam
van Meretes gezicht naar de grond achter haar. We zien
de schop. We zien de tas die Mona bij zich had. Die is
open. Ernaast ligt een grote, zware steen.

Henriette kan zich hier onmogelijk zelf aan hebben blootgesteld, denkt
Henning en hij kijkt op. Ze kan onmogelijk de rol hebben voltooid, haar
eigen filmscript hebben gebruikt en zichzelf hebben laten stenigen om een
soort politieke boodschap af te geven.

Het is maar een film, Henning. Hij hoort de stem van zijn moeder in
zijn hoofd, herinnert zich hoe hij bij haar op schoot klom als Derrick op

vrijdagavond altijd raadselachtige misdrijven oploste. Iemand heeft Henriettes script tegen haar gebruikt. Om de draak met haar te steken? Om de verdenking op iemand te laden?

Hij leest verder:

```
Tekstaffiche op zwarte achtergrond: Twee weken later.


12. BINNEN - EEN VERHOORKAMER OP HET POLITIEBUREAU -
OCHTEND:


Yashid Iqbal zit aan de ene kant van de tafel. Twee
inspecteurs zitten aan de andere kant. Ze kijken
ernstig.


INSPECTEUR 1:
Wat heb je gedaan nadat je de sms'jes had
ontvangen, Yashid? Ging je naar haar toe om haar ter
verantwoording te roepen?


Yashid antwoordt niet.


INSPECTEUR 2:
We weten dat je hebt geprobeerd haar te bellen. We
weten ook dat je die avond vlak na acht uur het huis
hebt verlaten.


INSPECTEUR 1:
Er zijn ook sporen van ruwe seks, Yashid.


INSPECTEUR 2:
En we hebben je laptop. Je hebt die middag haar e-mail
gecontroleerd. Waarom deed je dat?


INSPECTEUR 1:
We begrijpen het, Yashid. Je was kwaad. Dat kan
iedereen begrijpen. Ze neukte erop los, jij werd
kwaad en je hebt haar een lesje geleerd.
```

INSPECTEUR 2:
Je kunt het voor jezelf veel beter maken als je
gewoon met ons praat, Yashid. Vertel wat er is
gebeurd. Dat zal je geweten ontlasten.

Yashid zegt niets.

INSPECTEUR 1:
Nadat je de sms'jes had gekregen, ging je naar de set
waar ze bezig was een film op te nemen. Daar heb je
haar verkracht en in een kuil in de grond ingegraven.
Vervolgens pakte je een paar zware stenen die je naar
haar hebt gegooid tot ze dood was. Een gepaste straf,
toch? Omdat ze ontrouw was geweest?

Yashid kijkt de inspecteurs aan. YASHIDS ADVOCAAT
buigt zich naar Yashid toe en fluistert hem iets in
het oor. Yashid buigt voorover naar de tafel.

YASHID:
Ik hou van Mona. Ik onschuldig zijn.

De inspecteurs kijken elkaar met een zucht aan.
Tekstaffiche op zwarte achtergrond: Vijf maanden
later.

13. BINNEN - HET GERECHTSGEBOUW IN OSLO - MIDDEN OP
DE DAG:

Yashid zit naast zijn advocaat. Een paar plaatsen
achter hem in de zaal zit Harald Gaarder. Hij is
neerslachtig en zwaarmoedig. Farouk Iqbal is er ook.
Hij ziet er bang uit. De RECHTER komt de zaal binnen.
Iedereen staat op.

RECHTER:
Neemt u plaats.

Iedereen gaat zitten. De rechter kijkt naar de JURY.

RECHTER:
Is de jury tot een uitspraak gekomen?

JURYVOORZITTER:
Inderdaad.

14. BINNEN - HET GERECHTSGEBOUW IN OSLO - MIDDEN OP
DE DAG:

Close-up van Yashid. Hij heeft zijn ogen
neergeslagen. Hij is duidelijk nerveus. De camera
zwenkt weg. Merete zit achter in de zaal. Het beeld
van haar wordt scherp. De focus ligt bij haar terwijl
de juryvoorzitter het vonnis voorleest.

JURYVOORZITTER:
In de zaak tegen Yashid Iqbal achten wij, de jury, de
aangeklaagde schuldig op alle punten.

In de zaal breekt gejubel uit. Merete kijkt naar
Harald Gaarder. Ze glimlacht naar hem. Gaarder
wendt zijn blik af en vertrekt. Merete haalt haar
mobieltje tevoorschijn. Ze toetst een sms in. We
zien wat ze schrijft.

One down. Plenty more to go.

Ze bladert door haar adresboek, vindt Mona en drukt
op verzenden.

EINDE

Een tikje teleurgesteld legt hij het script neer en wrijft zich in zijn ogen.
Het is alsof de reclame een bloedstollende thriller aankondigde, en hij in
plaats daarvan slechts een middelmatig drama heeft gekregen. Het script

had zijn doos van Pandora moeten zijn. Maar hij zag geen stroomstootwapens, zwepen of afgehakte handen. Hij vraagt zich bijna af of er van het script ook nog grovere versies bestaan.

De plot van de film is best goed, twee vrouwen zetten een 'moord' in scène en zorgen ervoor dat de vriend van de ene vrouw wordt gearresteerd en voor de moord wordt veroordeeld, ook al is hij onschuldig. Het is dus niet meer dan een verzonnen situatie, redeneert Henning bij zichzelf, een wensscenario. Vertaald naar het echte leven moeten Mona en Merete dan respectievelijk Henriette en Anette zijn, terwijl Mahmoud Marhoni Yashid Iqbal is. En Tariq is Farouk.

Tot dusver is alles oké, denkt Henning. En tot dusver klopt het grootste deel met zijn eigen vermoedens. Mahmoud Marhoni is onschuldig, en iemand probeert het tegenovergestelde te laten lijken. Sms'jes, suggesties van ontrouw, een laatste, ruwe wip die aan verkrachting grenst. Niet eenvoudig voor een verdachte om onder dat soort bewijzen uit te komen, vooral niet als de verdachte tijdens het verhoor zwijgt.

Maar wie is Harald Gaarder? Het gezin en zijn lot namen zoveel ruimte in het script in dat ze wel belangrijk moeten zijn. Maar zijn ze dat in het echte leven ook? Zoals zijn moeder zei, het is maar een film. Alles hoeft niet noodzakelijkerwijs een spiegelbeeld van de werkelijkheid te zijn.

Toch speelt hij een tijdje met de gedachte. Harald Gaarder pleegde overspel met Mona, wie anders, en de ontrouw wordt bestraft met steniging. Maar waarom keken Gaarder en Merete elkaar op het eind aan? Waarom glimlachte ze?

Het karakter Gaarder kende Anette dus. Iemand in de gemeenschappelijke vriendenkring van de meisjes moet een relatie met Henriette hebben gehad, bedenkt hij. De enige die hij kan verzinnen, uitgaande van wie hij tot nu toe heeft ontmoet, is Yngve Foldvik. Maar Foldvik heeft het script niet gelezen, dus hij kan het niet zijn. Als Foldvik tenminste niet liegt. Maar waarom zou Foldvik daarover liegen? Hij moet toch weten dat zo'n bewering gemakkelijk na te gaan is, als de politie de moeite zou nemen. Sporen op zijn computer, kopieën van het script, ergens op zijn kamer, thuis. Als hij op zo'n simpele leugen wordt betrapt, komen de handboeien tevoorschijn, welkom in de gevangenis. Er moeten andere volwassenen zijn, denkt hij, een ander gezin. Dat van Anette, misschien? Of dat van Henriette?

Hij denkt aan Henriette. Knappe, vrolijke, extroverte Henriette. Wat voor iemand was ze eigenlijk? Provocaties met inhoud, noemde Foldvik het. Henning begrijpt wat de docent bedoelde, hoewel de shariaproblematiek maar in beperkte mate wordt belicht en weinig genuanceerd is. Maar de gedachte is kennelijk dat die gekken die voor de sharia opkomen moeten verdwijnen, en dat wij – omwille van onszelf – geen middel moeten schuwen in de strijd om onszelf, onze eigen cultuur, vrouwen overal ter wereld te beschermen – we moeten ons verenigen en dit niet accepteren.

Maar waar is het kruit? Waar is het gevaar? Waar zijn de beledigende replieken, waar is de munitie die ertoe leidde dat iemand heeft besloten het script in realiteit om te zetten? Hagerup is heel iemand anders dan Theo van Gogh, de regisseur die een film over de islam maakte en in 2004 met acht pistoolschoten werd vermoord. De moordenaar sneed vervolgens de keel van Van Gogh door, stak twee messen in zijn borstkas en bevestigde aan een ervan een lange dreigbrief. Voor zover Henning weet, had Hagerup niet bijzonder vijandig tegenover de islam gestaan. Ze had zelfs een relatie met een moslim.

Hoe meer Henning erover nadenkt, hoe meer hij ervan overtuigd raakt dat iemand in de naaste kring van Anette en Henriette hierachter zit. Ik moet uitzoeken wie er aan de film zou meedoen, denkt hij, wie er toegang tot het script had en welke eventuele buitenstaanders het hebben gelezen. De moordenaar of moordenaars moeten tot die kring behoren.

Hoofdstuk 43

Hij vecht tegen de aandrang om Anette weer te bellen. Het is te vroeg. Ze had hem duidelijk gemaakt dat hij niet moest proberen haar te helpen, en hij wil de zaak beter onder controle hebben voordat hij opnieuw contact opneemt.

In plaats daarvan belt hij Bjarne Brogeland. Henning had het telefoonnummer van de inspecteur na het verhoor op het politiebureau gekregen, en Brogeland neemt vrijwel meteen op.

'Hallo, Bjarne, met Henning.'

'Hallo, Henning! Hoe gaat het?'

'Eh, goed. Zeg – kunnen we elkaar ontmoeten?'

Het blijft een paar tellen stil.

'Nu?'

'Ja. Het liefst meteen, en bij voorkeur op een neutrale plek. Er is iets waarover ik met je moet praten.'

'Als journalist, bedoel je?'

'Tja, weet ik niet zo goed.'

'Heeft het iets met Tariq Marhoni te maken?'

'Nee. Met zijn broer. En met Henriette Hagerup. Op die manier heeft het misschien toch wel iets met Tariq te maken. Ik weet het niet zo goed.'

'Je weet het niet zo goed?'

'Nee. Maar ik garandeer je dat je graag wilt horen wat ik te vertellen heb en wilt zien wat ik heb ontdekt. Ik heb alleen geen zin er aan de telefoon over te praten.'

Lange stilte. Er wordt gedacht.

'Oké. Waar wil je dat we elkaar zien?'

'Bij Lompa.'

'Prima. Ik kan er over een kwartier zijn.'

'Mooi zo. Tot dan.'

Hij besluit een taxi vanaf Den Gode-café te nemen, hoe riskant dat ook mag zijn. Hij stapt uit aan de Fredensborgveien en wacht tot hij een auto ziet die niet bezet en niet zilvergrijs is. Niet in Duitsland geproduceerd en geen A2052 op het dak. De chauffeur is een oudere man met grijs haar, hij draagt een grijze bril en ruikt naar Old Spice. Hij zegt onderweg ook niet veel.

Dat komt Henning goed uit. Dat betekent dat hij in alle rust kan nadenken terwijl ze straten, woningen, mensen en auto's passeren. Hij krijgt altijd een soort rust over zich als hij ergens naar onderweg is en zelf niet hoeft te rijden. Alsof je jezelf op pauze zet terwijl de rest van de wereld razendsnel voorbijglijdt.

Hij denkt aan wat Henriette Hagerup door het hoofd moet zijn geschoten toen ze doorkreeg dat haar eigen script werkelijkheid ging worden en ze zelf de hoofdrol zou spelen. Misschien heeft ze het niet zien aankomen, denkt hij. Misschien was het te laat om te reageren voordat ze verdoofd werd door een stungun en begon de steniging voordat ze weer bij bewustzijn kwam.

Hij hoopt het. En hij hoopt dat Anette uit beeld blijft. Want als Henriette vanwege het script werd vermoord, is het niet onwaarschijnlijk dat Anette het volgende slachtoffer wordt.

Hoofdstuk 44

Olympen-restaurant, zoals Lompa eigenlijk heet, sloot in oktober 2006 zijn deuren voor een totale renovatie en ging iets meer dan een jaar later weer open. Henning ging vaak naar Lompa vóór Dat Waar Hij Niet Aan Denkt. Het was een prima plek om een hapje te eten en een pilsje te drinken. Niet zo pretentieus, geen verwaande clientèle en een aangename bediening.

Zodra hij binnenkomt, merkt hij dat de sfeer is verdwenen. Er was wel wat voor nodig, hij weet het, om het geroezemoes, de charmante wirwar en het ongegeneerde gedrag te handhaven, maar als je één ingrediënt uit de saus weglaat, smaakt die nooit meer hetzelfde. Zeker, na de opknapbeurt is het er mooi geworden, maar dat is niet hetzelfde.

Hij vindt Brogeland in de bar. De inspecteur is niet in uniform. Er bruist iets in een helder glas dat naast hem staat. Ze schudden elkaar de hand.

'Maakt het je wat uit om aan een tafeltje te gaan zitten?' vraagt Henning. 'Het liefst in de buurt van de uitgang?'

Hij heeft geen zin om de reden uit te leggen, dus zegt hij alleen: 'Mijn rug gaat zo'n pijn doen van het staan.'

'Natuurlijk.'

Ze lopen naar het dichtstbijzijnde vrije tafeltje aan het raam, met uitzicht op de Grønlandsleiret. Auto's suizen voorbij. Ze zien er allemaal zilvergrijs uit. Een overdreven goedgemutste vrouw in kelnerkledij komt naar hen toe en kijkt hem aan.

'Willen jullie de menukaart zien?'

'Nee, dank u. Alleen een kop koffie.'

Brogeland geeft met een handgebaar aan dat hij genoeg heeft aan zijn bruisende verfrissing, en hij volgt haar met zijn blik als ze wegloopt en achter de bar uit het zicht verdwijnt. Als hij zich weer omdraait, spreken zijn ogen weer business. Hij zegt niets, kijkt Henning alleen maar aan met een blik van 'vooruit, vertel'. Die beschouwt dat als een teken dat Brogeland zich weer stukjes uit hun gemeenschappelijke verleden en uit de periode tussen school en beroepsleven herinnert.

Hij pakt het filmscript en laat dat op de tafel tussen hen in vallen.

'De sms'jes die Henriette Hagerup aan Mahmoud Marhoni heeft gestuurd op de avond dat ze werd vermoord, waren die niet toevallig in bewoordingen zoals deze?'

Hij toont hem de pagina met de eerste sms en bestudeert Brogelands ogen terwijl de politieman leest. Dit is een fluitje van een cent. Want Brogeland staat paf.

'Wat verd...'

'Dit is een filmscript dat Henriette Hagerup en een van haar studiegenoten hebben geschreven.'

Henning laat hem de twee volgende sms'jes ook zien. Brogelands ogen vliegen erover heen.

'Dat klopt woord voor woord! Hoe heb je dit in handen gekregen?'

'Anette Skoppum,' zegt Henning en hij wijst op haar naam op de voorkant. Brogeland buigt zich een beetje naar de tafel toe. Henning vervolgt: 'Het script gaat over een vrouw die wordt gestenigd in een kuil in de grond, in een tent op de Ekebergsletta, en uiteindelijk verdwijnt een onschuldig iemand voor de moord achter slot en grendel.'

'Marhoni,' zegt Brogeland zacht. Henning knikt. Hij besluit het meeste van wat hij de afgelopen dagen heeft gedacht en ontdekt op tafel te leggen. Hij houdt een monoloog van bijna vijf minuten. Daar zit een bewuste strategie achter. Ten eerste is het altijd goed om met iemand van gedachten te wisselen. Vaak krijgen gedachten een wat andere betekenis als je ze uitspreekt, ze hardop onder woorden brengt. Het is een beetje als met zinnen die je opschrijft. Papier is mooi, maar je weet niet helemaal of de zinnen werken totdat je ze uitspreekt.

Ten tweede wil hij dat Brogeland bij hem in het krijt komt te staan. Nu Henning ervan overtuigd is dat Brogeland hier niets vanaf wist voordat hij Lompa betrad, heeft Henning minstens één dienst van hem te goed. Dit is de ultieme manier om een goede relatie met een bron op te bouwen.

'Waar is Anette nu?' vraagt Brogeland als Henning is uitgesproken.

'Geen idee.'

'We moeten haar te pakken zien te krijgen.'

'Ik weet niet of dat zo eenvoudig is.'

'Wat bedoel je?'

'Ze weet dat Henriette om het script werd vermoord en als ik Anette was, zou ik bang zijn om zelf ook in een kuil terecht te komen.'

'Denk je dat ze zich schuilhoudt?'

'Zou jij dat niet doen?'

Brogeland antwoordt niet, maar Henning ziet dat de politieman het met hem eens is.

'Ik wil dat script graag meenemen.'

Henning staat op het punt dat te weigeren, maar hij weet dat dat hetzelfde zal zijn als een lopend onderzoek tegenwerken. En dat is strafbaar.

Hij kan het prima zonder iets strafbaars stellen.

'Maak maar een kopie voor me, dan is het in orde,' zegt Henning.

'Dat lukt wel. Sodeju, Henning, dit is...'

Hij schudt zijn hoofd.

'Ik weet het. Ik gok dat Gjerstad van zijn stoel valt als je dit op de volgende vergadering tevoorschijn haalt.'

Brogeland glimlacht. De meeste mensen met leidinggevenden weten wel wat negatiefs over hun baas te zeggen. Het kan gaan om lichaamsgeur, kledingsmaak, dialect of eetgewoonten, triviale dingen, of domweg de manier waarop zo iemand leiding geeft. Er zijn veel slechte leidinggevenden op de wereld.

Voor iemand als Henning, die bezig is een relatie met een bron op te bouwen, is humor over superieuren een mooi wapen. Als de bron daar tenminste vatbaar voor is. Het kan best zo zijn dat die zijn superieur graag mag of misschien zelfs een relatie met de betrokkene heeft. Je moet met andere woorden voorzichtig te werk gaan, het aankijken. Maar daar is hij goed in. En hij ziet dat Brogeland Gjerstads reactie voor zich ziet.

Brogeland drinkt een slokje van zijn bronwater en kucht.

'De dag dat Henriette werd vermoord,' zegt Brogeland terwijl hij zijn glas neerzet, 'bekeek Marhoni een foto die Henriette per mail had ontvangen.'

Henning kijkt hem aan.

'Een foto?'

'Ja.'

'Waarvan dan?'

'Van Hagerup en een man, maar we kunnen niet zien wie hij is. Ze omhelzen elkaar.'

'Zo'n omhelzing van hé, hallo, wat leuk om je te zien, of iets meer desastreus?'

'Het ziet er wel wat desastreuzer uit. Het lijkt alsof ze zich om zijn nek werpt.'

'En jullie zien niet wie de man is?'

'Nee. Maar hij ziet er behoorlijk volwassen uit. Boven de veertig.'

'En Henriette kreeg de foto per mail toegestuurd?'

'Ja.'

'Van wie dan?'

'Dat weten we niet. Nog niet, in elk geval. De foto werd gestuurd vanaf een mailadres dat ons niet meteen wat zegt. De computer waarvanuit de mail werd verstuurd, heeft een IP-adres dat in een internetcafé in Mozambique thuishoort.'

Brogeland spreidt gelaten zijn armen.

'Maar Marhoni had dus de mail van Henriette geopend en de foto gezien?'

'Ja. Hij ontkent, hoewel hij zegt dat alleen hij het apparaat gebruikt.'

'En dat is het enige waarnaar hij heeft gekeken?'

Brogeland schudt zijn hoofd.

'Hij heeft die dag ook zijn eigen mail en enkele websites bekeken. Niets bijzonders of compromitterends.'

Henning trekt het script naar zich toe en begint erin te bladeren. Het duurt niet lang om te vinden wat hij zoekt. Hij zet zijn wijsvinger midden op de pagina.

'Hier vraagt Merete of Mona "zijn laptop heeft geregeld". Zie je dat?'

Brogeland kijkt.

'Yashid nam een douche nadat ze hadden gevreeën, en het is duidelijk dat Mona het toen deed. Zijn laptop regelde.'

Brogeland knikt terwijl hij een laatste slok uit zijn glas neemt. Hij zet het met een klap op tafel en onderdrukt discreet een boer.

'Henriette kan hetzelfde hebben gedaan,' zegt hij enthousiast. 'Want de dag dat ze werd vermoord was ze bij Marhoni. En er waren duidelijke sporen dat ze een flinke beurt had gehad.'

'Ik weet het niet,' zegt Henning aarzelend.

'Wat niet?'

'Dat zou er toch op wijzen dat Henriette dit met open ogen deed. Dat ze bewust naar Mahmoud ging, een wip maakte, met zijn laptop rommelde toen hij het niet zag, en later op de avond vertrok om zichzelf te laten stenigen. Dat lijkt me niet erg logisch.'

Brogeland aarzelt, voordat hij met een knikje aangeeft het daarmee eens te zijn.

'Niemand laat zich vrijwillig stenigen, hoe ziek je in je hoofd ook bent,' gaat Henning verder. 'Ik kan me niet voorstellen dat Henriette dit heeft gedaan om een boodschap te verkondigen. De film zou immers haar boodschap zijn. Het kan toeval zijn dat ze juist die dag haar mail opende. Bij Marhoni. Of het kan zo zijn dat iemand wilde dat ze dat zou doen, zodat het er slecht uit zou zien voor Marhoni. Heeft ze omstreeks het desbetreffende tijdstip haar mobiele telefoon gebruikt?'

'Ja, dat heeft ze inderdaad, maar we hebben nog geen tijd gehad de gesprekken met elkaar te vergelijken.'

Henning vertelt dat er in het script niets staat over geselen, stunguns of een afgehakte hand. De politieman denkt even na.

'Hoe weet je die details? Die zijn niet aan de pers vrijgegeven.'

Henning glimlacht bij zichzelf.

'Bjarne toch.'

'Gjerstad is woest omdat iemand de afgelopen tijd naar de media heeft gelekt en dat kennelijk nog steeds doet.'

'En dat ben jij niet?'

'Nee, lieve hemel.'

'Ook niet die blonde, die vrouw bij wie jij zo kwijlt?'

'Nooit ofte nimmer.'

Dan dringt pas tot Brogeland door wat Henning zei.

'Wat bedoel j...'

'We verraden onze bronnen nooit,' zegt Henning. 'Dat weet je best. Ik zal ook jou nooit verraden, net zoals ik verwacht dat je mijn naam hierbuiten houdt.'

'Dat zal me niet lukken.'

'Dan niet. Maar ik ben niet van plan de komende dagen aan nieuwe verhoren op het politiebureau te verspillen. Als jullie mijn hulp hierbij willen blijven houden, dan praat ik met jou en met niemand anders. Oké?'

Hij ziet Brogeland nadenken. Tot nu toe heeft Henning met hetzelfde wantrouwen naar de politieman gekeken als in hun jeugd. Maar hij merkt dat daar verandering in begint te komen.

'Oké.'

'Mooi. Tariq komt trouwens ook in het script voor,' gaat Henning verder. 'Hij heeft echter alleen een bijrol.'

'Hij wordt niet vermoord?'

'Nee.'

'Dus is er iemand die zich vrijheden ten opzichte van het script veroorlooft.'

'Ja, of ze passen het aan. Of zorgen ervoor dat degenen die iets van de gebeurtenissen weten, om zeep worden geholpen.'

'Ik weet het niet helemaal.'

'Wat bedoel je?'

'Ik vind het niet als één dader klinken.'

'Hoe dan wel?'

'Dat Yasser Shah Hagerup én Tariq Marhoni heeft vermoord? Dat komt me onwaarschijnlijk voor.'

'Hij kan ze toch allebei hebben vermoord om Mahmoud een hak te zetten?'

'Mogelijk, maar dat lijkt me niet heel waarschijnlijk. Waarom zoveel moeite doen om Henriette te vermoorden, wanneer twee schoten in de borst en een in het voorhoofd van Tariq precies hetzelfde effect hebben?'

'Misschien wist Tariq wie de dader was. Misschien werd hij vermoord om een los eindje te verwijderen.'

'Dat zou dan betekenen dat Tariq veel meer wist dan we aanvankelijk dachten. Dat betekent ook dat zowel zijn broer als hij bij de een of andere smeerlapperij betrokken was.'

'Maar Tariq kwam niet als zo'n type op mij over. Hij nam foto's. Behalve dat leek hij heel vroom en oké.'

'Ja, dat weet jij beter dan ik. Jij hebt hem nog geïnterviewd, vlak voordat hij werd vermoord.'

'Ja. En hij heeft niets gezegd wat me opviel, in elk geval niets wat erop kon duiden dat iemand hem zou willen neerknallen. Het enige dat ik een beetje raar vond was dat hij even aarzelde om te vertellen wat voor werk zijn broer deed.'

'Precies.'

'Jullie hebben Yasser Shah ook nog niet gevonden, begrijp ik?'

'Nee. Hij is niet thuis, niet op zijn werk, op geen enkele plek waar hij altijd te vinden is, en de afgelopen dagen is er ook geen activiteit op zijn creditcard waargenomen. Ook is hij bij geen enkele grensovergang gesignaleerd.'

'Denk je dat hij nog leeft?'

'Of dat iemand hem heeft vermoord, bedoel je?'

'Ja? Dat is niet zo onwaarschijnlijk, aangezien ik hem heb geïdentificeerd en jullie op hem jagen. Yasser Shah was, naar wat ik uit zijn strafblad heb begrepen, geen grote vis. Hij is in het verleden alleen voor kleine vergrijpen veroordeeld. Dat kan erop wijzen dat hij een opdracht heeft uitgevoerd, voor geld, of dat iemand hem daartoe heeft gedwongen. En als er hier iemand de touwtjes in handen heeft en probeert zijn sporen uit te wissen, is Shah voor zo iemand potentieel een groot probleem. Hij weet ongetwijfeld veel. Misschien zelfs wel alles, zowel over Hagerup als waarom Tariq werd vermoord.'

'Tja, maar die lui houden elkaar de hand boven het hoofd. Ze hebben procedures om mensen verborgen te houden, mochten ze in de problemen komen.'

'Misschien. Maar denk je dat ze dat risico durven lopen? We hebben het hier wel over moord.'

'Ik weet het niet. Ik weet niet zoveel over de BBB. Ze kwamen aan de oppervlakte nadat ik bij Charlie was gestopt en het bendeproject werd opgericht.'

Henning denkt even na. Hoe meer hij de argumenten van alle kanten bekijkt, hoe meer hij het met Brogeland eens is. De moord op Tariq had niets met de moord op Henriette Hagerup te maken. Want Tariq was te onbeduidend. Hij was geen speler in het geheel. Het enige dat hij deed, was foto's maken.

Dan beseft hij het opeens. En als die eerste gedachte er eenmaal is, volgen er meer. Henning denkt dat Tariq Marhoni werd vermoord om zijn broer iets duidelijk te maken. Daarom houdt Mahmoud zijn mond, daarom stak hij zijn laptop in brand. Daar staat iets op wat anderen erbij betrekt. Anderen die bereid zijn te moorden om de inhoud verborgen te houden. En hij denkt niet dat dat iets een foto is van Henriette en een vooralsnog onbekende man.

Hij deelt zijn gedachten met Brogeland, die geruime tijd zwijgt. Als hij weer praat, dan doet hij dat zachtjes. Hij is een en al ernst: 'Als wat je zegt klopt, dan moeten we onze greep op de BBB verstevigen. En dat betekent nóg iets, Henning,' zegt hij en hij kijkt de journalist strak aan. 'Dat betekent dat je er verstandig aan doet de komende tijd voorzichtig te zijn.'

'Wat bedoel je?'

'Als deze knapen net zo zijn als andere bendes die in Oslo opereren, dan hebben we het over hardcore smeerlappen. Ze hebben geen geweten. Als jij als enige Yasser Shah aan de plaats delict kunt koppelen, ben je er – in hun ogen – geweest. Zoals ik al zei, ze houden elkaar de hand boven het hoofd. Daarnaast heb jij misschien gezorgd voor meer aandacht voor hen en voor wat ze doen, wat hun inkomensbasis kapot kan maken, of in elk geval sterk kan reduceren. Deze knapen zijn helemaal in de ban van winst. Alles bij elkaar wordt dat een heel dodelijke cocktail.'

'Dus ze gaan me uit de weg ruimen, bedoel je?'

Brogeland kijkt hem ernstig aan.

'Die mogelijkheid is in elk geval zeer wel aanwezig.'

'Misschien wel,' zegt Henning en hij kijkt uit het raam. Aan de overkant van de weg staat een man te roken. De journalist kijkt naar hem. De man kijkt terug. Lang.

Hij denkt na over wat Brogeland heeft gezegd. Zijn gezicht staat in alle dagbladen. Het is een koud kunstje om uit te vinden waar hij werkt, waar hij woont, wie zijn verwanten zijn.

Shit, zegt hij bij zichzelf.

Mama.

Hoofdstuk 45

De man aan de overkant van de straat is niet meer te zien. Henning had geen tijd gehad hem nauwkeurig in zich op te nemen, hij heeft alleen gezien dat de man klein en gedrongen was. Kaal was hij ook, niet bleekkaal als een etnische Noor, maar eerder Mekkabruin. Hij droeg een korte broek en een wit, open overhemd met korte mouwen waarop een paar figuurtjes stonden die Henning moeilijk kon onderscheiden in de korte tijd dat hij naar hem keek. Maar de man is nu verdwenen.

Onder het lopen belt Henning zijn moeder. De telefoon gaat over. Hij gaat lang over. Hij begint bang te worden. Henning weet dat ze eigenlijk niet zo slecht ter been is, dat het haar alleen wat tijd kost om zich van het ene punt naar het andere te begeven wanneer ze last heeft van haar COPD.

Hij laat de telefoon rinkelen. Misschien is ze alleen maar knorrig, denkt hij en laat ze de telefoon lang overgaan om hem een slecht geweten te bezorgen. Dat werkt meestal wel. Nu ook. Maar verdomme, mama, zegt hij bij zichzelf. Neem nu eens op, godverdomme!

Hij steekt de kruising over waar de Tøyengata begint. Hij houdt zijn gezicht naar beneden, probeert het zo goed mogelijk te verbergen, terwijl hij zijn hart steeds sneller onder zijn overhemd voelt slaan. Godverdomme, moedertje, denkt hij weer en hij versnelt zijn pas, voelt hoe zijn benen hem tegenwerken, maar hij weet dat hij al naar haar op weg is. Als ze niet opneemt, moet hij zich haasten, onder het lopen kijkt hij om zich heen, maar er is alleen wirwar, overal zijn mensen, auto's, taxi's, hij ziet ze, maar hij ziet ze niet écht, toch heeft hij het gevoel dat hij bekeken wordt, dat iemand hem volgt, het ruikt scherp, naar kruiden, hij loopt langs de videotheek bij de ingang van metrostation Grønland en net als hij wil opleggen, houdt het gerinkel aan de andere kant op. Maar hij hoort niemand praten.

'Mama?' zegt hij, zwak. Hij betwijfelt of zijn stem door het lawaai van Grønland draagt, maar hij hoort haar ademhaling. In elk geval haar pogingen om adem te halen.

Er is niets gebeurd. Niets nieuws, tenminste, want hij hoort aan haar dat ze boos is. Zonder dat ze iets zegt. Dat is het merkwaardige aan haar. Ze kan een voordracht houden zonder ook maar een woord te zeggen. Een blik, een zucht, wat gebrom of een draai met haar hoofd is voldoende. Christine Juul heeft een heel arsenaal aan gevoelens of bedoelingen die nooit worden uitgesproken. Ze is een beetje als La Linea, het figuurtje uit het kinderprogramma op tv waarbij de achtergrond van kleur verandert, afhankelijk van de gemoedstoestand waarin La Linea verkeert.

Meestal loopt het verkeerd met La Linea af.

'Ben je daar?' gaat hij verder.

Snif.

Precies.

'Hoe gaat het, mama?' vraagt hij en hij beseft meteen het zinloze van die vraag.

'Waar bel je voor?' bromt ze aan de andere kant van de lijn.

'Ik wilde alleen...'

'Ik heb melk nodig.'

'Eh...'

'En meer sigaretten.'

Hij weet niet waarom hij wacht tot ze zegt dat hij ook voor haar naar de slijterij moet, want dat zégt ze nooit, ze laat dat alleen als een onzichtbare brug tussen zijn telefoon en die van haar hangen, alsof ze verwacht dat hij het zal begrijpen zonder dat ze het zegt. En dat doet hij toch? Misschien daarom.

'Prima,' zegt hij. 'Ik kom gauw langs. Ik weet niet of het me vandaag lukt, want ik heb een heleboel te doen, maar het duurt niet lang meer. En nog iets, mama. Doe niet open voor iemand die je niet kent. Oké?'

'Waarom zou ik überhaupt voor iemand opendoen? Er komt hier toch nooit iemand.'

'Maar mócht er aangebeld worden, en het is iemand anders dan Trine of ik, doe dan niet open.'

'Jullie hebben een sleutel.'

'Ja, maar je...'

'En ik heb een tijdschrift nodig.'

'I...'

'En suiker. Ik zit zonder suiker.'

'Oké. Tot gauw.'

Klik.

Hoofdstuk 46

Zaheerullah Hassan Mintroza zit te eten. Net als gisteren is het vandaag kip biryani met chapati, maar het smaakt niet als in Karachi. Het smaakt zelden als in Karachi. Hassan weet niet waar dat door komt, want de ingrediënten zijn dezelfde, ze worden vrijwel dagelijks naar Oslo gevlogen, en het zijn ook Pakistani die in Noorwegen dit eten maken. Maar misschien heeft het te maken met de materialen waarop de gerechten worden gemaakt, de temperatuur in de omringende lucht, de luchtvochtigheid, de liefde waarmee het eten wordt bereid.

Hassan herinnert zich hoe Julie, de heerlijkste minnares die hij ooit heeft gehad, hem op een avond toen hij op bezoek kwam, verraste met het bereiden van een Pakistaanse lamsstoofpot met mintchutney en naanbrood. Ze had het recept van Wenche Andersen in *Goedemorgen, Noorwegen* gekregen. Julie had zelfs geprobeerd zelf naanbrood te maken.

Het smaakte goed, maar meer ook niet. Een echt naanbrood moet in een tandoorioven worden gebakken, helemaal achterin, en het mag niet langer dan vijftien tot twintig seconden bakken. En in de lamsstoofpot zat te veel koriander en gember, maar veel te weinig chili.

Hij dumpte haar een maand later. Geen van zijn andere minnaressen heeft eten voor hem mogen koken. Ze weten wat hij van hen verlangt, en eten op tafel als hij bij hen op bezoek komt, is niet de reden dat hij hun huur betaalt.

In Pakistan zijn alle koks mannen. Geen enkele vrouw kan zich met hen meten. Zo is het nu eenmaal.

Hassan kijkt naar een aflevering van *MacGyver*, als naast zijn bord zijn mobieltje begint te trillen. Hij slikt een groot stuk kip door, een iets te groot stuk dat hij langs zijn gehemelte en door zijn keelgat moet persen. Hij spoelt alles weg met cola voordat hij opneemt. Als hij dat ten slotte doet, gebeurt dat met een bruusk 'ja' en met het eten nog ergens in zijn keel.

'Met Mohammed. We hebben hem gevonden.'

Hassan slikt nog een keer.

'Mooi. Waar is hij?'

Meer cola.

'Hij loopt op straat. Nu op de Grønlandsleiret. Wil je dat we hem nu meteen pakken?'

Hassan roert even met de vork in het bord.

'Nu midden op de middag? Ben je helemaal besodemieterd? We hebben de afgelopen tijd genoeg in de belangstelling gestaan.'

'Oké.'

Hassan neemt weer een hap.

'Trouwens, ik wil hem graag spreken voordat hij doodgaat. Ik wil weten hoe hij die verdomde littekens heeft opgelopen,' zegt Hassan al kauwend. Hij legt zijn vork weg en veegt zijn mond af.

'Oké.'

'Ik wil weten waar hij zich de rest van de dag ophoudt. Doe niets voordat jullie met mij hebben gesproken.'

Wederom oké.

'En zet een auto voor de plek waar hij werkt en de plek waar hij woont.'

'Prima, chef.'

Hassan hangt op en eet de rest op. Beslist geen kip biryani morgen. Nee, hij denkt meer aan dalsoep, misschien een paar koningsgarnalen die met ui en paprika aan een spies in de tandoori zijn gegrild. Ja. Beslist koningsgarnalen. Een maaltijd een koning waardig.

Hoofdstuk 47

Het is bijna vier uur, maar Henning besluit toch even bij de redactie langs
te gaan. Hij heeft niets te schrijven, want hij heeft niet het gevoel dat hij
over wat hij heeft ontdekt al kán schrijven, maar hij is niettemin aan het
werk. Hij heeft zijn gezicht daar sinds die ochtend niet laten zien. Ik zou
een rapportje moeten schrijven voor Heidi of Kåre met zijn Tourette,
denkt hij. Misschien ook even een praatje maken met Gundersen, als hij
aanwezig is.

Hij steekt de straat over bij het Vaterlandspark, heeft de euvele moed
midden in het ergste spitsuur zijn benen buiten de zebrapaden over straat
te slepen, als zijn aandacht wordt getrokken door een auto aan de andere
kant van de van verkeerslichten voorziene kruising. Het is geen zilvergrijze Mercedes, eerder een Volvo van een model dat hij van zo'n grote afstand
niet kan uitmaken, maar de auto schiet vooruit als het licht van groen op
oranje springt. Dan moet de bestuurder boven op de rem gaan staan, omdat de auto voor hem hem er niet door wil laten. De banden gieren. En er
wordt getoeterd. Overal in Oslo wordt getoeterd. De hele dag.

De Volvo krijgt antwoord van de auto ervoor. Henning verwacht half
een confrontatie, dat de Volvoman uitstapt en de chauffeur in de auto
voor hem de huid vol scheldt, maar dat gebeurt niet. In plaats daarvan laat
de passagier van de Volvo het raampje zakken en steekt zijn hoofd naar
buiten. Henning ziet hem niet, niet hoe hij eruitziet, niet meer dan het
montuur van een goudglinsterende zonnebril, ook al is er mijlenver geen
zonnestraal te bekennen.

Hij registreert het ook omdat hij meteen het gevoel krijgt dat de man
naar hém kijkt. Als iedereen eruitziet als Ray Ban, denkt Henning, heeft
hij misschien niet zoveel te vrezen. Maar er bestaan ook idioten met pistolen. Als je een hoofd met voldoende munitie volstopt, is het ongelooflijk
wat een idioot kan uitrichten.

Die gedachte maakt dat hij zich haast en hij besluit met een omweg naar
de Urtegata te gaan. Het gebied tussen de Grønlandsleiret en de Urtegata
kan als weinig vriendelijk overkomen, ongeacht het moment van de dag,

dus loopt hij de Brugata in, begeeft zich onder de mensen bij de bushalte en neemt tramlijn 17 die een paar minuten later arriveert. Hij rijdt mee tot een eindje in de Trondheimsveien en stapt uit bij de supermarkt, loopt door de Herslebs gate over het trottoir tot hij weer het grote, gele gebouw aan het begin van de Urtegata ziet. Auto's suizen hem op beide rijbanen voorbij, het is midden in het spitsuur, en als iemand hem zou willen pakken of vastgrijpen, is het onmogelijk om dat op die plek te doen. Met een miljoen getuigen en geen wegen om hard op te rijden, kan hij zich veilig voelen. Relatief veilig in elk geval.

Misschien ben ik gewoon paranoïde geworden, denkt hij, misschien sta ik al te lang buitenspel om te weten dat dit volkomen normaal is, er gaat niets gebeuren. Maar er was iets in de manier waarop Bjarne Brogeland het zei dat hij aan het denken werd gezet. Brogeland maakte zich zorgen. Hij heeft eerder met deze knapen van doen gehad. En zoals Nora zei: het zijn geen lieverdjes.

Hij betrapt zich erop dat hij zich afvraagt waar dit zal eindigen. Want als ze eropuit zijn hem uit de weg te ruimen, zoals Brogeland suggereerde, omdat hij Yasser Shah in het appartement van Tariq Marhoni kan plaatsen, zullen ze niet stoppen voordat ze in hun missie zijn geslaagd.

Hoofdstuk 48

Hij moet een paar zaken uitzoeken. Hij denkt daaraan als hij de redactie binnenkomt en bij de koffieautomaat bijna tegen Kåre Hjeltland opbotst. Kåre wil opzij stappen als hij ziet wie het is.

'Henning!'

'Hallo, Kåre,' antwoord Henning. Kåre kijkt hem aan alsof hij Elvis is.

'Hoe gaat het met je? Verdorie! Shit, jij moet toch wel doodsbenauwd zijn geweest?'

Henning aarzelt en zegt: 'Ja, tja, ik was wel bang, ja.'

'Maar wat is er dan verdorie gebeurd, man?'

Hij doet een stap achteruit en hoopt dat Kåre dat niet merkt. Terwijl hij de korte versie oplepelt, kijkt hij in het vertrek om zich heen. Gundersen is er niet. Maar hij ziet Heidi. En hij ziet dat Heidi hem ziet.

'Luister, ik kon het niet redden voor de plenaire vergadering van vandaag,' zegt hij. 'Ik hoorde dat Sture een paar woorden zou spreken?'

'Ja, het was bepaald geen lolletje om daarbij te zijn, ha ha. Oud nieuws. Jij had geluk dat je een goede reden had om te ontkomen, ontkomen, ONT-KOMEN!'

Kåre glimlacht met zijn hele gezicht nadat een tic tot rust is gekomen.

'Maar wat zei hij?'

'Niets wat we al niet eerder hebben gehoord. Slechte tijden, jullie moeten meer pagina's genereren, het liefst sneller, zo niet, dan moeten we bezuinigen, en boe-fucking-hoeoe.'

Kåre glimlacht van oor tot oor – een hele tijd. Heidi zou míj nu vast en zeker wel willen wegbezuinigen, denkt Henning. Maar wie dan leeft, wie dan zorgt. Enzovoort.

Hij verontschuldigt zich en zegt dat hij een paar woorden met Heidi moet wisselen voordat hij naar huis gaat. Kåre begrijpt het en klopt hem drie keer hard op de schouder. Dan raast hij gewoon door. Henning draait zich om naar Heidi en besluit haar voor te zijn.

'Hallo Heidi,' zegt hij. Ze draait haar hoofd naar hem toe.

'Waarom verd...'

'Slechte tijden, tamme advertentiemarkt, we moeten meer pagina's leveren, bezuinigingen.'

Hij gaat zitten zonder haar aan te kijken. Hij voelt haar blik, denkt aan de Noordpool.

'Klopt dat niet?'

Hij zet de computer aan. Heidi schraapt haar keel.

'Waar was je?'

'Aan het werk. Is Iver er?'

Heidi antwoordt niet meteen.

'Eh, nee. Hij is al naar huis.'

Nog steeds kijkt hij haar niet aan en hij probeert zich niet te laten beïnvloeden door de akelige stilte die om hen heen hangt. Heidi verroert zich niet. Als hij zijn blik op haar richt, is hij verrast door haar ogen. Het lijkt alsof ze een lekke band heeft en er in de verre omtrek geen bushalte te vinden is.

'Ik ben met een goede zaak bezig,' zegt hij met een vriendelijker stem en hij vertelt over de ontmoetingen met Yngve Foldvik en Tore Benjaminsen, hij vertelt dat de politie binnenkort Mahmoud Marhoni niet meer als verdachte zal beschouwen en dat de aandacht vervolgens op de andere bekenden van Henriette Hagerup zal komen te liggen. Hij zegt niets over zijn bronnen, maar Heidi knikt toch en gaat er verder niet op door.

'Dat klinkt als een goede zaak,' zegt ze. 'Blijft dit tussen ons?'

'Ja.'

'Dat is goed.'

De angel is uit haar stem. Misschien heb ik haar op de knieën gedwongen, denkt Henning. Misschien heb ik de Strijd gewonnen. Of misschien is ze als Anette Skoppum. Misschien is ze een van die mensen die voortdurend probéren, en die verdrietig worden als het hun niet lukt.

Heidi gaat tien minuten later naar huis. Ze zegt warempel tot ziens. Dat doet hij ook. Dan keren zijn gedachten terug naar de drie dingen die hij van plan was uit te zoeken. Hij begint met Take Five Films.

Een slimme naam, als je van woordspelletjes houdt. Hij vermoedt dat het bedrijf werd opgericht door mensen die graag regelmatig een pauze inlassen en die in hun manifest hebben staan dat vijf minuten pauze geen overbodige luxe is. Hij verheugt zich op de krantenkoppen op de dag dat Take Five Films op hun interruptiebeleid wordt gewezen. Dat valt moeilijk te voorkomen.

Hij bekijkt alles wat hij over het bedrijf op internet kan vinden. Ze hebben een paar films geproduceerd die hij niet heeft gezien en die hij ook niet zal gaan zien. Ze hebben een website waarvan de homepage een collage heeft met foto's van verschillende Hollywoodproducties en met een T en twee keer een F in bloedige hoofdletters. Hij herkent meteen beelden uit *Gladiator*, *Ocean's Eleven*, *Pirates of the Caribbean*, *Spiderman*, *Titanic*, *Lord of the Rings* en *Jurassic Park*. Er zijn er nog meer, maar die kan hij zo snel niet thuisbrengen. Er staat *Make visible what, without you, might perhaps never have been seen* in kleine lettertjes onder aan de pagina, met de naam Robert Bresson tussen haakjes.

Hij dubbelklikt en vindt algauw het tabblad voor contactinfo. Tot de staf van Take Five Films horen twee producenten en een regisseur. Hij besluit degene die boven aan de pagina staat te bellen, om geen enkele andere reden dan dat die zo'n allemachtig mooie voornaam heeft. Hij toetst het mobiele nummer in van Henning Enoksen en er wordt na lang overgaan opgenomen.

'Hallo, met Enok.'

De stem is donker en diep, maar tegemoetkomend.

'Hallo, ik ben Henning Juul.'

'Hallo, Henning,' zegt Enoksen, op een manier die hem ervan overtuigt dat ze elkaar al een eeuwigheid kennen.

'Ik werk bij de internetkrant *123nieuws*. Ik ben bezig met een artikel over Henriette Hagerup.'

Even valt er een stilte.

'O ja? Waarmee kan ik van dienst zijn?'

Henning legt snel uit wat hij wil weten, dat hij nieuwsgierig is naar het filmscript dat Henriette Hagerup heeft geschreven en waarop Take Five Films een optie had genomen.

'Hagerup, ja,' zegt Enoksen en hij zucht. 'Dat is een triest geval.'

'Ja,' zegt Henning en hij wacht tot Enoksen wat meer zegt. Dat doet hij niet. Henning schraapt zijn keel.

'Kun je iets over het script vertellen?'

'Ga jij daarover schrijven?'

'Nee, dat denk ik niet.'

'Waarom wil je er dan iets over weten? Zei je niet dat je journalist was?'

De deductieve vermogens van Enok maken indruk.

'Ik heb alleen het gevoel dat het script belangrijk kan zijn.'

'Waarvoor?'

Iets zegt hem dat Enok op de basisschool een kwelling voor de leraren was.

'Om uit te zoeken wat er is gebeurd en wie haar heeft vermoord.'

'Aha.'

'Dus kun je een paar woorden zeggen over het script dat ze heeft geschreven en waarvan jullie duidelijk vinden dat het zo goed is dat het de moeite loont om er iets mee te gaan doen?'

Geklik op een pc op de achtergrond, vingers die ijverig op een toetsenbord rammelen.

'Tja, mijn collega Truls had eigenlijk het meest contact met haar.'

'Dus je hebt het script niet gelezen?'

'Jawel, natuurlijk wel...'

'Waar gaat het over?'

Meer geklik.

'Het gaat over...'

Hij zwijgt en kucht.

'Het gaat over, eh, eigenlijk weet ik niet helemaal waar haar script over gaat. Zoals gezegd heeft Truls onderhandeld met Henriette en Yngve en...'

'Yngve?'

'Ja?'

'Yngve Foldvik?'

'Klopt. Ken je hem?'

'Was Yngve Foldvik bij het script betrokken?'

'Hij was haar begeleider, geloof ik.'

'Ja, maar ik dacht dat ze in haar eentje aan het script had gewerkt? Niet als onderdeel van een schooltaak?'

Enok antwoordt niet meteen.

Henning bedenkt dat Yngve Foldvik een man is met wie hij nog een keer moet praten.

'Is het gebruikelijk dat Truls en jij opties nemen zonder met elkaar te overleggen?'

'Nee, met dit script ging het wat anders dan anders.'

'Hoe dan?'

'Truls en Yngve hebben eerder samengewerkt en Yngve heeft ons over het script van Hagerup getipt.'

'Juist.'

'Maar het is dus alleen een optie.'

'Wat wil dat in de praktijk zeggen?'

'Dat betekent dat we potentie in de materie zien en dat we wat tijd willen spenderen om het idee verder te ontwikkelen, willen kijken of we er een mooie film van kunnen maken.'

'Jullie verplichten je dus verder nergens toe?'

'Klopt.'

De vraag kwam zomaar, maar zijn hersens waren druk in de weer om dat wat hij zojuist te weten was gekomen te absorberen. Yngve Foldvik was dus persoonlijk betrokken bij een schrijfproject waarmee Henriette Hagerup had geprobeerd een voortijdige carrièrestart te maken. Henning vraagt zich af of Foldvik net zo persoonlijk in al zijn studenten is geïnteresseerd, of dat zijn enthousiasme aan jonge, knappe vrouwen met een extrovert karakter en een flirterige natuur is voorbehouden.

'Zou ik dan misschien een paar woorden met Truls kunnen wisselen?' vraagt hij, terwijl hij tegelijkertijd de websites van het bedrijf checkt en ontdekt dat Truls met zijn achternaam Leirvåg heet.

'Eh, hij heeft het op dit moment een beetje druk,' zegt Enok snel.

'Oké.'

Hij wacht bewust een paar tellen. Maar Enok gaat er niet op door.

'Ik kan het later op zijn mobiel proberen. Als je tegen hem kunt zeggen dat ik hem graag wil spreken, zou dat mooi zijn.'

'Ik zal proberen eraan te denken.'

'Bedankt.'

Henning hangt op terwijl hij zich afvraagt wat Enok op het puntje van zijn tong had liggen, dat het geruis in de telefoonlijn zo liet sidderen.

Hoofdstuk 49

Een paar snelle zoekopdrachten op internet vertellen hem dat Henriettes ouders Vebjørn en Linda heten en dat ze een oudere broer heeft (Ole Petter). Hij voert dezelfde zoekopdracht voor Anette Skoppum uit. Haar ouders (Ulf Vidar en Frøydis) zijn over de zeventig, Anette is dus een echt nakomertje. Ze heeft drie oudere zussen, Kirsten (38), Silje (41) en Torill (44). Het kost maar een paar minuten om vast te stellen dat de familie Hagerup noch de familie Skoppum een goede match voor de familie Gaarder is.

Hij klikt het weg en gaat vervolgens naar een openbaar register van alles wat met vergunningen en vergunninghouders te maken heeft. Daar kun je in drie verschillende categorieën op informatie zoeken, afhankelijk van waar je naar op zoek bent. 1) Activiteit, manager; 2) Vergunning; 3) Provincieoverschrijdende transportvergunning. De website is samengesteld door het ministerie van Verkeer in samenwerking met de provincie Hordaland.

Henning plaatst de knipperende cursor in categorie twee en kiest Oslo als provincie, taxi als vergunningstype en toetst 2052 als volgnummer in. Daarna drukt hij op enter. Het antwoord komt binnen een seconde. En dat doet zijn adem stokken.

Omar Rabia Rashid.

Hij herinnert zich meteen waar hij die naam eerder heeft gehoord. Omar Rabia Rashid is de man voor wie Mahmoud Marhoni als taxichauffeur werkte. Henning weet dat dit geen toeval kan zijn. Waarom zou Omars taxi zich anders exact op dat moment daar bevinden met twee personen erin die met een valse blik in de ogen naar hem loerden?

Omar staat met drie taxi's geregistreerd in Oslo, Henning klikt op het cijfer 3 en belandt vervolgens op een pagina met 'Informatie over de vergunninghouder'. Dat zou ook om een tapvergunning kunnen gaan, denkt hij, maar hij is meer geïnteresseerd in de tekst die het scherm binnen een paar tellen vult. Zijn ogen vliegen over de details en hij glimlacht. Omar, denkt hij.

Nu weet ik waar je woont.

Hij besluit naar huis te gaan. De behoefte om even rustig te gaan zitten, wat na te denken en uit te zoeken wat hij verder zal gaan doen, dringt zich op. Hij wacht tot een paar anderen in het gebouw, twee vrouwen, naar buiten gaan en kuiert achter hen aan. Ze lopen het geasfalteerde terrein voor het gele gebouw op. De zwarte poort is open. Hij laat een paar meter tussen zichzelf en de vrouwen komen, loopt het trottoir op en kijkt om zich heen. Vierkante blokken beton delen de Urtegata in tweeën. Het is niet mogelijk om vanaf zijn kant verder richting Grønland te rijden.

Een Honda en een Ford staan achter de betonnen blokken geparkeerd. Niemand erin. Voor het gebouw van het Leger des Heils zit een man tegen de muur met een schurftige hond aan zijn voeten. Mocht hij plotseling opspringen en een kalasjnikov tevoorschijn halen, is Henning ook daar op voorbereid. Overal zijn open stukken, de Akerselva stroomt met hoge snelheid naar de voet van de heuvel, en het is eenvoudig om de mond van een vuurwapen uit een auto of een raam te steken en erop los te ratelen.

Nee. Nu is het genoeg. Hij brengt het niet op om overal naar de loop van een geweer uit te kijken. Hij is nog maar een paar dagen weer aan het werk en dan denkt hij al dat nietsontziende misdadigers hem willen proberen te scalperen. Genoeg! Ik wil het niet zo, zegt hij bij zichzelf.

Hij besluit over het trottoir te lopen, goed de tijd te nemen en van het namiddagzonnetje te genieten dat door het dichte wolkendek boven Oslo Plaza heen is gebroken. Hij nadert Grünerløkka met een toenemend gevoel van controle, en daarom kunnen de rookmelders hem, als hij eenmaal in zijn appartement is, voor één keer niets schelen. Op het moment dat hij de keuken wil binnengaan, houdt hij plotseling halt.

Verdomme, denkt hij. Ik kan toch niet doen alsof díé me niets kunnen schelen?

Hoofdstuk 50

Dit wordt leuk, zegt Brogeland tegen zichzelf als hij bij Arild Gjerstad op de deur klopt. Gjerstads diepe stem roept 'kom binnen' vanaf de andere kant. Brogeland gaat naar binnen. Gjerstad zit met de telefoon aan zijn oor, maar wijst naar een stoel voor het bureau. Brogeland neemt plaats. Was Sandland hier maar, denkt hij, misschien dat dan...

Gjerstad bromt en luistert. Hij luistert lang, maar ten slotte knikt hij en zegt: 'Oké. Dan doen we het zo. Hou me op de hoogte.'

Hij legt neer en kijkt tegelijkertijd naar Brogeland.

'Ja,' zegt Gjerstad als hij zwaar uitademt. Er zit een spoortje van een zucht in de stem, maar Brogeland probeert dat weg te drukken. Want nu gaat hij de show stelen. Hij legt Hagerups filmscript op het bureaublad en kijkt verwachtingsvol toe als de lange onderzoeksleider de papieren oppakt en er langzaam in begint te bladeren.

Brogeland besteedt de volgende minuten aan vertellen en uitleggen. Als hij klaar is, ligt er in Gjerstads ogen geen tevreden blik. Eerder het tegenovergestelde.

'Dus je hebt dit van Henning Juul gekregen?'

'Ja, Juul is...'

'Ik zal je één ding over Henning Juul vertellen,' zegt Gjerstad en hij staat op. Hij loopt de kamer door.

'Een paar jaar geleden hadden we een zaak waarin een man prostituees in Oslo vermoordde. Het was geen Jack the Ripper, verre van dat, maar hij vermoordde enkele meisjes uit Nigeria en dreigde er nog meer te vermoorden als de politie hen niet uit de straten van Oslo verwijderde. Hij nam openlijk contact met ons op en vertelde over zijn plannen.'

'Ik herinner me de zaak. Wa...'

'We konden die meisjes natuurlijk niet weghalen, ook al zouden we dat hebben gewild. Het spreekt voor zich dat we nooit aan dat soort dreigementen toegeven, maar die meisjes verplaatsen zich ook voortdurend en hebben mensen om zich heen die hen beschermen.'

Gjerstad strijkt over zijn snor en gaat vlak voor Brogeland staan.

'Henning Juul slaagde erin uit te vogelen dat er een moordenaar actief was die in een gesprek met ons meer moorden had aangekondigd, en toen het volgende Nigeriaanse meisje opdook met zevenenveertig messteken in rug, buik, borst en gezicht, begon Juul ons methodisch tegen te werken. Wíj waren de grote, lelijke, boze wolf, omdat we niets met de dreigementen van de moordenaar deden. Het hoogtepunt was dat Juul zelf de dader op wist te sporen en hem een interview afnam – zonder dat aan ons te vertellen zodat we konden uitrukken en die vent konden oppakken. Het was voor Juul dus belangrijker om ons te grazen te nemen dan een man tegen te houden die Nigeriaanse vrouwen vermoordde. Wat zegt jou dat over Henning Juul?'

Brogeland zoekt naar een antwoord op de vloer, maar vindt dat niet.

'Waarom denk je dat hij hiermee bij jou kwam?' vraagt Gjerstad en hij wijst op het script. 'Denk je dat hij dat deed om de politie te helpen of denk je dat hij dat deed om zichzelf te helpen?'

Brogeland herinnert zich dat Gjerstad bekend staat om zijn retorische capaciteiten. En Brogeland heeft ook nu geen antwoord.

'Het kan best zo zijn dat Juul iets belangrijks heeft ontdekt, maar je moet geen seconde denken dat hij dit doet omwille van de samenleving. Hij gebruikt je, Bjarne. Ik geloof dat wat er met hem is gebeurd, hoe tragisch dat ook was, iets met hem heeft gedaan. Zoals ík Henning Juul ken, wed ik dat hij nóg cynischer en manipulatiever is geworden.'

Brogeland weet niet wat hij moet zeggen, dus hij zegt niets.

'Heb je hier nog iets mee gedaan?' vraagt Gjerstad en hij wijst op het script.

'Ik heb geprobeerd Anette Skoppum te pakken te krijgen, maar tot dusver zonder succes. Ze reageert niet op telefoontjes en ze is niet in haar appartement. Ik heb Emil erheen gestuurd om met haar te praten, en omdat ze er niet was, heb ik een eenheid voor de deur geplaatst.'

'Waar woont ze?'

'In Bislett.'

'Oké.'

'Ze heeft een paar uur geleden ook in totaal 5000 kronen opgenomen bij een pinautomaat in de Akersgaten.'

'Vijfduizend? Dat is veel. Maar dan is ze in elk geval in leven.'

'Hoogstwaarschijnlijk. Het kan erop wijzen dat ze niet van plan is de komende tijd meer cash op te nemen. Ik heb Emil doorgestuurd naar haar school om daar rond te kijken en met haar vrienden te praten, maar ik heb niets meer van hem gehoord.'

Gjerstad knikt en wacht op meer, maar Brogeland is leeg. Hij voelt zich ook leeg. Het is toch maar goed dat Sandland er niet bij is.

Kan Henning Juul werkelijk zo cynisch zijn geweest? Een dader laten lopen, enkel en alleen om een goed artikel te publiceren? Natuurlijk kan dat. Maar kan Juul hém voor de gek houden? Ze kennen elkaar toch. Tenminste een beetje.

Brogeland kijkt naar Gjerstad, die weer achter zijn bureau gaat zitten en in papieren begint te bladeren. Als er íéts is wat Brogeland in de loop van de zeventien maanden dat hij met Gjerstad samenwerkt heeft geleerd, is dat wanneer de chef zich een mening over iemand heeft gevormd, er heel wat voor nodig is om die te veranderen. Misschien is dat de reden dat hij een bekwaam politieman is, denkt Brogeland. Of dat hij daardoor nooit een fantastisch politieman wordt.

Brogeland staat op, wacht tot Gjerstad iets zal zeggen. Maar hij doet dat niet. Brogeland vertrekt en doet de deur achter zich dicht.

Hoofdstuk 51

De brandende ogen van Jonas rukken hem uit zijn slaap. Hij vloekt, gaat rechtop zitten, treft zichzelf aan op de bank voor de tv en beseft dat hij midden in een aflevering van de *That 70's Show* in slaap moet zijn gevallen.

De tv staat nog aan. Het scherm wordt gevuld door een man met blond haar die kaas eet, terwijl een schare vrouwen van verschillende kleuren en vormen, en één man, van plaats wisselen. Henning leunt achterover en denkt aan schuimende golven. Blijf ademhalen, zegt hij bij zichzelf. Blijf ademhalen.

Hij denkt aan *Nemo*, de tekenfilm waarin de bekende acteur Trond Viggo Torgersen de stem is van Nemo's vader die tijdens de jacht op zijn verdwenen zoon de vis Dory tegenkomt die maar nauwelijks nog haar eigen naam weet, maar die gek is op zingen. Henning hoort haar in zijn hoofd: blijf zwemmen, blijf zwemmen.

Hij weet zeker dat ze *Nemo* wel dertig keer hebben gezien, vooral tijdens de zomer waarin ze vakantie vierden op een idyllisch Deens eilandje met de naam Tunø. Het regende de hele tijd. Ze konden amper het charmante huisje verlaten dat ze op het autovrije eiland hadden gehuurd. Maar Jonas was gek op *Nemo*. Wat zou die vakantie zijn geweest zonder *Nemo*!

De mobiele telefoon ligt te trillen op de salontafel. Het gebrom doet hem opschrikken. Hij kijkt op de display, ziet dat het een onbekend nummer is.

'Henning Juul,' zegt hij en hij kucht om zijn stembanden van slaperige roest te ontdoen.

'Hallo, met Truls Leirvåg. Ik hoorde dat je hebt geprobeerd contact met me te krijgen.'

De stem is donker en rauw. Henning komt overeind terwijl zijn dialectantenne Truls ergens in de buurt van Bergen plaatst. Misschien zelfs in de stad zelf.

'O, hallo. Ja. Mooi. Bedankt dat je belt.'

Geen respons.

'Eh, tja. Ik wilde graag even met je praten over het speelfilmscript waar jullie een optie op hebben genomen. Het script van Henriette Hagerup.'

Opnieuw stilte.

'Kun je me iets over het script vertellen? Hoe jullie ertoe zijn gekomen er een optie op te nemen?'

'Tja, het is waarschijnlijk als met de meeste opties die we nemen. Het script was goed. We denken dat het wel eens een mooie film kan gaan worden.'

'Waar gaat het script over?'

'Het heet *Control+Alt+Delete*. Het gaat over een jonge vrouw die eer en beroemdheid vergaart, maar die ervan droomt op de toetsen control+alt+delete op het toetsenbord te kunnen drukken – zodat ze haar leven opnieuw kan beginnen. Ze vindt de persoon die ze is geworden niet leuk. Als ze dan ontdekt dat dat daadwerkelijk mogelijk is, met behulp van een heel bijzonder toetsenbord, krijgt ze de kans haar leven opnieuw te leven. Dan is het de vraag of ze de juiste beslissingen neemt of dat ze nogmaals in dezelfde vallen loopt.'

'Juist.'

'Er staat ons nog wat werk te wachten, om het zomaar te zeggen, maar het verhaal is in potentie goed.'

Henning knikt bij zichzelf.

'En over dit script heeft Yngve Foldvik jou dus getipt?'

Even blijft het stil.

'Ja?'

'Is dat gebruikelijk?'

'Wat?'

'Dat begeleiders voormalige collega's tippen over een script dat een student heeft geschreven?'

'Dat weet ik niet, maar waarom niet? Ik zie daar niets verkeerds in. Als je van plan mocht zijn daar woorden aan vuil te maken, kun je...'

'Nee hoor, ik ga daar geen woorden aan vuil maken. Ik ben alleen nieuwsgierig. Voor zover ik heb begrepen, was jouw collega Henning Enoksen niet betrokken bij het proces dat tot het nemen van een optie leidde. Waarom niet?'

'Omdat we op elkaars oordeel vertrouwen. Besef je wel hoeveel verzoeken we krijgen, Juul? Elke dag, hoeveel vergaderingen we hebben, hoeveel papiermolens we moeten doorlopen om de films te kunnen maken die we willen, hoe hard...'

'Dat besef ik,' onderbreekt hij hem. 'Wat voor indruk heb je van Hagerup gekregen?'

Leirvåg haalt zo diep adem dat het door de telefoon te horen is.

'Ze was een ontzettend leuk meisje. Het is... het is volkomen onwerkelijk wat er is gebeurd. Ze zat zo ongelooflijk vol leven. Zo... zo open en gretig en... en zo vol vertrouwen. Ze was helemaal niet arrogant of verwaand.'

'Ik neem aan dat je met zowel Foldvik als Hagerup hebt gesproken, aangezien hij jou hierover heeft getipt?'

'Ja, natuurlijk.'

'Hoe was de chemie tussen die twee?'

'Wat bedoel je? De chemie?'

'Ja, de chemie. Wat voor blikken stuurden ze elkaar? Was er iets in de vibraties tussen hen wat jou opviel?'

Het wordt weer stil. Een hele tijd.

'Als je bedoelt wat ik denk dat je nu bedoelt, dan kun je de pot op,' zegt hij met stijgende, schallende Bergense stem. 'Yngve is een eervol mens. Een van de aller-, allerbesten. Hij probeerde een van zijn studenten te helpen. Is daar nu opeens iets verkeerds aan?'

'Nee.'

'Gebeurt het wel eens dat je naar iets leuks in een etalage staart, Juul?'

'Jawel.'

'Betekent dat dat je altijd naar binnen gaat om het dan te kopen?'

'Nee.'

'Nee. Precies.'

Henning laat zich door de irritatie in Leirvågs stem niet uit het veld slaan.

'Wat gebeurt er nu met het script?'

Leirvåg zucht.

'Dat... dat weet ik nog niet.'

'Maar jullie hebben nog steeds die optie, ook al is de schrijfster van het script dood?'

'Ja. Volgens mij zou het niet goed zijn als we niet zouden voltooien waaraan zij is begonnen. Ik denk dat ze gewild zou hebben dat de film er zou komen.'

Ongetwijfeld een goed punt om in de marketing te gebruiken, denkt Henning.

'En wat vindt Yngve daarvan?'

'Yngve? Hij is het ermee eens.'

'Jullie hebben daar dus al over gesproken?'

'Nee, ik, eh, wij...'

Henning glimlacht bij zichzelf, terwijl hij bedenkt dat Henning Enoksen dát misschien op het puntje van zijn tong had liggen toen ze elkaar spraken. Dat Leirvåg al bezig was de film voor te bereiden zonder Henriette – samen met Yngve.

'Bedankt voor het gesprek, Truls. Ik heb verder geen vragen.'

'Zeg, je bent niet van plan hier iets over te schrijven?'

'Waarover?'

'Over Yngve en de film en zo?'

'Dat weet ik nog niet.'

'Oké. Maar als je dat doet, wil ik het eerst lezen. Je weet, citaatcontrole en zo.'

'Het is niet zeker of ik jou ergens ga citeren, maar als ik dat doe, dan neem ik contact op voordat ik tot publicatie overga.'

'Mooi.'

Leirvåg geeft hem zijn mailadres. Henning doet alsof hij noteert. In werkelijkheid staat hij voor zijn piano en visualiseert dat hij een toets indrukt. Dan hangt Leirvåg op zonder tot ziens te zeggen.

Hoofdstuk 52

Zijn benen doen pijn. Hij heeft de afgelopen twee dagen veel gelopen, veel meer dan gewoonlijk. Misschien moet ik op de Vespa naar mijn werk gaan, denkt hij, dan hoef ik geen taxi te nemen als ik van de ene plaats naar de andere moet.

Het verbaast hem hoe snel de dagen voorbijgaan. Voordat hij weer aan het werk ging, was hij al blij als er weer een uur verstreken was. Nu heeft hij het gevoel dat hij bezig is de grip op de tijd kwijt te raken.

Hij kijkt op zijn horloge terwijl hij nadenkt over wat hij met de rest van de dag zal doen. Nu hij heeft geslapen, heeft het geen zin om vroeg naar bed te gaan, dus hij besluit dat hij net zo goed iets verstandigs kan doen voordat de nacht invalt en de ogen van Jonas hem weer doorboren.

Ik heb altijd Dælenenga nog, denkt hij, maar iets zegt hem dat stilzitten hem vanavond niet zal lukken. Hij voelt dat hij iets moet doen. Zal hij zo driest zijn om het hol van de leeuw op te zoeken? Zal hij naar het huis van Omar Rabia Rashid gaan? Of zal hij die beste Yngve Foldvik met een kort avondbezoek vereren?

Hij onderdrukt een geeuw, terwijl hij Gunnar Goma weer in het trapportaal hoort stampen. Henning sjokt over het vuile parket en opent de deur. Goma is beneden. Hij hijgt. Nieuwe stappen. Goma klinkt als een olifant als hij zich een weg naar boven baant, langzaam, maar in een regelmatig tempo. Hij loopt om de reling heen en krijgt Henning in het gezichtsveld.

'O, hoi,' zegt hij en hij blijft staan. Hij hijgt, legt zijn handen op zijn knieën en leunt voorover om dieper adem te halen.

'Hallo,' zegt Henning en hij probeert zich in alle haast het noodnummer van de ambulance te herinneren. Maar hij kan zich nooit herinneren of dat 110, 112 of 113 is.

'Wat liet je me schrikken,' zegt Goma en hij ademt diep uit. Hij heeft geprobeerd een snor te kweken.

'Sorry, dat was niet de bedoeling,' zegt Henning en hij bestudeert zijn buurman. Goma doet nog een paar passen de trap op. Ook vandaag een bloot bovenlijf. De lichaamsgeur is intens, ook al is Goma een paar meter verwijderd. Strak zweet. De korte broek is dezelfde rode als de vorige keer.

'Ik vroeg me iets af,' zegt Henning en hij wacht tot Goma halt houdt, maar dat doet hij niet.

'Zeg het maar,' zegt Goma en hij loopt door. 'Ik hoor je. Er hangt hier zo'n verdomd goede akoestiek. Ik had hier op een avond wel een van mijn vrouwen kunnen neuken en een heel buurtschap kunnen amuseren, ha ha.'

Henning weet niet helemaal hoe hij zijn vraag moet formuleren, zonder dat die te veel onthult of te raar klinkt. Het is niet eenvoudig om je te concentreren op wat je wilt zeggen wanneer een geile vijfenzeventigjarige olifant steeds verder de trap op verdwijnt.

Hij gaat er niet op in.

'Jij hebt toch een spionnetje in de deur, is het niet?'

Hij weet het antwoord wel, want hij heeft het gezien. Maar hij vraagt het toch.

'Daar kun je gif op innemen, ha ha.'

Goma blijft weer staan en haalt adem.

'Arne op de derde, HALLO ARNE!' roept Goma, voordat hij vervolgt: 'Arne op de derde heeft 's avonds zo veel damesbezoek dat het wel eens voorkomt dat ik door het gaatje in de deur naar hen kijk, ha ha.'

Arne? De Arne die steeds gedichten declameert?

'Waarom vraag je daarnaar?'

'Ik zal vanavond niet veel thuis zijn, maar mogelijk krijg ik bezoek. Ik vroeg me af of jij, als je er toch bent en je het mocht horen, even door je spionnetje kunt kijken om te controleren hoe ze eruitzien en ongeveer onthoudt op welk tijdstip ze eventueel aankloppen?'

Henning sluit zijn ogen terwijl hij op antwoord wacht en bedenkt dat hij zich formuleerde als een dertienjarige die voor het eerst de Vrouw van zijn Dromen meevraagt naar de bioscoop. Goma vraagt zich ongetwijfeld af waarom hij dat in vredesnaam moet weten.

'Waarom moet je dat in vredesnaam weten? Ze komen toch wel terug als je niet thuis bent?'

'Jawel, maar dit is een bezoek waarvan ik niet helemaal zeker weet of ik dat leuk vind.'

Stilte. Zelfs het akoestisch perfecte trapportaal slaagt erin geluidloos te klinken.

'Opdringerige tantes, dus?'

'Zoiets.'

'Geen probleem. Ik zal opletten.'

Opnieuw gestamp.

'Hartelijk dank.'

De oude man zou een schitterend interviewobject zijn, denkt Henning. De vraag is alleen in welk verband en aan welke kapstok je het interview zou moeten hangen. Hij gelooft ook, om de een of andere reden, dat de zaak Goma op de redactie onderwerp van een behoorlijk strenge citaat-censuur zou zijn. Hoe dan ook, hij verlaat de binnenplaats in de zekerheid dat het portaal de rest van de avond veilig wordt bewaakt.

Hij heeft het gevoel dat dat wel eens goed van pas kan komen.

Hoofdstuk 53

Met de helm op zal het de nodige moeite kosten hem te herkennen, vooral als hij het vizier naar beneden heeft. Hij zorgt er ook voor dat zijn jack helemaal tot aan zijn kin dichtzit.

De Vespa start zoals het hoort, en hij voelt zich als een zestienjarige op weg naar een geheim afspraakje als hij de Steenstrups gate in suist en met hoge snelheid de Kunstacademie en de Foss School voor Voortgezet Onderwijs passeert. Het mooie van zo'n kleine scooter is dat hij overal kan komen, en mocht een auto hem achterna zitten, kan hij altijd nog een trottoir op rijden of een pad of steeg in slaan.

Hij is al snel bij het Alexander Kiellands plass, ziet de drukte op de terrassen en de fonteinen die verderop in de richting van de Telthusbakken omhoog spuiten, hij steekt de Uelands gate over en ziet de daklozen en verslaafden voor café Trappa. Het voelt goed om weer aan het verkeer deel te nemen. Dat is lang geleden.

De Vespa is een van de weinige dingen van zijn vader die hij heeft gehouden. Hij wil niet beweren dat hij de scooter goed heeft behandeld, want hij laat hem 's zomers en 's winters gewoon onder het stof komen en nat regenen op de binnenplaats, maar het ding weet hem telkens als hij ermee op stap wil, te verbazen door weer even vrolijk te starten.

Hij parkeert voor de supermarkt aan het eind van de Bjerregaards gate, hangt zijn helm aan het stuur en kijkt goed om zich heen voordat hij rechts de straat in loopt. Hij is bij huisnummer 20. Yngve Foldvik woont op 24B.

Hij blijft staan voor de rood geverfde toegangsdeur van het pand van Foldvik en kijkt naar de knopjes van de bel. Er staat FOLDVIK op de middelste. Hij drukt hem in, wacht en bedenkt intussen wat hij zal vragen en hoe hij zich zal uitdrukken. Hij heeft het gevoel dat Yngve Foldvik misschien toch Harald Gaarder in het script is. In dat geval speelt hij een belangrijke, maar niet zo gemakkelijk te begrijpen rol. Dat is de reden dat Henning met hem moet praten.

Hij belt nogmaals aan. Misschien doet de bel het niet, denkt hij. Of misschien zijn ze gewoon niet thuis. Hij belt nog een keer aan en beseft dan al snel dat hij een vergeefse tocht heeft gemaakt. Hij vloekt, probeert de bel ernaast, eentje waar STEEN op staat, alleen om zich ervan te vergewissen dat er niets met de belknop en de kabels mis is. Hij hoort onmiddellijk een metaalachtige stem 'hallo' zeggen.

'Hallo, ik ben van de bloemist. Ik heb een levering voor Foldvik. Ze zijn niet thuis. Kunt u mij binnenlaten?'

Hij sluit zijn ogen en bedenkt dat hij op het punt staat een flater te begaan. Een paar seconden gaan voorbij. Dan klinkt een gezoem. Hij trekt de deur naar zich toe en gaat naar binnen. Hij weet niet helemaal waarom hij dat doet, want het is duidelijk dat Yngve Foldvik niet thuis is. Ik ga alleen een beetje rondkijken, denkt hij, een beetje snuffelen, zoals Jarle Høgseth altijd zei dat hij moest doen. Gebruik je zintuigen, Henning. Gebruik ze om een indruk te krijgen wie de mensen zijn die je gaat interviewen.

Hij komt de binnenplaats op, die niet groot is. Bladeren die naar hij aanneemt van vorige herfst zijn, liggen nog als weerbarstige stickers op de geasfalteerde onderlaag. Verder is er op de binnenplaats verbluffend weinig groen. Een potplant waarvan hij de naam niet weet, staat midden op het plaatsje. Een fiets leunt tegen de muur. Hij staat niet op slot.

Het pand heeft twee deuren, een recht voor hem en een rechts. Hij controleert eerst de rechterdeur, want die is het dichtst bij. Geen bel waar Foldvik of Steen op staat. Hij probeert de andere, vindt al snel beide achternamen en drukt weer op Steen. Zonder nogmaals te hoeven zeggen wie hij is, klinkt er weer gezoem en kan hij gemakkelijk naar binnen.

Trapportalen. De eerste indruk die je krijgt van hoe mensen wonen en leven. Een kinderwagen verspert een deur waarvan hij zeker weet dat die naar de kelderruimten leidt. Er staat een kapotte paraplu achter de wagen. Een trapleer met resten witte en donkerblauwe verf leunt ernaast tegen de muur. De postbussen zijn groen. Het ruikt er vochtig. De vereniging van eigenaren heeft vast met rotting te kampen.

Verderop gaat een deur open. Misschien wil mevrouw Steen checken of er echt iemand van de bloemist in het trapportaal is. Verdomme, zegt hij bij zichzelf. Wat doe ik nu? De deur valt met een klap dicht. Hij blijft staan. Stappen komen naderbij. Vrouwenschoenen. Dat hoort hij aan het geluid. Zal hij maar omkeren en weer naar buiten gaan?

Op dat moment gaat er nog een deur open. Henning onderdrukt de drang om op te kijken.

'O, hallo,' hoort hij boven zich. 'Ik ben het maar, mevrouw Steen, ik ga

boodschappen doen.' Hij ontwaart enige gelatenheid in de stem. Vriendelijk, maar gelaten.

'Hallo.'

Maar hoe moet ik verdorie uitleggen waarom ik hier ben, vraagt hij zich
af, als die vrouw straks vraagt wie ik ben?

'Hebt u iets nodig?' vraagt ze aan mevrouw Steen.

'Ach, wil je een tijdschrift voor me kopen? Een waar het interview met
tv-presentator Hallvard Flatland in staat. Zo'n knappe jongen.'

'Ja, natuurlijk.'

'Wacht even, dan zal ik geld halen.'

'Dat hoeft niet. Dat doen we straks wel.'

De stemmen zorgen voor een bijzondere echo op de muren.

'Hartelijk dank. Heel aardig van je.'

Klakkende geluiden. De stappen klinken als tromgeroffel in zijn oren.
Hij grijpt de trapleer en zet een stap, hoort de vrouw boven hem naderbij
komen, hij houdt de trapleer voor zich, kijkt naar beneden, ze zijn nu op
dezelfde trap, ze komt zijn kant uit, hij ziet alleen haar voeten, hoge hakken, hij mompelt een 'hallo' terwijl hij doorloopt, langs haar heen, zij zegt
ook 'hallo', en op het moment dat ze elkaar passeren slaat hij bijna tegen
de vlakte door de parfumlucht, die zo intens is dat hij bijna niet meer kan
ademen, zo zoet dat zijn neusgaten pijn doen, maar zij blijft niet staan, ze
lopen allebei door, hij hoort haar naar beneden gaan, de deur openen en
vertrekken. De deur komt met een knal weer in het kozijn terecht.

Hij stopt en haalt diep adem, laat de stilte de muren vullen. Dan draait
hij zich om en gaat langzaam naar beneden, hij loopt voorzichtig en hoopt
dat mevrouw Steen niet hoort dat er meer mensen in het trapportaal zijn.
Hij sluipt helemaal naar de begane grond en ziet daar FOLDVIK in asym-
metrische kinderletters op een houten bordje op de donkerblauwe deur
staan. De letters zijn in het materiaal gegraveerd. Hij zet de trapleer weg en
klopt aan, twee keer. Er kan immers gewoon iets mis zijn met de deurbel.

Hij wacht, luistert naar voetstappen die niet komen. Hij klopt nog twee
keer op de deur. Nee. Ze zijn niet thuis.

Hij wil zich net omdraaien om te vertrekken als hij ontdekt dat de deur
niet goed dichtzit. Vreemd, denkt hij en hij doet een stap dichterbij. Hij
kijkt om zich heen, hoewel hij weet dat er niemand meer in het trapportaal
is. Dan duwt hij voorzichtig tegen de deur. Die glijdt open. Zal ik dit echt
doen, denkt hij, zal ik naar binnen gaan om te kijken?

Nee. Waarom zou hij? Er is geen enkele goede reden om dat te doen. In de zin van de wet staat het ook gelijk aan insluiping. En hoe moet hij zijn aanwezigheid daarbinnen in hemelsnaam verklaren als er plotseling iemand mocht opduiken? Bijvoorbeeld de mensen die er wonen?

Keer om, Henning, zegt hij tegen zichzelf. Keer om, ga weg, voordat het te laat is. Maar hij doet het toch. Hij sluipt naar binnen. Het is er donker. Alleen het licht van het trapportaal helpt een handje. Hij wil niets aanraken, dus drukt hij de schakelaar niet in die hij bij binnenkomst links achter de deur ziet. Dit is een heel slecht idee, zegt hij tegen zichzelf.

Maar hij keert niet om. Hij weet ook niet goed waar hij naar op zoek is, of hij iets verwacht te vinden wat Foldvik in een crimineel licht zou plaatsen. Dat zou in dat geval zijn computer moeten zijn geweest, maar hij is niet van plan die aan te raken, tenzij hij hem ingeschakeld en met cruciale documenten al geopend zou aantreffen.

Hij bevindt zich in de gang. Schoenen, schoenenkast, jassen aan de kapstok, kasten voor kleren, een kluis. Rookmelders aan het plafond. Gelukkig hebben ze rookmelders aan het plafond. Hij staat te wachten. Een rode knippering. Zijn eigen veiligheidssignaal.

Hij ruikt eten als hij verder naar binnen gaat. Lasagne, vermoedt hij. Vlak voor hem, een paar meter verder de gang in, is een deur waarop een rood vilten hartje zit. Een deur naar links gaat naar de keuken. Hij ziet een wit, vuil fornuis. Een pan met resten spaghetti staat op een brander.

Hij loopt verder, ziet geen kastjes aan de wand die op een inbraakalarm zouden wijzen. Via een gewelfde opening komt hij de ruime woonkamer binnen. Een tv in de hoek. Eetgedeelte. Stoelen met een hoge rug en zachte, ingenaaide kussens. Hij ziet een grote, vierkante tafel voor een veelgebruikte bruine leren bank verderop. Op tafel staan drie kandelaars met vanillekleurige kaarsen die bijna helemaal zijn opgebrand. De linnen gordijnen achter de bank zijn wit en dichtgetrokken.

Dichtgetrokken? Waarom, zo vroeg op de avond?

Een donkerbruin viltkleed bedekt de vloer en verbergt een scheur in het parket. Hij ziet het toch, omdat de scheur zo lang is dat die aan beide kanten van het kleed doorloopt. Er staat niets op de eettafel. Schoon, misschien onlangs afgestoft.

De Foldviks hebben spaghetti gegeten voordat ze de deur uitgingen. Ze moeten haast hebben gehad, aangezien ze vergeten zijn de deur goed dicht te doen, redeneert hij. Verderop in het appartement staat een deur open.

Die leidt naar een slaapkamer. Het is er donker. Ook daar zijn de gordijnen dicht. Een keyboard staat tegen de wand. Hij struikelt bijna over een paar kabels op de vloer. Op het keyboard staat een beeldscherm. De muis ernaast. Er zit nog een deur in de kamer, waaruit een verwelkomend licht schijnt.

De badkamer. Hij gaat naar binnen. Het is een klein vertrek, met witte tegels op de vloer en een douchecabine in de hoek. De wastafel is ook wit. Die bevindt zich recht voor hem, met een spiegel erboven. De spiegel is in een kast geïntegreerd. Hij ziet resten speeksel met tandpasta, kleine, witte stipjes. Hij opent het kastje, kijkt erin. Tandenborstels, tandpasta, floss, mondwater, gezichtscrèmes, een aantal pillenpotjes met bijsluiters erin. Hij draait een ervan om. Er staat Vival op en de naam Ingvild Foldvik aan de buitenkant. Het potje is bijna leeg. Maar dat is het niet wat hem nieuwsgierig maakt. Achter in de kast, helemaal rechts, staat een herendeodorant. En hoewel niet het hele woord aan de voorkant leesbaar is, ziet hij dat de deodorant Romance heet.

Hij kan amper slikken. Henning ziet en hoort Thorbjørn Skagestad voor zich bij de tent op de Ekebergsletta, hoe hij de tent binnengaat en de dood en de deodorant ruikt die hijzelf onder zijn armen spuit om de andere sekse naar zich toe te lokken. Hoe waarschijnlijk is het dat diezelfde deodorant in de kast van Yngve Foldvik staat?

Ik heb heel wat geks gezien, denkt Henning, maar mijn kennis is tamelijk beperkt als het om deodorant gaat en hoe wijdverbreid het gebruik van Romance is. Kan Yngve Foldvik zijn eigen favoriete studente hebben vermoord? Of is de deodorant misschien van zijn zoon, Stefan?

Hij doet het kastje dicht en besluit weg te gaan. Hij blijft staan als hij op de gang een deur links van het toilet ziet. Een vel papier met daarop STEFAN in zwarte letters is door een spijker geduwd. Een sticker van een rood doodshoofd op een zwarte achtergrond hangt er vlak onder. Hij loopt naar de deur. Die is ook van het slot. Hij duwt de deur open. Dan ziet hij hem.

Stefan.

Hij ligt met open ogen onder het dekbed.

Maar zijn ogen zijn open omdat hij dood is.

Hoofdstuk 54

Bjarne Brogeland zit op zijn kantoor voor zich uit te staren met zijn handen achter zijn hoofd. Hij denkt na. Voor deze ene keer zijn zijn gedachten niet bij Ella Sandland, op geen enkele manier. Dat gaat onbewust. Hij denkt aan Anette Skoppum, of ze in gevaar is, voor wie ze eventueel op de loop is en waar ze gebleven kan zijn. Brogeland recht zijn rug en pakt de hoorn van de telefoon. Hij toetst het nummer van Emil Hagen in.

Hagen neemt snel op.

'Waar ben je?' vraagt Brogeland. Zijn stem klinkt autoritair. Dat mag tegenover iemand die nog niet zoveel dienstjaren achter de rug heeft als hijzelf.

'Op de school. Niemand heeft haar gezien. Ik wilde eigenlijk nog even hier blijven.'

'Zijn er zo laat op de avond nog veel mensen?'

'Ja, behoorlijk wat. Het is de eindspurt voor de laatste examens voor de vakantie. Ik geloof dat er na afloop hier een feest is. Dat maak ik op uit de briefjes aan de wanden.'

'Oké. Blijf daar en kijk of je haar ziet.'

'Dat was ik van plan.'

Brogeland verbreekt de verbinding zonder tot ziens te zeggen. Hij leunt weer achterover en richt zijn gedachten deze keer op Henning Juul. Heb ik hem werkelijk zo verkeerd ingeschat? vraagt Brogeland zich af. Ben ík degene die hier wordt gebruikt? Ben ik echt zo naïef geweest?

Het lukt hem niet meer aan de Nigeriaanse vrouwen te denken, want zijn mobieltje dat op het bureau ligt, trilt. Hij kijkt ernaar. Als je het over de duivel hebt... Laat verdomme maar, denkt Brogeland.

Laat Juul maar bellen.

*

Hij staat als aan de grond genageld. Hij heeft wel vaker dode mensen gezien en de dood ziet er meestal vredig uit. Maar bij Stefan is dat niet zo.

De jongen maakt een getergde indruk, alsof hij tot het allerlaatst heeft geleden. Zwarte kringen om zijn ogen, wallen eronder, een bleke huid, een vertrokken gezicht. De ene arm ligt op het dekbed, tegen het hoofd. Hij ligt helemaal tegen de wand aan gerold, alsof hij heeft geprobeerd daar in te kruipen.

Op het nachtkastje staat een glas met een restje vocht. Ernaast, op een boek met een zwarte band, ligt een tablet. Vival, denkt hij. Een overdosis. Hij weet dat hij het niet zou moeten doen, maar hij loopt naar het nachtkastje toe en steekt zijn neus in het glas. Een krachtige lucht. Alcohol. Hij loopt naar het bed. Het kraakt onder zijn schoenen. Hij tilt een voet op en ziet de resten van iets wits, iets poederachtigs. Hij vloekt inwendig, terwijl hij zich vooroverbuigt en de sprei terugslaat die over de rand van het bed hangt.

Hij heeft op een pil getrapt. Een hele ligt vlak naast zijn zool. Voorzichtig pakt hij hem op, bestudeert hem, ruikt eraan. De pil doet hem aan iets denken wat hij niet helemaal kan plaatsen. Hetzelfde is het geval met de geur. Hij vloekt weer terwijl hij de pil op precies dezelfde plaats teruglegt en overeind komt. Het poeder onder zijn schoen valt er wel af, geleidelijk aan, op weg naar buiten, weet hij. En tenzij ik mijn schoen uitkook, zullen de technisch rechercheurs resten van het poeder vinden.

Het wordt daarbinnen benauwd en klam. Hij zou het liefst maken dat hij wegkomt, maar dat doet hij niet. Iets op het bureau naast hem laat hem halt houden. Het script van Henriette en Anette. *Een shariakaste* ligt daar, opengeslagen op scène 9, de scène waarin de familie Gaarder aan de maaltijd zit. Hij bedenkt dat hier iets vreselijk, vreselijk mis is.

Hij toetst het nummer van Bjarne Brogeland in. Terwijl hij wacht tot er wordt opgenomen, probeert hij zich te herinneren of hij iets heeft aangeraakt. Het laatste wat hij wil is dat de technici hier ook zijn vingerafdrukken vinden.

Dat spiegelkastje. Verdomme! Hij heeft zonder na te denken het spiegelkastje in de badkamer geopend. Hij heeft het met de rechterhand dichtgeschoven.

Shit!

De telefoon gaat een heleboel keren over, maar Brogeland neemt niet op. Wat een tijdstip om pauze te nemen, denkt Henning, terwijl hij zichzelf vervloekt. Amateur! Maar hoe kon hij weten dat er een dode zou liggen in het appartement dat hij toevallig was binnengegaan?

Hij gaat weg, zorgt ervoor dat hij de deur aandrukt, ongeveer zoals die was toen hij naar binnen ging, en hij herhaalt dezelfde procedure met de deur naar de binnenplaats. Hij gaat naar buiten, voelt hoe heerlijk het is om weer lucht om zich heen te hebben, en hij kijkt omhoog naar de ramen. Niemand die naar beneden kijkt. Hij laat de telefoon zeker twintig keer overgaan voordat hij ophangt. Shit, denkt hij. Shit, shit, SHIT! Wat nu? Ik móét Bjarne te pakken krijgen. Ik kan niet gewoon de politie bellen om dit te melden. Dat leidt er alleen maar toe dat ik hier moet wachten en in detail moet uitleggen waarom ik ben binnengedrongen, en ik weet dat dat er dan niet goed uitziet. Ik zal er geen antwoord op kunnen geven, in elk geval niet op een manier die de verdenking van mezelf wegneemt. Eerst Tariq en nu Stefan.

Nee, zegt hij tegen zichzelf, ik moet Bjarne te pakken krijgen.

Hij probeert hem nog een keer te bellen. De telefoon blijft rinkelen. Verdomme! Hij belt nummerinformatie en vraagt naar Brogelands nummer. Een vrouwenstem zegt: 'Een ogenblik.' Veel te veel lange seconden verstrijken tot hij wordt doorgeschakeld.

De telefoon gaat weer over. Maar nu slechts twee keer. Dan heeft hij Brogeland aan de lijn.

Hoofdstuk 55

Bjarne Brogeland had vroeger geen problemen met dode mensen, maar nu kan hij er nauwelijks naar kijken. Vooral niet naar pubers of kinderen. Dat komt doordat hij zelf vader is, denkt hij. Telkens als hij op een plaats delict of bij een huis komt waar een kind is omgekomen of vermoord, denkt hij aan zijn dochter, aan die knappe, fantastische Alisha en aan wat zijn leven zonder haar zou zijn geweest.

Yngve en Ingvild Foldvik moeten wel gebroken zijn.

Brogeland gaat het appartement van het gezin binnen. Er heerst daar een bijzondere sfeer. Het is de gedistantieerde professionaliteit. Het masker dat ze opzetten, degenen die daar hun taak verrichten. Het praten op zachte toon. De korte blikken die woorden bevatten die niemand van hen hoeft uit te spreken. Niemand maakt snelle bewegingen. Er is geen sprake van gevatte, vlotte replieken zoals in politieseries op tv.

Bjarne gaat de slaapkamer binnen. Ella Sandland staat over het lijk gebogen. Hij heeft haar onderweg gebeld, aangezien ze maar een paar honderd meter verderop woont. Ze draait zich naar hem om.

'Zelfmoord, hoogstwaarschijnlijk,' zegt ze zacht. Bjarne kijkt om zich heen, brengt het niet op naar Stefan te kijken.

'Er zitten resten alcohol in het glas, mogelijk wodka.'

Brogeland loopt naar het nachtkastje en ruikt in het glas. Hij knikt noch schudt zijn hoofd.

'Een zelfmoordbrief?'

'Nog niets gezien. En dan is die er vermoedelijk ook niet.'

'Hij kan natuurlijk ook een natuurlijke dood zijn gestorven.'

Sandland knikt aarzelend. Brogeland draait zich om, neemt de hele kamer in zich op. Zijn oog valt op het script waarover Henning Juul vertelde. Scène 9, precies zoals die gladjanus aan de telefoon zei. Een poster van de film *Seven* hangt boven Stefans bed. Een lege cd-hoes van de Deense band Mew ligt open op het bureau. Bjarne vermoedt dat de cd in de stereo-installatie zit die op een kruk naast het bed staat. De luidsprekers hangen aan weerszijden van de wand, achter het bureau. Een veelgebruikt skateboard staat tegen de wand achter de stoel.

'Hebben we de ouders al te pakken gekregen?' vraagt hij.

'Ja. Ze zijn op weg naar huis.'

'Waar waren ze?'

'Geen idee. Fredrik is daarmee bezig.'

Brogeland knikt.

'Arme mensen.'

'Ja.'

'Maar er zijn wel een paar dingen die ik wat vreemd vind,' fluistert Sandland. Ze komt dichterbij.

'Wat dan?'

'Kijk eens naar hem.'

Brogeland kijkt. Hij ziet niets anders dan een dode puber, een dode jongen.

'Wat is er dan?'

'Hij is naakt.'

'Naakt?'

'Ja.'

Sandland loopt naar het bed en tilt voorzichtig de sprei en het dekbed op. Brogeland ziet Stefan, net zo naakt als op de dag van zijn geboorte.

'Ik heb nog nooit gehoord dat iemand zich uitkleedt en daarna zelfmoord pleegt.'

'Het is niet erg gebruikelijk, nee, daar heb je gelijk in.'

'En verder vind ik dat hij wat vreemd ligt.'

'Hoezo dan?'

'Kijk naar hem. Hij ligt helemaal tegen de wand aan geplakt.'

'Dat is toch niet zo ongewoon? Lig jij altijd midden in je bed?'

'Nee, maar het lijkt alsof hij heeft geprobeerd in de wand te kruipen.'

'Mijn dochter slaapt ook zo. De meeste kinderen en veel volwassenen ook trouwens, vinden het lekker om ergens tegen aan te liggen. Dat hoeft niets te betekenen. Plus dat zijn lichaam kan hebben geprobeerd weerstand te bieden.'

Sandland bestudeert Stefans dode lichaam nog een paar tellen, maar ze antwoordt niet. Ze lopen om elkaar heen en nemen meer details in de kamer in zich op.

'We moeten uitzoeken of hij een verleden met depressies had,' gaat Brogeland verder, 'of hij bij een psycholoog of psychiater is geweest. Op het eerste gezicht vind ik het op zelfmoord lijken, maar het kan natuurlijk zijn dat een ader in het hoofd het heeft begeven of dat hij een aangeboren hartafwijking had. Hoe dan ook – we beschouwen het vooralsnog als een verdacht sterfgeval. Bel jij de dienstdoende officier? We moeten de plaats delict laten afsluiten en hier een paar technici zien te krijgen.'

Sandland knikt, trekt de plastic handschoenen van haar handen en pakt haar mobiele telefoon.

Hoofdstuk 56

Zodra hij thuis is, valt het hem op dat er iemand is geweest. Hij merkt het aan de geur. Het ruikt naar iets scherps, gemengd met een vage zweetlucht. Hij loopt langzaam naar binnen, eerst naar de keuken, daarna verder de woonkamer in, zonder het licht aan te doen. Hij blijft staan, luistert. De kraan in de badkamer drupt. Buiten rijdt een auto door een modderplas. Ver weg roept iemand iets wat hij niet verstaat.

Nee, denkt hij. Er is hier niemand. Als dat wel zo is, dan staan ze volkomen stil, zonder een geluid te laten horen. De bevestiging dat er iemand is geweest krijgt hij als hij de woonkamer binnen gaat. Hij kijkt naar de salontafel waarop zijn laptop normaal gesproken staat.

Dat is nu niet het geval.

Hij loopt naar de tafel, alsof zijn voetstappen het apparaat weer terug moeten brengen. Hij denkt snel na of er iets waardevols op de harddisk stond. Nee. Alleen FireCracker 2.0. Van het achtergrondmateriaal en de documenten maakt hij, de keren dat hij die nodig heeft, kopieën en bergt ze op in mappen. Excelsheets met overzichten van zijn bronnen heeft hij niet.

Dus waarom zou dan iemand zijn laptop stelen? Hij blijft midden in de woonkamer staan en schudt zijn hoofd. Een lange, boeiende dag met als hoogtepunt een inbraak in zijn eigen appartement. Oké, jongens, zegt hij tegen zichzelf. Jullie zijn goed. Jullie zijn mijn appartement binnengedrongen, erin geslaagd weer buiten te komen, en jullie hebben een bericht achtergelaten: we kunnen je elk moment te pakken nemen en we kunnen heel gemakkelijk van je afpakken wat belangrijk voor je is.

Het is gewoon propaganda om iemand angst aan te jagen, meer niet. Maar het werkt. Hij voelt zijn knieën knikken als er wordt aangeklopt, hard en volhardend. Hij verwacht half dat het de politie is, dat het Brogeland niet is gelukt om Arild Gjerstad lang genoeg op afstand te houden om in alle rust zijn gedachten te ordenen, maar het is niet Brogeland of Gjerstad, noch die idioten die er zojuist zijn geweest.

Het is Gunnar Goma.

'De deur stond open,' zegt hij met een luide stem. Henning probeert rustiger te ademen, maar hij voelt iets in zijn borst branden en in zijn handen tintelen. Goma komt onuitgenodigd binnen. Nog steeds in een rode shorts, maar met een witte singlet over zijn bovenlichaam.

'Als dit van dat homogedoe is, dan is dit de laatste keer dat ik je zo'n soort dienst bewijs,' zegt Goma.

'Wat bedoel je?'

'Homogedoe. Die lui die hier zopas waren. Zagen er beiden als homo's uit. Als je je met zoiets bezighoudt, kun je dat zelf wel in het gareel houden.'

Henning doet een stap dichterbij, voelt onmiddellijk de drang om zijn seksuele geaardheid uit te leggen, maar hij is te nieuwsgierig.

'Je hebt gezien wie hier waren?'

Goma knikt.

'Hoeveel waren het er?'

'Twee.'

'Kun je hen beschrijven?'

'Moet dat?'

'Nee, dat moet niet, maar het zou wel mooi zijn.'

Goma zucht.

'Ze waren donker. Donker van huid, dus. Vast en zeker moslims. Veel te keurig bijgewerkte baard. Die ene leek geen echt haar te hebben. Het leek er wel op geverfd. Of erop getekend. Enorm zorgvuldig. Die ander was graatmager, maar hij liep op een nichterige manier.'

'Verder nog iets?'

'Die ander liep dus op precies dezelfde manier. Draaiend met zijn kont, zeg maar, en met zijn ene arm een stukje omhoog onder het lopen.'

Goma trekt een grimas.

'Heb je zijn gezicht gezien?'

'Dezelfde soort baard. Dun, maar regelmatig, en in rechte lijnen geschoren. Hij was wat dikker dan die andere allochtonenhomo. En hij had een verband om zijn ene vinger. Aan de linkerhand, meen ik.'

'Wanneer waren ze hier?'

'Ongeveer een uur geleden. Eigenlijk was het puur geluk, want ik wilde net naar bed gaan toen ik voetstappen op de trap hoorde.'

'Hoe lang waren ze boven?'

'Eerst dacht ik dat jij thuis was gekomen, omdat het stil werd in het trapportaal, maar toen hoorde ik weer stampen, tja, wat kan het zijn, tien minuten later misschien? En toen zag ik hen door het spionnetje. Maar als dit van dat homogedoe is...'

'Dat is het niet.'

Hij gaat er verder niet op in. Goma lijkt de summiere verklaring te accepteren.

'Hartelijk dank,' zegt Henning. 'Je hebt me goed geholpen.'

Goma draait zich brommend om en loopt naar de deur.

'Trouwens,' zegt hij als hij de deurkruk vastpakt. 'De een droeg een zwart leren jack. Gitzwart. Met vlammen op de achterkant.'

BBB, Bad Boys Burning. Die moeten het volgens Henning wel zijn. Hij knikt en bedankt nogmaals. Hij kijkt op zijn horloge. Bijna kwart over een. Hij is absoluut niet moe. Er is te veel gebeurd en hij heeft te veel om over na te denken.

Goma trekt de deur met een knal dicht. Door het geluid klinkt het appartement angstaanjagend hol, alsof hij zich midden in een vacuüm bevindt. Hij pakt een bezem en zet die onder de kruk. Mocht iemand proberen opnieuw binnen te dringen, dan zal hij dat merken. De bezem zal hen vertragen en hij zal kunnen ontsnappen.

Hij pakt het brandtouw dat onder het bed ligt en windt het om de tv-tafel heen. De tv alleen weegt al veertig kilo en met diverse dvd-spelers en de tafel erbij moet het voldoende zijn om zijn gewicht aan te kunnen, oordeelt hij. De laatste keer dat hij het controleerde, woog hij eenenzeventig kilo. Waarschijnlijk weegt hij nu nog minder.

Hij gaat op de bank zitten en staart naar het plafond. Hij doet geen lichten aan. Aan iemand die op straat de boel in de gaten houdt, wil hij niet laten merken dat hij thuis is gekomen.

Stefans bleke gezicht duikt op in zijn hoofd. Ik hoop niet dat hij me ook door het hoofd gaat spoken, denkt hij. Maar waarom berooft een jongen van zeventien zich van het leven? Als hij dat tenminste heeft gedaan?

Door die gedachte gaat hij rechtop zitten. Is het mogelijk dat het geen zelfmoord was? Heeft iemand hem vermoord en het op een zelfmoord laten lijken?

Nee. Maar het script dat daar lag. Het zag er op een vreemde manier enigszins met opzet neergelegd uit. Alsof iemand wilde dat het gezien zou worden, dat de scène gelezen zou worden. Het moet zelfmoord zijn geweest, stelt hij voor zichzelf vast. Stefan moest het script in handen hebben gekregen, hij moest het hebben gelezen, en het neerleggen ervan was als een bericht voor zijn ouders bedoeld, misschien vooral voor zijn vader. Kijk eens wat je mij hebt laten doen. Nu kun je tevreden zijn.

Ja. Dat moet er zijn gebeurd. Maar toch. Henning heeft al eerder zo gedacht, naar een logische conclusie toe geredeneerd, en tegelijkertijd een onbestemde, onheilspellende knoop in zijn maag gevoeld. Die bewoog, niet voortdurend, maar dook af en toe op, peuterde aan hem en zette hem aan het denken, om de stukjes van de puzzel uit elkaar te halen en ze opnieuw neer te leggen.

Hij weet niet waarom, niets duidt erop dat hij het mis heeft, maar als hij zijn onrustige gevoel even de vrije teugel geeft, komt bij hem het akelige besef naar boven dat de stukjes van Stefans puzzel misschien toch niet passen.

Hoofdstuk 57

Tegen de ochtend dut hij in en hij schiet weer wakker als buiten een auto claxonneert. Hij ligt op de bank en probeert zijn ogen aan het licht in de woonkamer te laten wennen. Het is half zes. Hij komt overeind en sloft naar de keuken, drinkt een glas water, haalt het doosje tabletten van het nachtkastje en slikt er twee door. De lucifers liggen er als altijd, maar hij brengt het vandaag niet op de soldaten uit de hel uit te dagen.

Het voelt alsof hij een hele week dronken is geweest. Hij weet dat hij zou moeten eten, maar de gedachte om oud, droog brood te snijden en er oud, droog beleg op te doen, is net zo verleidelijk als het eten van zaagsel.

Hij denkt aan de mannen die in zijn appartement zijn geweest. Wat zouden ze hebben gedaan als hij thuis was geweest? Hadden ze een wapen bij zich? Zouden ze hebben geprobeerd hem te vermoorden?

Hij schuift de gedachte weg. Het punt is dat hij er niet was, dat het niet tot een confrontatie is gekomen. Hij laat het ontbijt schieten en besluit rustig naar zijn werk te gaan, hoewel de dag nog maar net is begonnen.

Ruim een uur later toetst hij het nummer van Brogeland in. Een inspecteur slaapt nooit meer dan een paar uur als de boel op springen staat, en Henning heeft vragen die hem op de lippen branden. In Brogelands stem klinkt nog de vermoeidheid door als hij na heel vaak overgaan de oproep beantwoordt.

'Hallo, Bjarne, met mij,' zegt hij, precies joviaal en kameraadschappelijk genoeg.

'Hallo.'

'Ben je wakker?'

'Nee.'

'Ben je dan aanspreekbaar?'

'Dat is een kwestie van definitie.'

'Hoe is het gisteren gegaan?'

'Dat is ook een kwestie van definitie.'

'Wat bedoel je?'

Brogeland antwoordt niet.

'Wil je zeggen dat het geen zelfmoord was?'

Hij gaat iets verder naar voren zitten.

'Nee, nee, dat heb ik niet gezegd. Het is goed gegaan, dat wil zeggen dat we op de plaats delict hebben gedaan wat we moesten doen. Wat wil je met me bespreken? Waarom bel je zo vroeg?'

Henning raakt een beetje van slag door Bjarnes directe, bruuske toon.

'Wel, ik...'

'Ik heb zo meteen een vergadering en moet nu weg. Als er niets bijzonders is, dan...'

'Dat is er wel.'

'Oké, laat maar horen.'

Hij gebruikt een seconde om zijn gedachten te ordenen.

'Ik moet één ding weten.'

'Ja, dat zal wel.'

'Hebben Henriette en Foldvik per mail met elkaar gecorrespondeerd in de tijd voordat ze werd vermoord?'

'Waarom vraag je daarnaar? Waarom moet je dat weten?'

'Ik moet het gewoon weten. Oké? Ik heb het gevoel dat ik een zeker recht heb om dat te weten.'

'Recht?!'

'Ja toch? Je hebt tot dusver in dit onderzoek behoorlijk wat van me gekregen.'

'Dat is zo.'

Brogeland geeuwt luid.

'Mails? Nee, ik weet het niet. Herinner ik me niet. Ik ben te moe om me dat soort dingen nu te herinneren.'

'Lieve hemel, Bjarne, je bent het toch niet vergeten, nu de zoon van iemand die jullie de afgelopen dagen onder de loep hebben moeten nemen overlijdt. Ik weet niet waarom je nu opeens zo'n klootzak bent, na alles waarmee ik jou heb geholpen, maar het is best. Ik hoef niet met je te praten.'

Hij wil neerleggen, als Brogeland aan de andere kant van de lijn een zucht laat horen.

'Oké, sorry, ik ben alleen zo verdomde moe. En Gjerstad, hij eh...'

Nog meer gezucht.

'Wat is er met Gjerstad?'

'Laat maar. Ja, Hagerup heeft hem meerdere mails gestuurd en hij heeft haar er een paar gestuurd,' zegt Bjarne en hij ademt diep uit.

'Gaan sommige van die mails over het filmscript?'

'Ja, een ervan. Maar niet over de inhoud, alleen dat ze het hem zou sturen als ze ermee klaar was.'

'Weet je nog ongeveer wanneer dat was?'

'Dat is een tijdje geleden. Ik weet het niet precies meer.'

'Hoe zit het dan met de sms'jes? Hebben jullie uitgevogeld wie Henriette op de dag van haar moord berichten heeft gestuurd? Rond het tijdstip dat ze bij Marhoni was?'

'Toen kreeg ze er een stuk of drie. In het ene stond "controleer je mail".'

'Van wie dan?'

'Dat weten we niet. Maar ook dat bericht werd vanuit Mozambique verstuurd, vanaf zo'n site van het type tlf.no.'

'Juist. Oké. Bedankt.'

'Je moet je trouwens vandaag hier melden voor verhoor. Gjerstad sloeg vannacht helemaal op tilt toen ik vertelde dat we elkaar alleen aan de telefoon hebben gesproken.'

'Wanneer dan?'

'We gaan Mahmoud Marhoni om tien uur weer verhoren. Ergens daarna. Kunnen we bij wijze van voorstel zeggen om elf uur, en dan kijken hoe ver we zijn?'

'Ik zal het proberen.'

'Je moet.'

'Daarnet zei je "plaats delict". Betekent dat dat jullie het overlijden als verdacht beschouwen?'

Brogeland zucht.

'Ik heb nu geen tijd meer om nog langer met je te praten. Ik moet rennen. We kunnen het er later verder over hebben.'

'Het ís dus een verdacht sterfgeval.'

'Dat heb ik niet gezegd. En de duivel moge je halen als je in die krant van jou ergens over speculeert.'

'Ik speculeer nooit over een zelfmoord.'

'Nee, oké. We spreken elkaar later.'

Er klinkt een klik. Hij blijft voor zich uit zitten staren. De politie heeft iets gevonden, denkt hij, of ze hebben iets niet gevonden, wat zo interessant is dat het tot een verdenking leidt. Zo niet, dan zou Brogeland categorisch hebben ontkend.

Hoofdstuk 58

Bjarne Brogeland komt Ella Sandland bij de koffieautomaat tegen.

'Goedemorgen,' zegt ze zonder zich om te draaien.

Donders, wat is ze lekker.

'Goedemorgen.'

Haar haar ziet er pasgewassen uit. Ze ruikt discreet naar lavendel. Of is het jasmijn? Hij herinnert zich niet dat ze eerder naar crème of zeep heeft geroken. De geur past bij haar. Donders, wat past die geur goed bij haar. Hij krijgt zin haar te verorberen, langzaam, met een lepeltje, suiker en slagroom.

Brogeland schiet iets te binnen wat Henning Juul heeft gezegd toen ze elkaar bij Lompa zagen. Ook niet die blonde, die vrouw waar jij zo bij kwijlt?

Is het echt zo duidelijk? En als Juul het ziet, dan moet Sandland het misschien ook wel zien? Hij hoopt het en hij hoopt het niet. En of ze het nu wel of niet heeft gezien, ze doet er buitengewoon weinig mee. Misschien wacht ze alleen tot ik de eerste stap zet, denkt hij. Misschien is ze zo'n type.

'Goed geslapen?' vraagt ze en ze schenkt zichzelf een kopje in.

'Nee.'

'Ik ook niet.'

Ze glimlacht kort en biedt hem ook een kop aan. Hij knikt.

'Zijn Gjerstad en Nøkleby er?'

'Nee, ze komen later. Gjerstad zei dat we zonder hem moesten beginnen. Hoe meer gedachten naar voren zijn gekomen voordat ze er zijn, hoe beter het is.'

'Oké.'

Ze nemen hun koffiekopjes mee en gaan de vergaderruimte binnen. Emil Hagen en Fredrik Stang zijn er al. Hagen bladert in *Aftenposten*, terwijl Stang naar een bord tuurt waarop de namen van de slachtoffers en de personen om hen heen zijn gekrabbeld. Het ziet eruit als een wirwar van namen en letters, strepen, tijdstippen, pijlen, grote strepen, nieuwe pijlen en geknoei heen en weer. Iemand heeft een tijdlijn getekend die begint met de moord op Henriette Hagerup.

'Goedemorgen,' zegt iedereen in koor. Hagen en Stang rechten hun rug.

'Zo, waar staan we?' zegt Brogeland. Het is een onuitgesproken regel dat Brogeland de baas is als de chef er niet is.

'Anette Skoppum is gisteren niet op het feest verschenen,' begint Emil Stang en hij geeuwt. 'Ik ben daar tot iets na enen vannacht geweest.'

Brogeland pakt een pen en maakt een snelle aantekening.

'Enige activiteit op haar creditcard of telefoon?'

'Nee. Geen. De telefoon staat sinds gistermiddag uit.'

Brogeland knikt, maar noteert niets.

'Fredrik, jij hebt contact met het bendeproject. Hoever zijn we met BBB?'

'Ze hebben de leider en een paar anderen goed in de peiling, maar het is een grote groep. Het kan best zo zijn dat er in de lagere regionen iets gebeurt.'

'Er gebeurt altijd wel iets in de lagere regionen.'

'Ja, maar ze hebben onvoldoende middelen om iedereen in de gaten te houden. Iedereen die wie kennen, tenminste. En er zijn ook andere bendes in Oslo die ze in het oog moeten houden. Ik betwijfel sowieso of er veel met BBB gebeurt nu ze weten dat onze ogen op hen zijn gericht.'

'Geen spoor van Yasser Shah?'

'Nee. Hij is ondergedoken. Ik heb gisteren iemand van het bendeproject gesproken en volgens hem was Yasser erin geslaagd terug te keren naar Pakistan.'

'Hoe zit het met Hassan?'

'Hij gaat naar zijn werk en hij gaat naar huis. Of huis, hij heeft meerdere appartementen en slaapt daar afwisselend, afhankelijk van de vrouw met wie hij een potje wil neuken.'

Stang kijkt beschaamd naar Sandland. Ze beantwoord zijn blik zonder gêne.

'Eh, dat is eigenlijk alles.'

Brogeland zucht. Het onderzoekt gaat moeizaam. Hij wil het net over Stefan Foldvik hebben als de mobiele telefoon van Ella Sandland trilt. Ze verontschuldigt zich. Dan trilt Brogelands eigen telefoon ook. Die van Emil Hagen piept. Fredrik Stang kijkt naar de anderen. Zijn mobieltje zwijgt in alle talen.

'Wat gebeurt er?' vraagt hij. Brogeland opent zijn zojuist ontvangen sms'je. Hij toetst een nummer in en wacht tot er wordt opgenomen. Dat gebeurt al snel.

'Hallo, met Bjarne Brogeland.'

Hij kijkt naar Sandland terwijl hij naar de stem aan de andere kant van de lijn luistert.

'Weet je het zeker? Hebben jullie overal gecheckt? Met buren, vrienden, familieleden, met iedereen gesproken?'

Brogeland luistert, knikt en hangt op.

'Shit,' zegt hij en hij komt bliksemsnel overeind.

Hoofdstuk 59

Iver Gundersen presteert het er nog vermoeider uit te zien dan Henning zich voelt. Hij hoopt dat het slaapgebrek aan een fikse ruzie met Nora te wijten is. Gundersen komt naar de sectie binnenland toe en zegt hallo met een adem die walmt van de knoflook en de alcohol. Hij zet zijn kop koffie op tafel.

'Zware avond gehad?' vraagt Henning.

'Zwaarder dan gepland,' zegt Gundersen en hij buigt zich voorover om de computer aan te zetten. Hij recht zijn rug, trekt een grimas en begint meteen met zijn vingertoppen zijn slapen te masseren.

'Ze hebben van dat verdomde lekkere eten bij Delicatessen,' zegt hij. 'Eén biertje wordt er in aangenaam gezelschap al snel tien.'

Aangenaam gezelschap, denkt Henning. Goddomme. Hij was van plan te vertellen wat er gisteren is gebeurd, maar aangezien Iver het zo druk heeft gehad met het áángenaam hebben, laat hij het maar zitten.

'Hoe gaat ie?' vraagt Gundersen en hij gaat zitten. Zijn lichaam schommelt op de stoel. Hij haalt een hand door zijn haar. Henning wedt dat hij zelfs niet onder de douche is geweest voordat hij naar zijn werk ging, en dat dat een deel van zijn imago is. Ruig en stoer, onverzorgd.

Wat ziet Nora toch in hem?

'Goed,' zegt Henning. 'Iets spannends aan de gang?'

'Misschien,' zegt Gundersen en hij beroert de muis. 'Ik heb om twaalf uur een afspraak met de advocaat van Mahmoud Marhoni. Hij wordt vandaag opnieuw verhoord, en ik denk dat ik hierna op rozen zit, wat er verder in de zaak ook gebeurt. Ik heb Indrehaug goed onder controle. Heidi zei dat jij dacht dat de politie Marhoni binnenkort als verdachte laat schieten?'

Hij vloekt inwendig terwijl Gundersen een internetvenster opent.

'Ja, dat denk ik.'

'En waar baseer je dat op?'

'Op feiten en bewijzen in de zaak,' zegt hij kort. Misschien is het te vroeg om op onbeantwoorde vragen door te gaan, misschien is het voor Gundersen meer dan voldoende om zich op één ding per keer te focussen, eerst de krant te lezen, koffie te drinken, daarna andere kranten te lezen, meer koffie te drinken, geleidelijk aan zijn hoofd weer op orde te krijgen.

'En dat betekent?' zegt Gundersen terwijl hij de eerste gloeiend hete druppels naar binnen slurpt. Henning haalt adem en vraagt zich af waar hij zal beginnen. Hij wordt gered door het piepen van Gundersens mobiele telefoon. Die opent het bericht, leest en trekt zijn neus op.

'Weet jij wie Foldvik is?' vraagt hij.

'Foldvik?'

'Ja. Yngve en Ingvild Foldvik?'

'Ja, ik weet wie dat zijn,' zegt Henning en hij kan amper zijn ademhaling in bedwang houden. 'Ze werken op de school waar Henriette Hagerup op zat. Hoezo?'

'Ik heb een tip gekregen dat de politie wat mensen heeft gemobiliseerd om hen te vinden.'

'Wat bedoel je met "hen te vinden"? Zijn ze verdwenen?'

'Schijnt zo.'

'Weet je het zeker?'

Hij is al opgestaan. Gundersen snuift.

'Ik lees alleen wat hier staat.'

Henning loopt zo snel zijn benen dat toestaan langs hem heen.

'Wat is er?' vraagt Gundersen. De onzekerheid in zijn stem is duidelijk, maar Henning trekt zich daar nu niets van aan. Hij heeft geen tijd. Hij haast zich naar buiten, springt op de Vespa en scheurt weg in de richting van de Westerdals School of Communication.

Hoofdstuk 60

Er kan natuurlijk een logische verklaring zijn, denkt hij terwijl hij de Urtegata uit rijdt. Misschien moeten de Foldviks er gewoon even tussenuit, met zijn tweeën zijn, het verdriet en de gevoelens verwerken zonder andere mensen om zich heen. Het heeft te maken met wat afstand tot een tragedie, zonder geroezemoes eromheen.

Hij laat de Vespa even ronken, rijdt de Hausmanns gate in en steekt de kruising over op het moment dat het verkeerslicht van groen op oranje springt. Een vrouw met donker haar die een kinderwagen voortduwt, steekt dreigend een vuist naar hem op en roept iets wat hij niet verstaat. Haar woede is zichtbaar in het spiegeltje als hij een vuile parelgrijze Opel Vectra passeert.

Maar hij ziet ook nog iets anders. Een taxi. Zelfs in de spiegel lukt het hem een letter en vier cijfers te zien.

A2052.

Omar Rabia Rashid, of iemand die voor hem rijdt, is op pad. De zilvergrijze Mercedes krijgt dezelfde woedende armbewegingen van de donkerharige vrouw, maar de taxi steekt over zonder iemand te verwonden.

Voordat Henning goed en wel heeft kunnen nadenken, is hij linksaf de Calmeyers gate ingeslagen, hij geeft gas en rijdt een vrachtauto voorbij die in zijn vrij voor de Thaise levensmiddelenzaak staat; dat hij bij de volgende straat voorrang aan rechts moet geven zal hem worst zijn, maar daar kan hij niet inrijden want daar geldt eenrichtingsverkeer, in de tegenovergestelde richting. Maar waarom ook niet, denkt hij dan, er rijden daar toch geen auto's, dus hij doet het, hij slaat rechtsaf, hoort hoe iemand op het trottoir hem naroept, maar dat kan hem niets schelen, als de politie toevallig in de buurt mocht zijn en zijn weinig fraaie, onreglementaire rijstijl opmerkt, kan hij zich altijd door hen laten aanhouden zodat hij hen over die kerels achter hem kan tippen.

Hij bereikt al snel de Torggata, waar de auto's hutjemutje staan, een ervan is geel, zelfs nu vallen gele auto's hem op, hij ziet dat de fietsstrook vrij is en wringt zich daarheen, geeft weer gas, rijdt bijna een meeuw omver die een paar centimeter voor hem opfladdert, hij controleert de spiegel om te zien of de Mercedes hem volgt, maar die bevindt zich niet in zijn gezichtsveld, hij blijft abrupt staan, verdomd zebrapad, waarom ziet niemand dat ik er aankom, denkt hij, de mensen lopen gewoon de straat op, hij krijgt zin om te toeteren, maar beseft hoe dom dat zal zijn, hij geeft weer gas, schiet naar voren, voordat hij opnieuw moet stoppen, deze keer voor rood licht.

Hij overweegt om toch door te rijden, want het duurt een eeuwigheid voordat het licht verspringt, hij kijkt weer in de spiegel, geen zilvergrijze Mercedes, hij kijkt weer op, de auto's suizen af en aan, in beide richtingen, maar dan remmen de auto's in de andere rijrichting, het licht springt van groen op oranje, hij geeft vol gas als hij ziet dat de auto's blijven staan, hij draait naar links, kan nog net het zebrapad passeren voordat de voetgangers midden op straat zijn, hij is weer in de Hausmanns gate, nogmaals controleert hij de spiegel, geen A2052, hij rijdt door, voelt auto's in zijn nek, maar hij is niet van plan ze te laten passeren, weer een zebrapad, hij vliegt eroverheen, langs de Elvebakken-school aan de rechterkant waar studenten buiten staan te roken, hij arriveert al snel bij de kruising waar de Rosteds gate begint, weer een rood licht, shit, hij gaat zover mogelijk richting straat staan, draait zich om om naar de taxi uit te kijken, hij ziet andere taxi's, maar geen A2052, nog niet, maar het is nu nog slechts een kwestie van secondes of hij duikt weer op, en wat dan? Ze weten vast waarnaartoe ik op weg ben, denkt hij. Ze weten waar de Westerdals is, ze zijn eerder in deze buurt geweest, shit, hij geeft gas en rijdt langzaam over het zebrapad, daar maakt hij gebruik van, hij registreert dat een wandelaar vlakbij naar hem kijkt, maar dat kan hem niets schelen, hij rijdt het trottoir op, geeft opnieuw gas, hij rijdt nog een paar meter over het trottoir tot hij de straat op kan gaan, en als hij weer naar links kijkt, ziet hij alleen maar muren en beton. De taxi kan hem nu onmogelijk zien. Leve de Vespa!

Hij geeft gas tot hij op de splitsing met de Fredensborgveien aankomt, slaat af en rijdt dan de parkeerplaats bij de school op. Hij vindt een transformatorhuisje en stalt de Vespa daarachter, uit het zicht van automobilisten op straat. Met een snelle beweging zet hij zijn helm af en kijkt om zich heen. Geen A2052. Maar ze kunnen niet ver weg zijn. Snel gaat hij het schoolterrein op.

Hij ziet Tore Benjaminsen vrijwel onmiddellijk. Even overweegt hij naar hem toe te gaan, maar er zijn te veel anderen in de buurt. En wat moet hij vragen? 'Heb je Yngve Foldvik gezien? Weet je dat hij verdwenen is?' Hij beseft dat hij eigenlijk niet weet waarom hij naar de school is gekomen. Wat denk ik hier te zien of te begrijpen? vraagt hij bij zichzelf. Dat de Foldviks zich hier zouden hebben verscholen? Denkt hij dat de studenten of docenten zouden kunnen weten waar de Foldviks graag naartoe gaan als ze even op zichzelf willen zijn? Het is zelfs niet zeker dat de mensen hier weten wat er is gebeurd.

Hij schudt zijn hoofd om zijn eigen impulsiviteit. Dan draait hij zich om en schrikt. Hij kijkt recht in de ogen van Anette Skoppum.

Hoofdstuk 61

Bjarne Brogeland loopt door zijn kantoor te ijsberen. Ann-Mari Sara, de technisch rechercheur, heeft zojuist haar vermoeide, Samische gezicht weer op het scherm laten zien en de nieuwste vondsten op de harddisk van Marhoni laten weten. Het verhoor van Marhoni zal een ware uitputtingsslag worden. Maar dat zal me een zorg zijn, denkt Brogeland. Want wat is er in vredesnaam met Yngve en Ingvild Foldvik aan de hand? Waarom kan niemand hen vinden?

Brogeland vloekt in zichzelf als Ella Sandland aanklopt en vraagt of hij zover is. Ik ben zover, denkt Brogeland, ik ben wis en waarachtig zover.

Advocaat Lars Indrehaug is zoals altijd verontwaardigd namens zijn cliënt als Sandland en Brogeland hen geen welkom heten in de verhoorkamer en de formaliteiten afhandelen.

'Waar gaan we het vandaag over hebben?' vraagt Indrehaug als Brogeland klaar is. 'De favoriete kleur van mijn cliënt? Wat hij van auto's vindt?'

Indrehaug knikt in de richting van Marhoni. Brogeland glimlacht. Hij voelt zich nu niet moe meer, en bij het zien van die slijmbal van een advocaat gaat zijn bloed bruisen. Hij schuift een vel papier hun kant op, legt het midden tussen hen in zodat ze het allebei kunnen bestuderen. Marhoni leunt voorover, kijkt er kort naar en wendt dan zijn gezicht af. Hij schudt licht zijn hoofd. Brogeland registreert het.

'Wat is dit?' vraagt Indrehaug.

'Dat zou toch aardig vanzelfsprekend moeten zijn,' zegt Brogeland. 'Maar misschien kun je het ons toch uitleggen, Marhoni?'

Marhoni kijkt naar de wand.

'Oké, ik zal het voor jullie doen,' zegt Brogeland en hij wendt zich tot Indrehaug. 'Jouw cliënt heeft, geloof het of niet, een ontwikkeld gevoel voor orde. Hij heeft graag overzicht. Je bent misschien bij hem thuis geweest? Opgeruimd en netjes. Het papier dat voor je ligt is een print van een excelsheet die we hebben gevonden op de laptop die je cliënt probeerde te verbranden. Je begrijpt misschien waarom?'

Indrehaug bestudeert het papier wat uitgebreider. Hij ziet namen, telefoonnummers, mailadressen.

'Een snelle zoekopdracht, of trouwens, je hoeft niet eens te zoeken, dan kom je erachter dat dit kwaadwillende mensen zijn. Slechte mensen. Mensen die ervoor zorgen dat onze straten overstromen van de drugs, waardoor onze kinderen die binnen krijgen en ook slechte mensen worden.'

Indrehaug schuift het vel papier weer naar Brogeland en snuift.

'Dit bewijst niets. Er kunnen een heleboel goede redenen zijn dat mijn cliënt heeft besloten deze informatie op zijn laptop op te slaan. Als jij, bijvoorbeeld, de website van supermarkt Rema 1000 onder Favorieten hebt opgeslagen, betekent dat nog niet dat je daar je boodschappen haalt. Deze namen die jullie op de laptop van mijn cliënt hebben gevonden, hoeven in elk geval niet te betekenen dat hij een vrouw heeft vermoord.'

'Nee, daar heb je gelijk in,' antwoordt Brogeland en hij glimlacht. 'Maar hoe verklaar je dít dan?'

Hij schuift een nieuw vel papier naar Indrehaug en Marhoni toe.

'Dit is ook een foto die we op de laptop van je cliënt hebben gevonden. We zijn werkelijk een heleboel interessante foto's tegengekomen.'

Indrehaug trekt het papier naar zich toe. Marhoni kijkt niet naar de print van een foto van hemzelf samen met een man met een donker leren jack. Het jack heeft een vlammotief op de rug. Het gezicht van de man is duidelijk zichtbaar.

'Dit is jouw cliënt samen met een man die Abdul Sebrani heet. Als je de vorige lijst weer naloopt, zie je daar Sebrani's naam op staan. De foto is genomen tijdens een overhandiging van een partij cocaïne door de bende BBB – Bad Boys Burning   eerder dit voorjaar aan Jouw client. Dat gebeurde in Vippetangen. Zie je het water op de achtergrond?'

Indrehaug bekijkt de foto nauwkeurig. Die is scherp en vanaf een afstand met een telelens genomen.

'Weet je nog waar je de dope naartoe moest brengen, Marhoni?' vraagt Brogeland. Hij krijgt geen antwoord.

'Er zijn hier nog meer van dat soort foto's. Jouw cliënt, en nu gis ik alleen maar, wilde een soort verzekering tegen zijn zakelijke contacten voor het geval ze het ruig en stoer gingen spelen. Misschien hadden ze dat al gedaan? Hebben ze je bedreigd, Marhoni?'

Marhoni beantwoordt Brogelands onderzoekende blik niet.

'Jouw cliënt hield zich buiten de schijnwerpers. Maar toen zijn vriendin werd vermoord en we bij hem aan de deur stonden, drong het tot hem door dat de laptop vernietigend voor hem kon zijn. En voor BBB. Daarom probeerde hij het apparaat te verbranden, om de bewijzen te vernietigen.'

Brogeland kijkt naar Marhoni en Indrehaug. De advocaat beantwoordt zijn blik niet, maar buigt zich in plaats daarvan naar Marhoni toe. Gefluister, gesmiespel.

Slam dunk, denkt Brogeland. Hij kijkt naar Sandland, hoopt en gelooft dat zij hetzelfde denkt, maar ze is altijd zo moeilijk te doorgronden.

'Je broer was toch fotograaf?' vraagt ze. Marhoni draait zich naar haar toe, geeft geen antwoord.

'Hij heeft deze foto's toch gemaakt? Ze zijn rechtstreeks op jouw laptop opgeslagen.'

Marhoni antwoordt nog steeds niet, maar dat hoeft ook niet.

'Waar is de rest van je familie, Mahmoud?'

Marhoni houdt zijn blik op Sandland gericht, draait dan zijn hoofd bij en zegt zachtjes: 'In Pakistan.'

'Ben je niet bang voor wat er met hen kan gebeuren?'

'Wat bedoel je?'

'Wie moet er nu geld naar hen sturen?'

Marhoni slaat zijn blik neer.

'We weten dat je elke maand een behoorlijk grote som geld naar hen stuurt. Je vader heeft een ernstige hersenziekte, toch? Met het geld kan hij de benodigde behandeling krijgen. De bedragen variëren enigszins, maar dat zal wel met de omzet te maken hebben, neem ik aan. Het geld dat je verdient op de taxi gaat op aan levensonderhoud, terwijl het geld dat je ontvangt voor het transport van drugs en bendeleden, in Pakistan terechtkomt. Werkt het niet zo?'

Marhoni antwoordt niet.

'Wil je je verklaring wijzigen, Mahmoud?' brengt Brogeland in. 'Zal ik je nog een keer vragen of je Zaheerullah Hassan Mintroza kent? Of Yasser Shah?'

Marhoni zwijgt. Brogeland wacht rustig af.

'Ze zullen hen vermoorden,' zegt Marhoni na een hele tijd stilletjes.

'Wie, Mahmoud?'

'Hassan en de anderen.'

'Wie gaan ze vermoorden?'

'Mijn familie. Als ik hen verraad. Ik wilde eigenlijk uit dat hele gedoe stappen, heb lang naar een uitweg gezocht, maar toen begonnen ze me te bedreigen.'

'En toen antwoordde je met het fotograferen van de transacties?'

Marhoni knikt.

'En daar wisten ze van?'

Herhaaldelijk knikken.

'Beantwoord de vraag.'

'Ja.'

'Dus de moord op je broer was slechts een boodschap? Hou je mond over ons en waar we mee bezig zijn, anders pakken we de rest van je familie ook?'

Nog meer knikken.

'Beantwoord alsjeblieft de vraag.'

'Ja.'

'Hoe lang is dit al aan de gang, Marhoni? Wanneer is het begonnen?'

Hij zucht.

'Het begon een tijdje nadat ik de taxivergunning had gekregen. Ik begon voor Omar te rijden, want we kenden elkaar van vroeger, en na een tijdje vroeg hij of ik wat extra's wilde verdienen. Ik zei ja, want mijn vader was ziek, en in het begin ging het alleen om wat rijden, een beetje leveren. Na een tijdje werd het steeds meer, steeds vaker. Ten slotte werd het te veel.'

'Maar omdat je er nu eenmaal bij betrokken was, konden ze het zich niet permitteren je weer te laten gaan?'

'Ja.'

Brogeland kijkt naar Indrehaug. Hij haalt zijn vingers door zijn haar. Hij duwt zijn lokken opzij, maar ze vallen weer terug.

'Wat willen jullie?' zegt de advocaat na een tijdje.

'Wat wíj willen? Wij willen de mannen achter de schermen, we willen weten van wie jouw cliënt de dope krijgt en hoe het spul hierheen komt. Dat is nog maar het begin. Ik weet zeker dat je de rest zelf wel kunt invullen.'

Indrehaug knikt zwijgend.

'Aangenomen dat mijn cliënt tegen de BBB gaat getuigen.'

'Uiteraard.'

'En je denkt dat hij dat wil, gezien het scenario dat hij jullie zojuist heeft geschilderd over zijn familie thuis in Pakistan?'

Brogeland kijkt naar de advocaat en zucht. Dan richt hij zijn blik op Marhoni.

'We weten dat jij Henriette Hagerup niet hebt vermoord.'

Marhoni kijkt Brogeland aan.

'De kans is groot dat je hier over niet al te lange tijd de deur uit kunt lopen, als je bereid bent met ons samen te werken.'

De blik van Marhoni is nu alerter. Hij kijkt naar Indrehaug, die zich tot Brogeland wendt.

'Bieden jullie mijn cliënt een schikking aan, Brogeland?'

Brogeland kijkt naar Sandland, glimlacht, en richt zijn blik weer op Indrehaug.

'Daar kun je gif op innemen.'

Hoofdstuk 62

Henning is zo verbaasd om Anette op school te zien dat hij niet in staat is iets te zeggen. Hij blijft haar maar aankijken. Hij wist heel zeker dat ze op de loop was gegaan. Maar dan bedenkt hij dat Anette misschien net zo is als hij. Misschien is ze het ook beu om zich voortdurend om te draaien, en wil ze liever de angst onder ogen zien dan eraan te gronde te gaan.

Ze maakt geen aanstalten om hem te passeren.

'Hallo,' zegt hij ten slotte.

'Hallo.'

Ze staren elkaar aan, allebei wachtend tot de ander iets zegt.

'Ik heb het script gelezen,' zegt hij, hoewel hij weet dat ze dat weet. Ze knikt.

'Ik heb het ook aan de politie laten zien.'

'Ja, dat zal wel.'

'Hebben ze nog met je gesproken?'

'Nee. Ze hebben het geprobeerd, maar ik heb geen antwoord gegeven.'

Hij kijkt haar aan.

'Waarom niet?'

'Ik had er geen zin in.'

Ze zegt het ronduit, blijkbaar zonder gewetenswroeging. Hij bestudeert haar.

'Maar ik ben van plan om het nu te gaan doen.'

'O ja? Waarom? Waarom nu?'

'Omdat ik denk te weten wie Henriette heeft vermoord.'

Ze is amper verstaanbaar. Nieuwsgierig zet hij een stap naderbij.

'Wie dan?'

Hij hoort de trilling in zijn eigen stem. Anette kijkt om zich heen, alsof ze zich ervan wil vergewissen dat ze alleen zijn. Dat is niet het geval. Maar niemand is dichtbij genoeg om te horen wat ze zegt.

'Stefan Foldvik,' fluistert ze. Henning snakt zo luid naar adem dat hij het zelf hoort. Anette kijkt hem onderzoekend aan terwijl hij nadenkt over wat ze zojuist heeft gezegd.

'Waarom denk je dat?'

'Heb je het script niet gelezen?' vraagt ze.

'Jawel.'

'Dan zou het niet zo moeilijk te begrijpen moeten zijn.'

Ze komt niet met een andere verklaring. Hij denkt na.

'De familie Foldvik is de familie Gaarder. In het filmscript.'

Hij vraagt half en constateert half. Anette knikt.

'Heeft Yngve overspel gepleegd met Henriette?'

Anette kijkt weer om zich heen, voordat ze knikt. Haar blik staat ernstig.

'Stefan moet het ontdekt hebben.'

'Hoe dan?'

'Dat weet ik niet precies. Misschien heeft hij bij hen thuis of op de pc van zijn vader het script gevonden. Ik heb geen idee.'

'Yngve had het script niet ontvangen,' zegt Henning. Anette kijkt hem snel aan.

'Heeft hij dat tegen jou gezegd?'

'Ja,' geeft hij beschaamd toe, terwijl plotseling tot hem doordringt dat er iets niet klopt. 'Heeft iemand anders op school het script gelezen?'

'Nee.'

'Geen acteurs of figuranten?'

'We zouden onszelf voor de film gebruiken en we zouden nu alleen de eerste scènes schieten. De rest zouden we in de loop van de herfst doen, dus we hebben het script niet aan anderen laten zien. Nog niet.'

Hij knikt en denkt na. Yngve loog. Hij had het script wel gekregen. Dat is de enige logische verklaring die Henning kan verzinnen, aangezien Stefan een kopie te pakken had gekregen. Misschien begreep Yngve dat de waarheid over de ontrouw aan het licht zou komen, en besloot hij het zijn gezin te vertellen. Misschien vond Stefan vervolgens het script tussen de spullen van zijn vader, of vroeg hij om het te mogen zien.

Dat kán betekenen dat Anette gelijk heeft waar het Stefan betreft, dat hij Henriette vermoordde, omdat ze zijn gezin had kapotgemaakt en hen nog meer wilde vernederen door een film over de gebeurtenissen te maken. Maar nu is Stefan dood, door eigen hand of omdat iemand hem heeft vermoord. En dat verandert het een en ander, redeneert Henning bij zichzelf. Maar wie zou er belang bij hebben gehad om Stefan te vermoorden? Er kunnen een heleboel andere redenen zijn waarom een jongen besluit zichzelf van het leven te beroven, redenen die helemaal niets met *Een sha-*

riakaste, Henriette of Yngve te maken hebben. Bovendien is er nóg een mogelijkheid waaraan hij tot nu niet veel gedachten heeft gewijd: het kan ook zo zijn dat Stefan een natuurlijke dood is gestorven.

Het begin hem een beetje te duizelen. Hij weet dat hij dit niet met Anette zou moeten bespreken, maar hij zou daar niemand anders voor weten en hij moet zijn gedachten op iemand testen, nu, terwijl ze hem van alle kanten aanvallen.

'Hebben jullie het script ooit met Yngve besproken?'

'Dat heeft Henriette ongetwijfeld gedaan, maar ik was daar nooit bij, mocht je dat bedoelen.'

'Denk je dat ze over dat gedoe met Gaarder hebben gesproken?'

'Geen idee.'

'Het is me nogal wat, om je minnaar op die manier aan de schandpaal te nagelen.'

Hij spreekt dat uit als iets tussen een vraag en een constatering in. Anette snuift.

'Dus jij denkt dat Yngve het heeft gedaan?'

'Nee, dat hoeft niet.'

'Jij kent Yngve niet. Hij is een watje.'

'Een watje dat Henriette heeft geholpen om een optie op haar speelfilm te krijgen?'

Anette glimlacht. Het is eigenlijk de allereerste keer dat hij haar ziet glimlachen.

'Ja, dat is waarschijnlijk de reden dat Henriette hem zijn gang liet gaan, als je het mij vraagt.'

'Dus het gebeurde maar één keer? Het ging niet echt om een relatie?'

Ze schudt haar hoofd en onderdrukt een lach.

'O, nee.'

Anette gaat er niet verder op in. Hij laat het erbij. Hij werkt niet bij een roddelblad.

'Kwam haar vriend erachter?'

'Mahmoud? Dat geloof ik niet.'

'Hoe denk je dan dat hij op de film gereageerd zou hebben? Denk je niet dat hij zou hebben gedacht dat Mona, alias Henriette, misschien in het echte leven ook ontrouw was geweest? Aangezien het andere voor het grootste deel met de werkelijkheid overeenkwam?'

'Ik weet het niet,' antwoordt Anette. 'Het maakt nu toch niets meer uit.'

'Maar dacht Henriette daar dan niet over na toen ze het script schreef? Hebben jullie daar niet over gesproken?'

'Nou ja, wij...'

Ze denkt na. Dat leidt niet tot het verder formuleren van het antwoord.

'Dus het was voor Henriette volstrekt geen probleem om haar vriend als model te gebruiken voor een kerel die compleet voor de gek wordt gehouden? Zou jij het leuk hebben gevonden als jouw vriend jou dat aandeed?'

'Ik heb geen vriend.'

'Nee, nee. Maar je begrijpt mijn punt toch wel?'

'Jawel. Misschien had Henriette er met Mahmoud over gesproken, weet ik veel. Misschien heeft ze hem uitgelegd dat we het niet letterlijk bedoelden, dat we niet bedoelden dat híj een idioot is die van straat gehaald zou moeten worden. Ik heb geen idee.'

Ze haalt onverschillig haar schouders op.

'Is hij een aanhanger van de sharia en de hudud? Weet je daar iets van?'

'Dat kan ik me niet voorstellen.'

'Dus dat Yashid-personage was geen fanatieke, fundamentalistische moslim?'

'Nee.'

'Waarom hebben jullie Mona dan gestenigd? En moet je volgens de sharia en de hudud geen moslim zijn om gestenigd te worden?'

'Lieve hemel, jij hebt er echt helemaal niets van begrepen.'

'Leg het me dan uit! Begin met pagina één.'

Anette zucht.

'De film is bedoeld om iets te zeggen over wat er in feite in de wereld gebeurt, wat de dagelijkse gang van zaken kan worden in Noorwegen wanneer extremistische milieus zich mogen uiten, vrijelijk hun gang mogen gaan. Dan speelt het geen enkele rol of we Noors of moslims zijn. Hoe denk je dat Oslo er over dertig, veertig jaar uitziet? We worden uiteindelijk vast allemaal geïndoctrineerde, overtuigde moslims. Om die reden is Yashid een heel gewone moslim en Mona een heel gewoon Noors meisje. Om de mensen een beetje tot nadenken aan te zetten.'

'Aha.'

'Vind je dat moeilijk?'

Ze kijkt hem aan alsof hij in de tweede klas van de basisschool zit.

'Nee. Maar niets duidt er toch op dat dit zal gaan gebeuren, Anette. Er zijn maar heel weinig mensen die denken dat de Noorse wet voor de sharia moet wijken, bijvoorbeeld.'

'En wat dan nog?'

Hij fronst zijn voorhoofd.

'En wat dan nog? De aannames voor de film die jullie wilden maken, zijn immers verkeerd! Dit heeft niets met de realiteit te maken! Hadden jullie ook het ziekelijke verlangen om met acht pistoolschoten vermoord te worden?'

Anette kijkt omhoog naar de grijszwarte, dreigende wolken.

'Henriette doet het vast met Theo daarboven *as we speak*. Ik wist niet dat jij gek bent op moslims.'

Hij zucht en ademt hard door zijn neus uit. Een lichte irritatie verschijnt op zijn gezicht.

'Er zijn kanten aan de islam en de sharia waar ik weinig voor voel, maar wat jullie aan het doen zijn, maakt de zaken alleen maar erger. Integratie, van beide kanten, dat soort dingen.'

'Bewaar dat maar voor je feesttoespraken. Bovendien heeft het niets met Stefan te maken.'

Hij knijpt zijn mond dicht, voelt dat hij de discussie graag wil voortzetten, maar dat heeft weinig zin. In plaats daarvan denkt hij aan Stefan, aan Romance. Hij herinnert zich uit zijn eigen tijd als ontluikende volwassene hoe iedereen van zijn leeftijd onvoorstelbare hoeveelheden deodorant opdeed om indruk op de meisjes te maken. Sommigen deden het zelfs op hun kleren. Het stonk, in de gymkleedzaal, in de klaslokalen, zelfs op het schoolplein. Daarom was het misschien nog steeds in de tent te ruiken toen Thorbjørn Skagestad het lijk ontdekte.

Hij merkt dat Anette hem onderzoekend aankijkt. Ze kucht voorzichtig.

'Ik probeerde Henriette zover te krijgen dat ze dat gedoe met Gaarder liet vallen, want dat vond ik niet belangrijk voor de boodschap in de film. Maar ze wilde niet naar me luisteren. Dat vond ik een beetje merkwaardig, want iedereen zou hebben begrepen op wie ze doelde. En het gezin Foldvik had al genoeg te stellen gehad.'

'Wat bedoel je?'

'Stefan heeft me verteld over zijn moeder. Dat ze was verkracht en zo.'

'Heeft Stefan je daarover verteld?'

'Ja.'

'Maar hoe kende jij Stefan?'

'Stefan heeft verleden jaar een scriptwedstrijd gewonnen, en ik wilde zijn film graag maken als een van mijn schoolprojecten. Het was een goed script.'

'Maar dat was de prijs toch?'

'Wat bedoel je?'

'Zouden degenen die de wedstrijd organiseerden zijn film niet maken? Is dat niet altijd de prijs bij zulke wedstrijden?'

'Dat hangt er helemaal van af, maar dat was in dit geval tenminste niet zo. Volgens mij kreeg hij een paar duizend kronen en een uitnodiging voor Zentropa in Denemarken. Stefan was superblij toen ik vroeg of ik zijn film mocht maken. Stefan is een aardige vent, een slimme vent. Maar ook een gevaarlijke vent. Ik begreep dat hij ze niet allemaal op een rijtje had.'

'Wat bedoel je? Hoe begreep je dat?'

'Ik weet het niet goed. Het is wat lastig uit te leggen. Je moet eigenlijk wat tijd met hem hebben doorgebracht om het te snappen. Maar soms was hij in een geweldig goed humeur. Lachte overal om, was enorm opgefokt. Op andere momenten zei hij nauwelijks een woord. Sloot zich helemaal af.'

Henning knikt, bedenkt dat dat kan kloppen met een jongen die zich van het leven berooft nadat hij een ander heeft gedood. Misschien werd de last te zwaar, misschien werden de herinneringen te sterk. Misschien kon hij 's avonds zijn ogen niet sluiten zonder haar voor zich te zien, dood, zonder te moeten denken aan wat hij had gedaan.

Misschien zat er toch niets verdachts aan zijn overlijden. Maar waarom zijn zijn ouders verdwenen?

Op dat moment begint het te regenen. De hemel breekt open, volledig, binnen een paar seconden. Ze haasten zich naar de ingang, en dat doen ze niet als enigen, er ontstaat gedrang, maar het duurt niet langer dan een minuut, dan is iedereen onder dak.

De mensen glimlachen naar elkaar terwijl ze het water van zich af schudden en stampen. Anette brengt haar natte haar met haar vingers in het gareel. Ze gaan bij de balie staan. Dreads is er vandaag ook. Geen spoor van zijn liefje. Dreads ontmoet Hennings blik. Ze knikken naar elkaar.

Anette en Henning blijven op een paar meter van de dichtstbijzijnde studenten staan. Dreads zit op zijn computer te klikken.

'Heb je Yngve hier vandaag gezien?' vraagt Henning met een zachte stem aan Anette. Ze schudt haar hoofd en antwoordt tegelijkertijd nee.

'Yngve heeft vandaag vrij.'

Ze draaien zich om en kijken naar Dreads.

'Yngve en zijn vrouw hebben vandaag vrijgenomen,' zegt hij en hij houdt tegelijkertijd zijn handen omhoog. 'Sorry, ik hoorde je vraag. Dat was niet de bedoeling. Yngve heeft hier vanochtend naartoe gebeld, hij wilde eigenlijk de rector spreken, maar die was er niet, dus ik nam de boodschap aan. Hij zei dat zijn vrouw en hij vandaag niet zouden komen werken.'

'Dat is vreemd,' zegt Anette. 'Ik zou straks een bespreking met Yngve hebben. Zei hij waarom?'

Henning staat op het punt om te zeggen dat hun zoon dood is, maar het schiet hem op het allerlaatste moment te binnen dat het sterfgeval officieel nog niet bekend is.

'Hij zei iets over dat ze eropuit zouden trekken,' antwoordt Dreads.

'Eropuit?'

'Ja, uit kamperen, geloof ik dat hij zei.'

'Kamperen?'

Henning merkt dat hij het bijna uitschreeuwt.

'Ja.'

Hij krijgt een akelig gevoel in zijn maag. Het zou toch normaal zijn om het te zeggen zoals het is, dat hun zoon is omgekomen en dat het wel een tijdje zal duren voor ze naar hun werk terugkeren? Iedereen zou daar begrip voor hebben gehad. Dus waarom kamperen?

'Waarom zei hij dat tegen je?'

'Ik denk dat hij gewoon bericht wilde achterlaten. Als iemand naar hem of hen zou vragen. Weet ik veel, verdomme. Hij klonk – wat zal ik zeggen – een beetje opgejaagd. Of opgefokt, ik weet het niet precies.'

'Hoe dan? Wat bedoel je?'

'Als ik hem niet had gekend, zou ik zeggen dat hij iets had gebruikt. Hij praatte sneller dan normaal.'

'Zei hij waar ze heen gingen?'

'Nee. Alleen dat ze gingen kamperen. Ik was een beetje verbaasd, het was nooit tot me doorgedrongen dat Yngve zo iemand was die het leuk vond om in een tent te overnachten en zo, maar ik dacht ach, het zal wel, het is immers zo populair om in een tent te slapen, dus...'

Hij spreidt zijn armen.

'Wanneer was dat vanochtend?'

'Even na achten, geloof ik. Ik weet het niet zeker. Ik had mijn ochtendkoffie nog niet gedronken.'

'Shit,' zegt Henning zacht, maar Anette hoort het.

'Wat is er?'

Hij schudt zijn hoofd en wendt zich tot haar, fluistert zodat Dreads niet hoort wat er wordt gezegd.

273

'De politie probeert hen te pakken te krijgen, maar niemand weet waar ze zijn.'

'Waarom? Denk je dat ze...'

De blik die hij haar toewerpt, is scherp. Ze begrijpt het meteen, doet een stap dichterbij en fluistert: 'Denk je dat zij weten dat Stefan Henriette heeft vermoord?'

Hij weet wat hij graag zou willen antwoorden, maar hij schudt zijn hoofd. 'Geen idee.'

'Maar ze zijn weg? Verdwenen?'

'Dat zou kunnen.'

Ze blijven even staan zonder iets te zeggen. Dan dringt het opeens tot hem door. Hij wendt zich weer tot Dreads.

'Weet je of de tent op de Ekebergsletta er nog staat?'

'De filmtent? Ja. De politie was er gisteren klaar mee, zeiden ze, ze hadden de nodige foto's gemaakt en bewijsmateriaal meegenomen, en ze hadden niet de behoefte hem in beslag te nemen, zeiden ze. Ze belden om te zeggen dat we hem konden ophalen.'

Daar zijn ze vast. Hij kijkt weer naar buiten. De regen zal hem doornat maken. En van een taxi kan geen sprake zijn. Hij kijkt naar zijn helm.

'Zal ik je rijden?'

Hij richt zijn blik op Anette, snel.

'Heb jij een auto?'

'Ja? Waarom zou ik die niet hebben?'

Hij denkt, nee, waarom niet?

'Heb je nu geen les of zoiets?'

'Zoals ik zei, ik had nu eigenlijk een bespreking met Yngve, maar hij is er niet, dus...'

Ze spreidt haar armen.

'En als hij heel ergens anders is, en jij weet waar en waarom, dan draag ik graag bij met vervoer. Het is geen big deal voor mij. Ik kan je er best naartoe rijden.'

De gedachte is te aanlokkelijk om die te kunnen weerstaan.

'Heb je de auto in de buurt?'

'Die staat hier vlak achter,' zegt ze en ze wijst langs zijn hoofd.

'Oké. Dan gaan we.'

Hoofdstuk 63

Op het korte stukje van de school naar de parkeerplaats raken ze doorweekt. Anette opent eerst het portier aan haar kant, stapt in en doet zijn deur open. Hij neemt plaats in een kleine, donkerblauwe Polo die in goede staat lijkt te verkeren, ook al moet hij minstens vijftien jaar oud zijn. In de auto hangen vreemd genoeg geen geuren, ook al is het een meisjesauto, maar hij vermoedt dat Anette niet veel om parfum geeft.

Ze start de auto, zet de ruitenwissers op volle snelheid en rijdt achteruit de parkeerplaats af. Ze staat op het punt verder te rijden als ze de auto in de vrij zet en hem aankijkt. Het geluid van de snelle vegen van de ruitenwissers vermengt zich met het gejammer van een motor die nog niet warm is.

'Wat is er aan de hand?' vraagt ze. Hij zucht, kan haar niet over Stefan vertellen. Het is niet aan hem om het over dat soort zaken te hebben.

'Ik moet met de Foldviks praten.'

'Met allebei?'

'Ja.'

'Waarom? Heeft het iets met Stefan te maken? Met Henriette?'

Hij knikt.

'Maar ik weet nog niet precies wat. Of hoe.'

Net voldoende cryptisch volgens hem. Maar het is wel waar. Hij heeft geen idee wat er aan de hand is of wat hij tegen hen moet zeggen wanneer en als hij hen ontmoet. Maar hij heeft het gevoel dat hij hen moet vinden en snel ook.

'*Please*, Anette, rij nou maar. Oké? Ik kan je naderhand alles vertellen. Op dit moment hebben we geen tijd voor een discussie.'

Anette kijkt hem aan, laat een paar seconden voorbijgaan. Dan zet ze de auto in de eerste versnelling en begint te rijden. Hij bedankt haar inwendig.

Ze rijden de Fredensborgveien op. Ik moet Brogeland bellen, denkt hij, vertellen wat ik vermoed, maar dat kan ik niet. Nog niet.

Onder het rijden praten ze niet. Dat komt hem goed uit, zo kan hij proberen zijn gedachten te ordenen. Anette rijdt voorzichtig, niet als een meisje, maar oplettend en zonder al te vaak fel op het gas of de rem te trappen. Ze dwingt de Polo de lange, slingerende heuvel op langs de oude gebouwen van de Handelshogeschool, waar op de top van de helling het Ekebergrestaurant gevestigd is, hij ziet hoe de Oslofjord zich tussen de eilanden uitstrekt, de veerboten liggen aan wal, een paar privéboten varen op het water, ondanks de afschuwelijke regen. Ze passeren ook een arme fietser, die geen reden ziet zich iets van het opspattende water dat Anette hem bezorgt, aan te trekken.

Terwijl de regen met bakken naar beneden komt, denkt hij aan Stefan, ziet hem voor zich, in de tent, met stenen boven zijn hoofd, de woede die de overhand nam, die maakte dat hij niet ophield voordat alle leven uit Henriettes lichaam was verdwenen, voordat hij haar rug met de zweep had bewerkt en haar ene hand had afgehakt. Waar komt zo'n razernij vandaan? En hoe komt de hudud in beeld?

Hij denkt ineens aan de foto van Stefan op de kamer van zijn vader, aan het krantenartikel, aan wat daarin stond. En als hij de hele gang van zaken door zijn hoofd heeft laten gaan en het daarna heeft vergeleken met de beschrijving in het artikel, is het alsof alles op zijn plaats valt.

Allemachtig nog aan toe.

Ze hebben niet meer dan zo'n tien, twaalf minuten nodig om van de Westerdals bij Ekeberg te komen. Hij ziet de witte tent meteen als ze arriveren. Anette rijdt het tolstation door. Hij vraagt haar te stoppen op de busbaan vlak erachter. Ze doet wat hij zegt.

'Bedankt voor het vervoer,' zegt hij en hij pakt de portiergreep.

'Maar...'

'Dit is nu geen plek voor jou, Anette. Rij maar gewoon weg. Bedankt dat je me hiernaartoe hebt gebracht.'

Anette wil iets zeggen, maar hij ziet dat ze zich bedenkt.

'Ik zal er later vandaag wel iets over lezen,' zegt ze en ze glimlacht even. Misschien, denkt hij en hij stapt uit. Vastberaden doet hij het portier achter zich dicht. De regen klettert op zijn hoofd. Het heeft geen zin het te bedekken.

Hij ziet Anette wegrijden en hij loopt het geasfalteerde pad op dat zich een weg omhoog zoekt in de richting van de school. Er is nu niemand buiten, niet op het terrein bij de Ekeberg-school en niet op het gras. Hij ziet ook geen auto's in de buurt van de tent geparkeerd staan. Hm, denkt hij, heb ik het mis? Zijn ze hier niet?

Het voelt alsof hij iets besluipt, alsof hij aan zo'n verdorven diefstal van appels uit de boomgaard deelneemt. Hij wil net naar de tentopening lopen als hij abrupt blijft staan. Een geluid. Een stem? Nee. Zelfs in het intense geruis van de regen kan hij daarbinnen iemand horen kreunen. Hij blijft staan luisteren. Bewegingen. Nog meer gekreun. Hij sluipt naderbij. Maar het is het geluid van slechts één persoon. Niet van twee. Hij kijkt om zich heen. Er is nu geen mens buiten.

Shit, Henning, denkt hij. Wat ga je zeggen als je naar binnen gaat? 'Hallo, ik ben Henning Juul van *123nieuws*. Mag ik u iets vragen?'

Verdomme. Hij draait zich weer om. Niemand. De regen klettert op het tentdak. Hij kijkt op zijn horloge. Het is even na twaalven. Het schiet hem te binnen dat hij een uur geleden op het politiebureau had moeten zijn. Misschien zit Brogeland te wachten. Nee. Dan zou hij hebben gebeld. En met het verhoor van Marhoni, de verdachte dood van Stefan en de verdwijning van de Foldviks hadden ze het verhoor van hem vast en zeker niet gehaald.

Ik ga naar binnen, zegt hij bij zichzelf. Het gaat maar zoals het gaat.

Hij buigt zich voorover, pakt de rits vast en trekt hem met een vastberaden beweging omhoog. Hij kijkt naar binnen en weet niet zeker of hij het wel goed ziet. Dan wordt het beeld geleidelijk aan duidelijker. Ingvild Foldvik heeft een schop in haar hand. Aan haar voeten liggen stenen, grote en kleine. Ze kijkt hem met schrik in de ogen aan. Hij kijkt háár met schrik in de ogen aan.

Dan ziet hij de kuil in de grond. Daarin bevindt zich Yngve Foldvik. Hij heeft een rood merkteken van een stungun op zijn hals.

Hoofdstuk 64

Hij kan zijn ademhaling maar moeilijk in bedwang houden. Zijn armen houdt hij voor zich uit. Water stroomt van zijn hoofd. Snel veegt hij met zijn ene hand over zijn gezicht, hij doet een stap naar voren. Bedompte lucht. De felle regenbui klettert op het tentdak dat niet alle regen kan tegenhouden zodat druppels binnendringen en zich met het gras vermengen. Hij kijkt naar de ogen van Ingvild Foldvik. Die staan te ver open, ze staren te veel, er is een licht en een distantie in te zien die hij alleen bij krankzinnige mensen is tegengekomen.

'Rustig aan,' zegt hij en hij beseft op hetzelfde moment hoe dom dat klinkt. Ze staat daar met een schop in haar handen, met stenen aan haar voeten, en er is niet veel fantasie voor nodig om te begrijpen wat ze daarmee van plan is.

Ze is vele kilo's magerder dan de laatste keer dat hij haar zag. Mager was ze toen ook al, toen ze in de rechtszaak getuigde, maar nu zijn er bijna alleen nog botten over. De kleren hangen als slappe zakken om haar heen. Ze ziet er minstens tien jaar ouder uit. Haar huid is opgezwollen. Ze is een levende dode, denkt hij. Haar tanden zijn geel van het jarenlange roken, haar haar begint te grijzen, het zit in een haastig geknoopte paardenstaart gebonden, strepen vochtig haar hangen voor haar gezicht, een gezicht dat bleek en smal is, met diepe wallen onder de ogen.

'W... wie ben jij?' stottert ze. Hij kijkt naar Yngve in de grond. Het hoofd hangt slap opzij. Maar hij ademt.

'Mijn naam is Henning Juul,' zegt hij zo beheerst hij kan. Hij ziet dat de naam haar niets zegt.

'Ik heb je rechtszaak verslagen. Voordat dít gebeurde,' zegt hij en hij wijst op zijn gezicht. Hopelijk zullen de brandwonden hem een paar sympathiepunten opleveren.

'Wat doe je hier? Waarom ben je hier?'

Haar stem is nu scherper. Hij kijkt naar Yngve.

'Doe het niet, Ingvild,' zegt hij. 'Diep vanbinnen wil je dit niet.'

'Dat wil ik wel degelijk!' sneert ze. 'Wat heb ik nog om voor te leven? Hij heeft me ALLES afgepakt! Alles heeft hij van me afgepakt! Mijn hele leven! Het is... het is...'

Haar ogen versmallen. Ze begint te huilen zonder een geluid voort te brengen. Er stromen alleen tranen uit haar ogen. Dan beginnen ze weer te gloeien en ze kijkt minachtend naar haar man. Ze wendt zich tot Henning. Het lijkt alsof er een sluier over haar gezicht is gevallen.

'Weet je wat hij mijn zoon heeft laten doen? Weet je wie mijn zoon is?'

Hij zet een stap verder de tent in.

'Stefan,' zegt hij vriendelijk. 'Jouw zoon heeft Henriette Hagerup vermoord.'

Ze stoot een jammerlijke kreet uit.

'H... hoe kun jij dat weten?' zegt ze huilend. Hij haalt adem, concentreert zich.

'Ik heb het script van Henriette Hagerup gelezen.'

Ze snuift, verwijdert haar uit haar gezicht. Hij bedenkt wat hij moet zeggen, hoe hij een weg naar het verstandige deel van haar hersens kan vinden. Macht heeft weinig nut. Het heeft geen zin zich op haar te werpen en haar daarvandaan te slepen. Hoewel Ingvild Foldvik niet meer is dan een skelet, is het een skelet met een wil. En als je daarvan voldoende bezit, kun je het meeste voor elkaar krijgen. Bovendien heeft ze een stungun.

'Als het mag, Ingvild,' zegt hij zo vriendelijk mogelijk, 'dan wil ik graag met je over het script praten.'

'"Ingvild",' zegt ze en ze bootst zijn stem na. 'Dus nu ken je me zeker opeens? Verdomde journalist!'

'Stefan heeft Henriette vermoord omdat je man overspel met haar pleegde. Hij hield misschien zelfs van haar. Hij heeft jullie gezin kapotgemaakt. Zíj heeft jullie gezin kapotgemaakt en schreef een filmscript dat deels ging over wat er is gebeurd. Maar Stefan heeft zijn eigen draai aan het script gegeven.'

'Wat bedoel je?'

Hij kijkt kort naar Yngve, die nog steeds bewusteloos is.

'Stefan hield van symboliek. De *Da Vinci-code light*, schreven de kranten dat niet over zijn filmscript? Henriettes hand werd afgehakt. Daarover stond er niets in Hagerups script. Conform de hudud in de sharia wordt je hand afgehakt als je wordt betrapt op stelen. Henriette heeft je man gestolen.'

Ingvild steekt de schop in de grond. Maar ze schuift niet meer zand en gras om haar echtgenoot heen. Ze houdt een hand voor haar mond.

'En de geseling. In het manscript stond ook niets over geselen. Maar de film zou jou en jouw gezin belachelijk hebben gemaakt. En je mag ook niet lachen als je een vrouw bent. Dan word je gegese...'

'Stop!' roept ze. In de tent valt een doodse stilte. 'Hou alsjeblieft op. Ik kán niet meer! Kun je ophouden?'

De schop valt op de grond. Ze houdt haar handen voor haar gezicht. Hij zet nog een paar stappen de tent in zonder dat ze het merkt. Yngves groene overhemd is doortrokken van zweet. Ingvild zakt in elkaar. Henning doet niets, hij ziet alleen dat ze met haar gezicht in haar handen huilt. Zo blijft ze een tijdje zitten, tot ze haar tranen wegveegt en hem aankijkt.

'Je zegt dat je mijn rechtszaak hebt verslagen,' begint ze met schorre stem. Ze kucht even, ziet hem knikken.

'Dan weet je ook hoe dat varken me heeft verkracht en me daarna kapot heeft gemaakt. Ik heb een cursus zelfverdediging gevolgd, heb het een en ander geleerd, maar ik voelde me nooit veilig. Overal waar ik liep, zag ik zijn schaduw, ik voelde het mes tegen mijn keel, de punt van het mes tegen mijn buik, tegen...'

Ze zucht diep.

'Yngve was begripvol. Gaf me de tijd, pushte me nooit. Maar hij werd het wachten beu. Het wachten tot...'

Ze sluit haar ogen en huilt weer. Hij doet nog een paar passen verder de tent in zonder dat ze er erg in heeft. Het dak zit een paar meter boven hem. De tent is groot, er kunnen zeker twintig mensen in.

Ze opent haar ogen weer. Ze staan elkaar een tijdje aan te kijken, maar hij heeft het gevoel dat alleen híj iets ziet. Ingvilds blik is soms afwezig, om af en toe in kleine, korte momenten op te flikkeren als ze iets registreert, een kleur of een beweging. Dan verdwijnt ze weer, naar een plek waar ze met niemand contact heeft.

'Ik heb zo eentje gekocht,' zegt ze en ze haalt een mobiele telefoon uit haar zak. Het mobieltje ziet eruit als een heel gewone Nokia-telefoon.

'Deze kun je in Noorwegen niet kopen. Niet zulke.'

Ze zwaait met de telefoon in haar hand.

'Het is een combinatie van een mobiele telefoon en een stroomstootwapen. Er zijn daadwerkelijk mensen die zulke dingen maken. Ik heb hem voor bijna duizend kronen in de VS op de kop getikt. En iedereen heeft tegenwoordig een mobiele telefoon, nietwaar? De mensen lopen immers voortdurend op de toetsen te drukken. Bellen, kletsen en praten onzin. Ik heb hem altijd in mijn hand. Het valt niemand op. En als iemand me weer probeert lastig te vallen, ben ik gereed. 80 000 volt, regelrecht het lichaam in. Zzzzzz. Ik kan je beloven dat je dan van de wereld bent.'

Hij kijkt naar Yngve, hoeft niet overtuigd te worden.

'En Stefan wist dat je hem had? Heeft hij hem gebruikt?'

Ze knikt met tegenzin.

'Heeft hij gevraagd of hij hem mocht lenen?'

'Nee. Hij heeft hem op een avond gewoon gepakt – ik bedoel – die avond. Ik was al naar bed. De dag erna besefte ik dat hij hem had gebruikt, want hij lag niet meer op de plaats waar ik hem had neergelegd. Ik ben heel nauwgezet geworden met dat soort dingen. Ik zie alles.'

'Heb je hem ermee geconfronteerd?'

'Niet op dat moment. Ik werd laat wakker en hij was al naar school. Maar gistermiddag kwam het aan de orde, en... en...'

Ze begint weer te huilen, maar praat toch verder.

'Ik vroeg hem wat hij met mijn telefoon had gedaan, waarom hij hem had geleend, maar aangezien hij geen antwoord gaf, nam Yngve het over, en toen ontstond er...'

Ze schudt haar hoofd.

'Alles wat Stefan dwars had gezeten, kwam naar buiten, hij wilde dat Yngve zou toegeven wat hij had gedaan, eerlijk was tegenover zichzelf en ons, Stefan ging bijna door het lint, hij wilde vechten met Yngve, en in de hitte van de strijd vertelde Stefan wat híj had gedaan, waarom hij mijn mobieltje had geleend, en het werd...'

Nog meer schudden met het hoofd.

'Het was zo verschrikkelijk. Zo...'

Ze kijkt naar haar man, die nog steeds met zijn hoofd de ene kant op hangt.

'Het is zo afschuwelijk. Zo afschuwelijk...'

Ze sluit haar ogen.

'Wat gebeurde er nadat Stefan de moord had bekend? Hij was immers alleen toen hij overleed.'

Ingvild zucht diep.

'Ik herinner het me niet helemaal. Ik geloof dat ik het appartement uit ben gerend, want ik weet nog vaag dat Yngve me boven op St. Hanshaugen door elkaar schudde. Boven op de top. Hij zei dat hij me urenlang had gezocht. Volgens mij was hij erheen gelopen. Of gerend, ik weet het niet. Ik herinner het me niet. En toen we terugkwamen, toen...'

Opnieuw begint ze zachtjes te huilen. Hij ziet haar beven, met haar ene hand voor haar mond. Dan worden haar ogen wazig. Ze kijkt recht voor zich uit, naar de wand van de tent, voordat ze plotseling weer glashelder is.

'Hoe wist je dat we hier waren?'

'Ik heb vanochtend met die jongen bij de receptie op school gesproken.'

'Gorm?'

'Best mogelijk.'

'Hoe...?'

Hij houdt zijn handen omhoog.

'Hij zei dat Yngve vanochtend had gebeld om tegen de rector te zeggen dat jullie zouden gaan kamperen. Het schoolhoofd was er niet, dus Gorm nam het bericht aan. Ik heb één en één bij elkaar opgeteld en kwam op twee. Het is eigenlijk puur geluk dat ik jullie heb gevonden. Maar ik bedacht dat alles wat er met jullie is gebeurd, met deze tent, deze kuil te maken heeft,' zegt hij en hij wijst naar de grond. 'En omdat iedereen jullie zoekt zonder jullie te vinden, nam ik de gok dat jullie hier waren. Aangezien jullie zouden "gaan kamperen", zoals Yngve zei.'

Ingvild kijkt hem een hele tijd aan, voordat ze knikt.

'Ik herinner me vrijwel niets van wat er gisteren is gebeurd. Ik had ook geen pillen meer, die had Stefan natuurlijk gepakt, dus ik kon ook niet slapen. Ik betwijfel sowieso of ik had kunnen slapen.'

Haar ogen zijn bloeddoorlopen.

'Waarom zijn jullie hiernaartoe gegaan?'

'Zodat ik wraak kon nemen. Op mijn eigen manier.'

'Maar hoe heb je Yngve meegekregen?'

'Ik zei tegen hem dat ik hier moest zijn, in de tent, om te kijken of ik kon begrijpen wat mijn zoon had gedaan. Het was niet alleen een smoes om hem hierheen te krijgen. Ik had dat werkelijk nodig. Vind je dat vreemd klinken?'

Hij schudt zijn hoofd.

'Nu ik hier sta, voelt het in elk geval wel wat vreemd. Tegelijkertijd weet ik hoe het Stefan is vergaan. Volgens mij kan ik dezelfde haat voelen. Als zijn moeder is dat een verwantschap waarvoor ik dankbaar ben.'

Hij wil iets zeggen, maar hij ziet haar gezicht vol minachting en woede komen, en voordat hij kan reageren, voordat hij in staat is zich op haar te werpen, heeft ze een van de stenen opgepakt en naar Yngve gegooid, ze raakt hem op zijn schouder, hij maakt een schokkende beweging, komt bij bewustzijn, de ogen gaan langzaam open, hij schudt even zijn hoofd, maar zit te diep in de kuil om zich te kunnen bewegen, dan ziet hij Ingvild, daarna ziet hij Henning, en Foldvik beseft wat er staat te gebeuren, hij probeert zijn armen op te heffen om zich te verdedigen, maar die zitten vast in de grond, Ingvild pakt nog een steen.

'Wacht! Ingvild, niet...'

Yngve roept, Henning zet een grote stap dichter naar Ingvild toe om haar tegen te houden, maar ze ziet het, spert haar ogen wild open en houdt het stroomstootmobieltje voor zich uit, zwaait ermee in zijn richting, drukt erop, er komen vonken af en hij blijft staan, doet een stap naar achteren.

'Waar ben je mee bezig?' roept Yngve.

'Jij hebt die hoer vermoord!' zegt Ingvild verbeten. 'Ja, jij was het, Yngve, was maar bij haar uit de buurt gebleven, dan zou dit allemaal niet zijn gebeurd, jij bent ook degene die Stefan heeft vermoord, jij hebt hem ertoe aangezet zichzelf van het leven te beroven...'

'Ingvild, dat...'

'O, hou je bek! Het is alleen maar terecht dat je van hetzelfde laken een pak krijgt, dezelfde steen en dat dat hier gebeurt, op dezelfde plek, dan kun je op dezelfde manier sterven als je minnares, die hoer...'

'Ze was geen...'

'Waag het niet!'

Ingvild heeft weer een steen opgepakt, het schuim komt uit haar mond, de haat straalt uit haar ogen, Henning weet niet wat hij moet doen om haar tegen te houden, ze zwaait wild met haar mobieltje naar hem, zal ik proberen hulp in te roepen, denkt hij, nee, dat gaat niet, want het kan te laat zijn, de stenen zijn zo zwaar dat één goed gerichte worp het eind van Yngve kan betekenen. Henning probeert iets zinvols te bedenken om te zeggen, maar kan niet op de juiste woorden komen, hij vindt niets, blijft op een en dezelfde plaats staan, op het vochtige gras, hij ziet hoe Ingvild de steen boven haar hoofd heft en mikt.

'Dit is omdat je haar hebt geneukt, duivel dat je bent! Ik weet dat ik lange tijd geen vrouw voor je ben geweest, sinds ik ben verkracht ben ik schijndood geweest, maar jij had me moeten helpen, jij had me moeten helpen, jij varken, jij had mijn ziel niet moeten verkrachten, en het ergst van alles, het ergst van alles, jij had onze zoon niet tot waanzin moeten drijven, ik weet het, want ik weet hoe hij zich voelde toen hij hier stond, op precies dezelfde manier, met de steen boven zijn hoofd, toen hij mikte op die hoer die alles voor ons kapot heeft gemaakt.'

'Maar ik heb toch nooit met Henriette gevreeën,' schreeuwt Yngve en hij sluit zijn ogen. Henning heft zijn armen hopeloos afwerend boven zijn hoofd, naar haar, ook al staat ze een aantal meter bij hem vandaan, hij doet ook zijn ogen dicht, wacht op de klap, op de gil.

Maar die komen nooit.

Hij doet zijn ogen weer open. Ingvild staat nog met de steen opgeheven. Ze snakt naar adem.

'Ik zweer het, ik heb nooit met Henriette gevreeën.'

Yngves stem is klagend en zit vol tranen. Dan hoort Henning een beweging achter zich.

'Nee, maar wel met mij.'

Hij draait zich snel om. En voor de tweede keer in minder dan een uur tijd kijkt hij recht in de ogen van Anette Skoppum.

Hoofdstuk 65

Als God bestaat, dan drukte Hij op dat moment op de pauzetoets. Hennings mond valt open. Anette doet een stap naar binnen, kijkt hen allemaal een voor een aan.

'Sorry, Juul,' zegt ze en ze houdt haar handpalmen naar hem op. 'Ik werd te nieuwsgierig.'

Hij kijkt haar aan, knippert niet met zijn ogen.

'W... wie ben jij?' vraagt Ingvild.

'Ik ben het meisje met wie jouw man seks heeft gehad.'

Ze zegt het zonder omwegen, ongegeneerd, zonder berouw, presenteert het als puur feitelijke informatie. Henning weet dat hij niet als enige stomverbaasd is.

'Maar...'

Ingvilds stem is nog steeds krachteloos.

'Ik begrijp best dat Stefan dacht dat het Henriette was. Kijk maar naar mij, ik zie er niet bepaald uit als zij. Als je naar het script kijkt, zou het ook tamelijk vanzelfsprekend moeten zijn met wie hij had gevreeën.'

Anette kijkt naar Yngve. Hij kijkt schuldbewust omlaag. Over zijn wang biggelt een traan. Het beetje haar dat hij heeft, is nat van het zweet.

'En Henriette was natuurlijk een gigantische flirt. Als ze het echt wilde, kon ze een composthoop voor zich innemen.'

Iedereen kijkt naar Yngve. Hij zucht en schudt zijn hoofd.

'Het was niet zo gemakkelijk, voor niemand van ons, in de tijd erna, na wat er met Ingvild was gebeurd. Het ging ook niet zo geweldig goed met ons voordat het gebeurde, en naderhand was het gewoon volslagen onmogelijk om als man en vrouw met elkaar te leven. Elke keer als ik bij jou in de buurt kwam, ontweek je me, je schrok al als ik, je man, je wilde aanraken.'

Yngve kijkt naar haar.

'Lichamelijk contact bestond niet meer. En toen kwam Henriette...'

Hij schudt opnieuw zijn hoofd.

'Ze was knap, energiek, slim en inderdaad, ze flirtte, en ik zal niet ontkennen dat er gedachten bij me opkwamen die ik al tijden niet had gehad. Maar ik wilde haar vertrouwen in mij niet beschamen. Ik was hoe dan ook haar vakdocent, haar begeleider, en ik kon niet...'

Foldvik kijkt van de een naar de ander. Zijn ogen blijven op Anette rusten. Henning ziet dat hij een en al berouw is.

Anette zet nog een stap naar voren. Ook zij is doornat. Henning vraagt zich af waarom ze is omgekeerd. Hij kan haar nieuwsgierigheid begrijpen, maar waarom moest ze hun deze bom serveren?

Om de dingen in perspectief te zetten, natuurlijk. Als Ingvild haar man had vermoord omdat hij seks met Henriette had gehad, zou de waarheid – wanneer die later aan het licht was gekomen – Ingvild volledig hebben geruïneerd. Hoe leef je verder met de wetenschap dat je zoon de verkeerde vrouw heeft vermoord, en jij je echtgenoot vermoordt omdat hij zo'n verkeerd begrepen waanzin in het leven van je zoon heeft gebracht?

Ingvild ziet eruit alsof ze lek geschoten is. Haar schouders hangen slap omlaag, haar rug is gebogen, haar ogen zijn opgezwollen. Henning kijkt naar Anette. Ze is veel slimmer dan hij dacht.

'Het spijt me, Ingvild,' gaat Anette verder. 'Het was nooit de bedoeling geweest. Het gebeurde gewoon. Ik liep al heel lang met een verhaal rond, had ook een heel fraaie *storyline* geschreven en ik wilde dat Yngve daarnaar zou kijken. Ik wist dat hij Henriette hielp om een optie bij Take Five Films onder te brengen, dus misschien kon hij mij ook helpen. Bier speelde ook een rol, dat kan ik niet ontkennen, maar we maakten een praatje op zijn kamer, en...'

'Anette, niet...'

Yngve sluit zijn ogen. Anette houdt haar handen omhoog.

'Nee, ik zal verder niets zeggen. Ik wil alleen mijn excuses aanbieden. Voor alles wat ik jullie heb aangedaan. Als ik had geweten waartoe het zou leiden, dan...'

Ze wil haar zin afmaken, maar stopt. Zij huilt nu ook. Ze doet weer een stap in de richting van Ingvild, buigt zich naar haar toe, legt een hand op haar rug, en op dat moment schiet Ingvilds arm uit, Henning ziet het pas als het te laat is, dan heeft ze haar mobiele telefoon al naar voren gestoken en nu drukt ze tegen Anettes hals, zzzzz, ze geeft Anette een stroomstoot die haar regelrecht in het gras doet belanden, hij wil naar Ingvild toe om haar tegen te houden, om te verhinderen dat de haat opnieuw opwelt, dat die op Anette wordt afgereageerd, die bewusteloos op de grond ligt met haar gezicht naar beneden. Maar Ingvild steekt haar handen omhoog terwijl ze haar rug recht. Ze zegt niets, kijkt slechts recht voor zich uit met een afstandelijke blik en ze laat de mobiele telefoon vallen. Die komt vlak naast Anette terecht.

'Nu kun je de politie bellen,' zegt Ingvild tegen hem. Ze klinkt rustig. Haar blik is omfloerst en leeg. Hij blijft een hele tijd naar haar staan kijken, voordat hij zijn mobiel uit zijn natte jaszak pakt, de condens van de display veegt en ziet dat de telefoon het nog doet.

Dan belt hij Bjarne Brogeland.

Hoofdstuk 66

Brogeland arriveert niet veel later met enkele rechercheurs. Henning herkent Ella Sandland. Hij verwacht half de vuurtoren Arild Gjerstad binnen te zien komen terwijl hij aan zijn baard frunnikt, maar hij is er niet bij. Ook Pia Nøkleby niet.

De rechercheurs nemen snel tent en inhoud onder de loep. Ingvild wordt door Sandland opgevangen. Iemand begint Yngve uit te graven. Twee mannen in ambulancekledij bekommeren zich om Anette. Brogeland loopt met gefronste wenkbrauwen naar Henning toe.

'Jij hebt een goede speurneus, Juul, dat moet ik zeggen,' zegt hij en hij legt een hand op Hennings schouder. Die is het niet gewend om complimenten te krijgen, houdt er ook niet van de hemel in te worden geprezen, dus hij mompelt alleen een bedankje. Hij betast de kleren die aan zijn lichaam vastgeplakt lijken te zitten en trekt overhemd en broek los.

'Nu niet ervandoor gaan,' zegt Brogeland. 'We moeten dit allemaal bespreken en dat doen we deze keer dus echt niet door de telefoon.'

Brogeland glimlacht.

'Ik ga alleen even naar buiten,' zegt Henning.

Het is opgehouden met regenen als hij weer in de buitenlucht komt. De wind is koud. Hij had niet gemerkt dat zijn wangen gloeiden, maar de ijzige bries is aangenaam op zijn vochtige, snikhete gezicht. Nu word ik verkouden, denkt hij. Hij is doorweekt. Maar wat maakt het verdomme uit. Hoe onbelangrijk is dat nu.

Hij pakt zijn mobieltje uit zijn zak en toetst het nummer van Iver Gundersen in. Gundersen neemt meteen op.

'Hallo, Iver, met mij,' zegt Henning.

'Hallo.'

Gundersen weet het nog niet, denkt hij.

'Ben je op je werk?'

'Ja.'

'Zit je achter een computer?'

'Yep.'

'Heb je zin in een scoop?'

Het blijft even stil.

'Een scoop?'

'Yep. Een scoop. Ja of nee. Zo niet, dan bel ik een ander.'

Henning kan het gepieker door de telefoonlijn heen horen.

'Nee, ik, of ik bedoel, ja. Natuurlijk, uiteraard heb ik zin in een scoop. Maar verdomme, wat is er aan de hand?'

Henning snuift een flinke dosis noordenwind naar binnen. Heerlijk.

'Dit gebeurt op mijn voorwaarden. Je mag onderweg best vragen stellen, maar geen enkele vraag over waarom ik het op deze manier wil. Is dat duidelijk?'

'Henning, ik...'

'Is dat duidelijk?'

'Verdomme, Henning, ja, dat is duidelijk!'

Hij glimlacht. Hij moet er ook een beetje lol aan beleven.

'Oké, zet je schrap,' zegt hij.

Dan begint hij met pagina één.

Henning loopt wat in het rond terwijl hij met Gundersen praat, werpt een steelse blik op Ingvild en Yngve terwijl Brogeland & co voor de tent de eerste, voorlopige verhoren afnemen. De Foldviks hebben ieder een deken om zich heen. Ze kijken de rechercheur die tegen hen praat niet aan.

Ze kijken nergens naar.

Als Brogeland hem een teken geeft, is het al vroeg in de middag. Het verkeer komt de Ekebergsletta op rijden, de auto's van de kranten en de tv zijn ter plaatse, er heeft zich een hele schare mensen verzameld die zich afvragen wat voor gruwelijkheden zich deze keer in de tent hebben afgespeeld. Hij kan het hun niet kwalijk nemen. Hij zou zelf ook nieuwsgierig zijn geweest. En ze zullen nog verbaasder staan als ze iets later *123nieuws* lezen, gesteld dat Gundersen de feiten op een verstandige manier in de juiste chronologische volgorde weet te zetten.

'Zo,' zegt Brogeland met een hoofdknikje. Henning volgt hem, ze lopen bij de anderen vandaan.

'Wat denk jij van dit alles?' vraagt de politieman.

'Wat bedoel je?'

'Blijft de wereld zoals wij hem kennen overeind of staat die op zijn grondvesten te schudden?'

'Ik weet het niet,' zegt Henning.

'Ik ook niet. Verdomme,' zegt Brogeland en hij schudt zijn hoofd. 'Zullen ze ooit weer normale mensen worden, denk je?'

'Nee.'

'Dat denk ik ook niet.'

'Hoe gaat het met Anette?'

'Ze is zo weer beter.'

'Nemen jullie haar mee naar het ziekenhuis?'

'Dat hoeft volgens mij niet.'

Ze lopen even verder. De wolken boven hen bewegen zich snel. Het wordt weer koud. Zijn kleren zitten al niet meer zo aan zijn lichaam vastgeplakt.

'Hebben jullie nog kunnen achterhalen waaraan Stefan is overleden?' vraagt hij. Ze zijn weer op weg terug naar de tent. Brogeland schudt zijn hoofd.

'Het is nog te vroeg, maar alles wijst op een overdosis pillen in combinatie met alcohol.'

'Dus het is geen verdacht sterfgeval meer?'

'Nee, het lijkt over het algemeen redelijk normaal te zijn.'

'Betekent dat dat jullie je niet gaan haasten met testen en analyses en zo?'

'Het is niet aan mij om dat te bepalen, maar ik denk wel dat dit geval onder op de stapel terecht zal komen, ja.'

'Mm.'

Henning kijkt om zich heen. Een cameraman van TV2 tilt zijn apparatuur op zijn schouder. De journalist kijkt in zijn aantekenboekje voordat hij, zonder dat de camera loopt, de stand-up test.

'Het is toch wel vreemd, niet, dat Stefan zich had uitgekleed?' zegt Henning als de journalist klaar is. Brogeland wendt zich weer tot hem.

'Hm?'

'Waarom denk je dat Stefan naakt was?'

'Tja, dat weet ik niet goed. Hij had iets met symboliek, weet ik. Misschien was het zijn manier om te zeggen dat de cirkel nu gesloten was.'

'Naakt geboren, naakt gestorven, bedoel je?'

'Ja.'

Dat kan natuurlijk de reden zijn geweest.

'Maar hoe wist Stefan dat Henriette die avond in de tent zou zijn? Is er telefonisch contact geweest tussen die twee?'

'Niet voor zover ik me kan herinneren. Ik geloof het niet.'

'Dus hoe wist hij dat dan?'

Brogeland denkt even na.

'Misschien hadden ze mondeling afgesproken, hoe moet ik dat weten?'

'Waarover dan? Stefan had toch niets met de film te maken.'

'Weet ik niet. Geen idee. Op de een of andere manier moet het in elk geval zijn gebeurd. Maar dat zullen we nu nooit te weten komen.'

Henning knikt stil. De vraag kwelt hem een beetje. Hij houdt niet van puzzels waaraan stukjes ontbreken. Hij blijft altijd naar het gapende gat staren.

'Wat een begin voor jou, dit gedoe,' zegt Brogeland nadat ze zonder een bepaald doel nog een paar meter verder zijn gelopen.

'Wat bedoel je?'

'Deze zaak. Maar dat past wel bij jou, is het niet? Jij vindt het toch leuk om in je eentje te werken?'

Hij kijkt Brogeland aan en vraagt zich af waar die toon ineens vandaan komt.

'Waar denk je aan?'

'Gjerstad vertelde me over die vrouwen uit Nigeria,' zegt Brogeland en hij draait zich naar Henning toe. De glimlach is verdwenen. 'Gjerstad vertelde me over het artikel dat je toen hebt geschreven. Het interview dat je de dader hebt afgenomen.'

Henning knikt en glimlacht. Die Gjerstad toch.

'Maar heeft Gjerstad je wel het hele verhaal verteld?'

Hij wacht op Brogelands reactie. Die komt niet.

'Vertelde hij erbij dat ik het interview afnam en die kerel de door hem gewenste publiciteit gaf, op één voorwaarde?'

Kunstmatige pauze.

'Welke voorwaarde dan?'

'Dat hij zou stoppen met het vermoorden van Nigeriaanse vrouwen, überhaupt met moorden. Het was een utopie om te denken dat de politie alle prostitutie uit Oslo zou kunnen bannen. Dat is hetzelfde als kinderen vragen niet meer te snoepen. Het wordt niet voor niets het oudste beroep van de wereld genoemd. Vertelde Gjerstad je hoeveel vrouwen die man nog meer van het leven heeft beroofd?'

Brogeland geeft geen antwoord.

'Nee, dus. En ik had hem ook niet aan de politie kúnnen overhandigen, want ik heb hem nooit ontmoet. We hadden twee telefoongesprekken, en beide keren belde hij naar mij. Ik heb nooit de moeite genomen om uit te zoeken waarvandaan hij belde, want ik wist dat het me toch nergens zou hebben gebracht. Bovendien werd hij een paar maanden later opgepakt. Voor iets anders.'

Henning ziet Arild Gjerstad voor zich, hij herinnert zich een paar van hun woordenwisselingen, de duidelijke antipathie en het misnoegen in zijn ogen. Ook al zit ik vol vooroordelen, denkt hij, toch is dat nog niets vergeleken bij Gjerstad.

'Oké, ik...'

'Laat maar zitten.'

'Maar ik...'

'Gjerstad houdt niet van journalisten, Bjarne, en volgens mij mag hij mij het minst van allemaal. Zo is het nu eenmaal.'

'Ja, maar ik...'

'Laat maar. Het is niet belangrijk.'

Brogeland blijft hem aankijken. Dan knikt hij, stil.

Hoofdstuk 67

Als Henning een uur later op de redactie komt, valt hem meteen op dat de sfeer anders is. Ja, het is vrijdag en vrijdagen hebben hun eigen intensiteit, maar deze keer is het koffie, een likeurtje erbij en crème brûlée tegelijk. Hij ziet het aan de glimlachende gezichten, hoort het in hier en daar een hartelijk gelach, ziet het aan het ontspannen lopen van een vrouw die hij op de trap tegenkomt.

Hij loopt via de smalle gang naar de keukenhoek waar de koffieautomaat staat, vreemd verlaten. Het is even na drie uur. Er zijn nog steeds heel wat mensen op het werk. Kåre Hjeltland buigt zich zoals gewoonlijk over een journalist in de redactiehoek.

'Henning!' roept hij als hun blikken elkaar kruisen. Dan mompelt hij iets tegen het redactielid en holt naar de keukenhoek. Henning doet een stap achteruit om steun te zoeken, zodat hij niet omver wordt gelopen. Heidi loopt achter Kåre langs. Ze kijkt naar hen, maar komt niet naar hen toe.

'Heb je het artikel van Iver gezien?' brult Kåre.

'Eh, nee?'

'Hij heeft de hele zaak-Hagerup groots onder de aandacht gebracht! De steniging en de hele mikmak! Het was zo-even vast en zeker een showdown in die tent op de Ekebergsletta! Verdomme! De lezersaantallen gaan ALLE PERKEN TE BUITEN! Verdomme, VERDOMME!'

Kåre lacht hard, voordat hij Henning een ferme klap op de schouder geeft.

'Ga je straks ook mee? Dit moeten we toch vieren!'

Henning antwoordt niet meteen.

'Het is toch vrijdag, verdomme!'

'Gaat Iver ook mee?'

Niet dat het ook maar iets zou uitmaken, maar hij wil het toch weten.

'Nee. Hij neemt later vandaag deel aan de talkshow *1730* op radio P4. Hij moet nuchter blijven. En daarna is er een talkshow op tv, ik weet niet meer welke, ha ha.'

Op dat moment komt Gundersen terug van het toilet. Hij droogt zijn handen aan zijn versleten, ongewassen spijkerbroek, maar stopt midden in de beweging als hij Henning ontdekt. Ze staan elkaar aan te kijken. Kåre brult iets wat Henning niet verstaat. Hij kijkt naar Gundersen, die hem voorzichtig toeknikt. Er staat dankbaarheid in zijn ogen, gemengd met een merkwaardige mix van respect en bewondering.

'Een andere keer graag,' zegt Henning tegen Kåre. 'Ik heb een afspraak.'

'O ja!' roept Kåre. 'Dat is jammer!'

Gundersen komt op hen af, maar loopt door zonder iets te zeggen. Zijn ogen flitsen terwijl hij aan zijn baardstoppels krabt. Henning glimlacht inwendig.

'Ik moet gaan,' zegt Henning en hij kijkt naar Kåre.

'Oké! Tot maandag!'

De namiddag is kouder, onbarmhartiger als hij buiten komt. Hij trekt zijn jack dichter om zich heen. Hij loopt naar de zwarte poort, vraagt zich af waar hij de dichtstbijzijnde slijterij kan vinden, als hij een stem achter zich hoort.

'Juul.'

Hij draait zich om. De stem is van een man die hij eerder heeft gezien. De zonnebril schittert. Nu Ray Ban dicht bij hem staat, ziet hij wat Gunnar Goma zag toen hij door het spionnetje keek. Het haar dat op de schedel geverfd lijkt te zijn. Het doet denken aan graancirkels in een korenveld. De halsketting, dik en glanzend, bungelt heen en weer. Hij draagt een zwart leren jack, waarschijnlijk met een vlammotief op de rug.

'Zie je die auto daar?' zegt de man en hij wijst naar een zwarte auto buiten voor de poort. 'Ga daar naartoe. Als je schreeuwt of iets probeert, gaat je moeder eraan.'

De duw tegen zijn borst is vastberaden. Henning draait zich om en begint te lopen, hij kijkt alle kanten op, kijkt uit naar gezichten, maar hij ziet niemand aan wie hij met zijn ogen een teken kan geven of naar wie hij een verborgen gebaar kan maken. Zijn hart klopt in zijn keel. Zijn voeten sloffen over de grond, maar dat voelt hij niet.

Wat moet ik nu verdorie doen? denkt hij.

De man op de bestuurdersstoel staart hem aan als Henning op de auto toeloopt. De linkerarm van de chauffeur hangt slap uit het raam. Om zijn ene vinger zit een verband. Gunnar Goma heeft goede ogen, denkt Henning, hoewel hij niets ziet wat op homoseksualiteit wijst.

'Rijden,' zegt de man die naast Henning op de achterbank gaat zitten. De auto schiet vooruit. Hij wordt achterover tegen de bank gedrukt. De motor bromt zachtjes, maar het lukt hem niet zijn aandacht bij de auto's, de mensen of de omgeving te houden. Hij zou moeten proberen iemand een teken te geven, denkt hij weer, dat hij ontvoerd is, maar wat gebeurt er dan met zijn moeder? En wat zal er met hem gebeuren?

'We zijn onderweg.'

De chauffeur praat in een microfoontje. Hij heeft een kabeltje in zijn oor.

Wat doe je als de toekomst leeg lijkt? Henning heeft zich de afgelopen maanden die vraag vele malen gesteld, wanneer hij in de schaduw stond en met zijn hele lijf voelde dat die bezig was hem op te slokken. Er bestaan geen kalmerende woorden, zoals toen hij klein was en de ademhaling van zijn vader of moeder voldoende was om te weten dat alles goed zou komen, het is niets, rustig maar, alles gaat voorbij. De angst die hij nu voelt, is als een verlammende kou. Alle wereldzeeën en schuimende golfkoppen helpen je nu niet, Henning. De enige die jou kan helpen, ben je zelf.

Maar hoe? Wat moet je doen? Wat moet je zeggen?

Ze hebben niet lang gereden, maar voordat hij doorheeft wat er gebeurt en waar ze zijn, is de auto in een wasserij verdwenen. Het wordt meteen donkerder om hen heen. De auto stopt, maar geen van hen stapt uit. De deur achter hen glijdt langzaam dicht.

Dan voelt Henning een pistool in zijn zij. Hij hoort zichzelf naar adem snakken.

'Stap uit.'

Hij staart naar het wapen dat tegen een van zijn ribben is gedrukt.

'Stap uit, zeg ik.'

De stem is donker. Henning opent het portier en stapt op nat beton. Het ruikt zoals het altijd ruikt in autowasserijen. Een mengeling van vocht en een ondefinieerbaar wasmiddel. Er zijn geen andere auto's. Er is ook geen automaat waar je je auto in kunt rijden, waarna de machine alles doet behalve de auto glanzend schoon maken.

De portieren klappen dicht en het lawaai echoot tegen de wanden. Waarom heb ik Bjarne hier niets over verteld? vraagt hij zich af, waarom heb ik niet verteld dat ik nog een rekening te vereffenen heb met die brandende jongens, dat ze bij mij thuis zijn geweest en mijn laptop hebben gestolen, dat ze me zijn gevolgd? Brogeland had het immers aangesneden. Dat deze jongens hardcore waren. Godverdomme, Nora zei het ook al.

Nora, denkt hij. Heb ik je voor het laatst gezien?

Een deur gaat open. Hij draait zich om naar een glazen kooi. Er komt een glimlachende man uit.

'Henning!' zegt hij, alsof ze elkaar al een eeuwigheid kennen. Henning geeft geen antwoord, hij staart de glimlachende man alleen aan.

'Ik heb een heleboel namen, maar iedereen noemt me Hassan,' zegt hij en hij reikt Henning de hand. Henning drukt die. Hard. Hassans glimlach laat bovenin een gouden tand zien tussen verder goed onderhouden glazuur, tanden en tandvlees. Hij draagt alleen een singlet op zijn bovenlichaam. Gouden kettingen bungelen om zijn hals. Henning staart naar de tattoos op beide armen. Op de ene arm staat een groene kikker en op de andere een zwarte schorpioen. Kikkers leven op het land en in het water. Aan land geven ze de voorkeur aan de nacht. Ze jagen op ongewervelde dieren. Overdag verstoppen ze zich voor roofdieren, op schaduwrijke en vochtige plaatsen. Schorpioenen zijn ook 's nachts het meest actief. En verder hebben ze een akelige angel.

Hassan wrijft over de bijgeknipte baard rond zijn mond en op zijn wangen.

'Zo,' zegt hij en hij loopt om hem heen. 'Je weet misschien wel waarom je hier bent?'

Henning maakt een gebaar naar zijn natte kleren.

'In elk geval niet om me een wasbeurt te geven.'

Hassan lacht luid. Het geluid produceert een holle klank op de wanden. Hij kijkt naar de anderen terwijl hij rondjes blijft lopen.

'Je hebt het me moeilijk gemaakt,' zegt Hassan vervolgens, zonder hem aan te kijken. Henning staat onbeweeglijk, hij concentreert zich op zijn ademhaling, voelt zich nauwelijks heel, maar meer als iets wat op elk willekeurig moment uiteen kan vallen en het contact met de vloer kwijt zal raken. Zijn gedachten vliegen heen en weer, hij probeert ze te vangen, maar wordt verlamd door een overweldigende eenzaamheid. Zo zal het wel moeten zijn, denkt hij, zo moet het hem vergaan. Dit is zijn verdiende loon. Niemand staat hem bij als het erop aankomt.

Toon geen angst, zegt hij tegen zichzelf. Laat je niet op je meest armzalige manier zien, ontdaan van eer en waardigheid. Als de dood nu gaat komen, treed die dan met opgeheven hoofd tegemoet.

Zijn gedachten werken als een duwtje in de rug. Daarom zegt hij: 'Ik weet het.'

Hassan blijft staan.

'Je weet het?'

'Ja, daar is niet zo veel voor nodig. Yasser Shah, een van je gangsters, wordt gezocht omdat hij Tariq Marhoni heeft vermoord. Jullie hebben het nu niet zo gemakkelijk, met zo veel *heat* om de hoeken van jullie huizen heen. Heb je *Heat* gezien, Hassan? Met Al Pacino en Robert de Niro in de hoofdrollen?'

Hassan glimlacht, maar hij schudt zijn hoofd. Hij begint weer langzaam te lopen.

'Een klassieker. Het punt is dat je, wanneer je succesvol wilt zijn als crimineel, je leven niet kunt vullen met dingen die je niet in een tijdsbestek van dertig seconden wilt verlaten als het je te heet onder de voeten wordt. Maar jij hebt geen plannen om weg te gaan, hè, Hassan?'

Hassan laat een kort lachje horen, maar hij antwoordt niet.

'Dan hebben we een probleem.'

Hassan kijkt Henning aan.

'Wij?'

'Je bent toch zeker niet zo dom om mij te vermoorden nu Yasser Shah zijn werk niet goed genoeg heeft gedaan?'

Hassan neemt kleinere pasjes. Henning besluit door te gaan terwijl Hassan de situatie beoordeelt en zijn gedachten ordent.

'Yasser Shah is op de vlucht voor de politie, ze weten dat de broer van Tariq Marhoni iets met jullie te maken heeft, en er is niet veel fantasie voor nodig om te begrijpen dat er de komende tijd nog meer heat om jullie heen zal ontstaan. Mahmoud Marhoni staat namelijk op het punt uit voorarrest te worden ontslagen. Bjarne Brogeland heeft me dat een uur geleden verteld. Weet je wat hij me nog meer vertelde?'

Henning wacht niet op antwoord.

'Hij zei dat Mahmoud bewijs in handen heeft dat voor jullie alles kapot kan maken. Is het dan dom of slim om daarnaast een journalist te vermoorden, ook al was hij getuige van een door jullie gepleegde moord?'

'Eén moord meer of minder maakt niet zo veel uit,' zegt Hassan nors en hij kijkt naar de anderen voor goedkeuring. 'Bovendien: niemand zal je vinden.'

'Nee, misschien niet. Maar als je denkt dat dat het voor jullie gemakkelijker maakt, dan heb je het mis. Het is één ding als drugscriminelen elkaar vermoorden. Daar hebben de meeste mensen volgens mij geen problemen mee. Maar een journalist vermoorden – dat is heel iets anders. Niet dat wij journalisten bij iedereen welkom zijn, want dat is echt niet zo, maar diep vanbinnen zijn de meeste mensen, hoewel velen van hen zeggen dat ze journalisten haten, blij dat we bestaan. En als iemand een journalist vermoordt of van de aardbodem laat verdwijnen omdat hij zijn werk deed, ontstaat er een hel zonder weerga, dat kan ik jullie beloven. De politie weet al dat jullie me in de kijker hebben, en als jullie denken dat het nu erg is, wacht dan maar tot wat er vanaf morgen gebeurt als de mensen zich zorgen om mij gaan maken. Brogeland heeft me bescherming tegen jullie aangeboden, maar daar heb ik voor bedankt. Weet je waarom? Omdat ik niet van plan ben om de rest van mijn leven onder te duiken of achter een scherm te leven, en omdat ik niet denk dat jullie zo dom zijn dat jullie het voor jezelf nog erger gaan maken door mij uit de weg te ruimen. Maar als je me gaat vermoorden, Hassan, doe het dan nu. Meteen. Eigenlijk verleen je me een grote gunst.'

Zijn stem weerkaatst tegen de wanden. Onder zijn ribben trommelt het. Hij kijkt naar Hassan, die nog steeds rondjes loopt. Zijn schoenen produceren langzame, ritmische stoten op de natte betonvloer. De rest van de bende houdt de ogen op de baas gericht.

'Hoe ben je aan die littekens gekomen?' vraagt Hassan na een tijdje.

Henning zucht. Het is misschien mijn verdiende loon dat Jonas hier nu bij betrokken wordt, denkt hij. Mijn lieve, lieve jochie. Hij denkt aan de sprong door de vlammen, hoe hij probeerde zijn gezicht te bedekken met zijn handen en armen, het haar dat vlam vatte, dat brandde en schrijnde, de ogen van Jonas toen hij dat zag, hoe hij hielp de vlammen te doven, voordat het te laat was.

Hij herinnert zich hoe ze daar op het balkon stonden, met gretige vlammen die vanuit de woonkamer naderbij kwamen, hij herinnert zich hoe Jonas naar hem keek voor steun en veiligheid, de woorden die hij zei, die hij nooit zal vergeten, *het komt goed, niet bang zijn. Ik zorg voor je*, hij herinnert zich hoe ze op de balustrade klommen, hij greep zijn zoon vast, keek hem in de ogen en zei dat ze alleen maar een sprongetje hoefden te maken, dan waren ze beneden, dan waren ze veilig, maar het was zo koud, het had dagenlang geregend, de balustrade was glad, dat merkte hij toen hij erop klom, maar hij dacht het maakt niet uit hoe het met mij gaat, als ik Jonas maar kan redden, ik moet als eerste op de grond belanden, dan kan ik de val breken, Jonas mag me raken waar hij wil, dat maakt niet uit, als hij maar overleeft. Hij stribbelde tegen, huilde, wilde niet, durfde niet, maar Henning dwong hem, zette een strenge stem op, zei dat ze moesten, zo niet, dan zouden ze allebei doodgaan, hij beloofde dat ze het volgende weekend zouden gaan vissen, alleen zij tweeën, als ze nu maar beneden kwamen, Jonas knikte ten slotte met dappere tranen, vermande zich, die stoere jongen, maar het schrijnde in zijn gezicht, het was moeilijk om ook maar íéts te zien, maar het moest hem lukken, hij moest als eerste gaan en het enige doen wat hij kon, zijn eigen zoon redden, hij klom op de balustrade, stond er bovenop, greep de bevende handen van Jonas vast, tilde hem op, zei de woorden nog een keer, die verdomde woorden, maar toen hij naar beneden keek, probeerde naar beneden te kijken, werd hij duizelig, het begon voor zijn ogen te draaien, het rook verbrand, kwam die walm uit het appartement of kwam het van zijn eigen gezicht, er kwam rook uit de deur die ze open hadden laten staan, maar het was nu of nooit, ze moesten het doen, hij zette zijn voet vastberaden neer om steviger te staan, alleen maar om te voelen dat er geen balustrade meer onder hem was, die was weg, net als de grip die hij om zijn arm had gevoeld, Jonas, waar was Jonas in vredesnaam, hij kon niet zien, dat lukte hem niet, zijn ogen zaten dichtgeplakt, en hij zweefde, viel, naar beneden, hij wachtte op de klap, voelde die al voordat die er was, een muur van duisternis kwam met donderend geweld op hem af en hij zag niets, merkte niets, voelde niets, alles was slechts duisternis.

Hij had de duisternis nooit eerder gezien. Nooit echt gezien, nooit gezien wat zich daarin kon bevinden.

Maar hij zag het toen.

Jonas was bang voor het donker.

Wat hield hij van Jonas.

Jonas.

'Er was brand in mijn appartement,' zegt hij stilletjes. 'Heb jij kinderen, Hassan?'

Hassan schudt snuivend zijn hoofd.

'Zal ik ook nooit hebben.'

Henning knikt zwijgend.

'Zullen we er maar een eind aan maken?' vraagt hij, terwijl een koele rust hem overvalt. Hij is zover. Het maakt niet uit. Laat de eeuwigheid maar komen. Hassan gaat recht tegenover hem staan. Dan pakt hij een pistool. Hij tilt het op, vergewist zich ervan dat Henning het ziet en drukt het tegen zijn voorhoofd.

Nu keert de duisternis terug, de duisternis waarop ik heb gewacht, waar de ochtend nooit aanbreekt, waar de stemmen verstommen, de dromen zwijgen en de vlammen zijn verdwenen. Kom bij mij. Breng me naar het land van de doden, maar laat daar iemand zijn die op me wacht.

Hij wacht op een knal, of misschien slechts een plof of een plop, als Hassan een geluiddemper gebruikt. Henning denkt dat hij dat misschien nog kan horen, voordat zijn hoofd explodeert in een brij van bloed en hersenmassa. De dood is verschrikkelijk, maar hij verzacht tenminste alles wat pijn doet.

Dan verdwijnt de druk tegen zijn voorhoofd. Hij opent zijn ogen en kijkt in die van Hassan. Hassan heeft zijn arm laten zakken.

'Oké,' zegt hij en hij doet een stap dichterbij, gaat helemaal tegen hem aan staan.

'Maar als Yasser wordt gepakt,' fluistert hij, 'en er komt een rechtszaak omdat jij de enige getuige van de openbaar aanklager bent, komen we je opnieuw halen. Snap je? Het is zelfs niet zeker dat we je dan halen.'

Hij zet een stap naar achteren, maakt een snijbeweging met het pistool, over de hals. Henning slikt, hard. Ze blijven elkaar een hele tijd staan aankijken.

'Snap je?'

Henning knikt.

Hij snapt het.

'Doe de deur omhoog,' zegt Hassan tegen een van de anderen terwijl hij Henning blijft aankijken.

'Maar...'

'Doe het.'

De man sloft over het beton. Hij drukt op een knop. De deur kraakt als hij omhoog glijdt, maar dat komt alleen doordat het verder zo stil is in de autowasserij. Henning kijkt naar Hassan als de ruimte geleidelijk aan weer vol licht komt. Nog steeds even stoer. Henning twijfelt er geen seconde aan dat Hassan meent wat hij zegt.

De deur glijdt helemaal omhoog en stopt met een dreun.

'Mijn laptop,' zegt Henning. 'Mag ik die ook terug?'

Hassan beweegt zijn hoofd naar een van de anderen, die gehoorzaamt, maar met afkeuring in zijn blik. Een paar tellen later keert hij terug en duwt Hennings laptop in diens armen.

Als hij buiten weer op droog asfalt loopt, komt een chique Alfa Romeo langzaam op hem af gereden. Hij draait zich om en kijkt de wasserij in. De deur glijdt langzaam naar beneden. Het is een merkwaardig schouwspel. Akelige, brandende jongens die op een kluitje naar hem staan te kijken. Ze zien er stoer uit. Hardcore. Het had een mooie coverfoto kunnen zijn, denkt hij, van een band die zijn laatste plaat uitbrengt. Het voelt heel stil en leeg als de deur helemaal dicht is en hij hen niet meer kan zien.

Hoofdstuk 68

Hij hoort meteen dat er iemand flink bezig is. Als hij de sleutel in het slot van zijn moeders flat wil steken, dringt het tot hem door dat het van een tv komt. Gelukkig komt het van een tv. En gelukkig niet van de tv van zijn moeder. De geluiden komen bij de buurman, bij Karl, vandaan.

Karl is de conciërge in het gebouw. Karl is gek op porno. Henning heeft er tegenover zijn moeder nooit over gerept, maar volgens hem mag Karl haar graag. Als ze dat tegen alle verwachting in op een dag zelf mocht ontdekken, hoopt hij dat ze niet nog meer wrok tegen hem koestert omdat hij er niet mede voor heeft gezorgd haar een oude dag in Karls armen te bezorgen. Hij heeft het gevoel dat dat al snel wat klef had kunnen worden, zonder dat hij van plan is daar dieper over na te gaan denken.

Zoals altijd wanneer hij bij zijn moeder komt, wordt hij bijna omvergeworpen door een blauwe walm. De Marlboro zit bij haar in het behang. Hij weet zeker dat wanneer iemand het zou wagen haar plafond een keer af te nemen, zeep en water daarboven bruine bellen zouden maken van oeroude nicotine en teer. Hij voelt hoe blij hij is dat hij niet meer rookt. Want hij weet heel zeker dat zijn appartement er ook zo uit zou hebben gezien.

Hij neemt de draagtassen mee, alle zes, en loopt de woonkamer binnen. Hij hoort de radio, kan niet voorkomen dat hij de radio hoort, want die staat zoals gewoonlijk hard aan. Christine Juul zit in de keuken, zoals altijd, te roken. Ze kijkt nauwelijks van de krant op als ze haar zoon ziet.

'Hallo, mama!' roept hij om boven de stemmen van de radio uit te komen. De verloren zoon keert terug. Maar er zijn geen begroetingen op komst. Ze kijkt naar de tassen die hij bij zich heeft. Hij heeft er bewust voor gezorgd dat ze vanaf haar keukenstoel de donkerbruine tas als eerste ziet.

'Dat werd tijd,' snauwt ze. Hij doet alsof hij het commentaar niet hoort, gaat de keuken binnen en opent de koelkast. Het rinkelt. Hij weet dat dat het mooiste geluid is dat ze kent. Hij pakt de tassen uit, melk, kaas, suiker, brood – dat soort zaken – terwijl hij stiekem om zich heen kijkt. Ze ziet eruit als altijd, ze draagt een rookgele broek die ooit wit was, een rookgele bloes die ooit lichtgeel was, en daaroverheen heeft ze een bruin gebreid jasje omdat het koud is. En het is koud omdat ze lucht. Dank U, God, dat ze lucht.

'Hoe gaat het?' vraagt hij.

'Slecht.'

'O? Is dat nieuws?'

'Nieuws?'

Ze bromt. Ik had haar journaal van haar ziekte dubbel moeten controleren voordat ik hier kwam, denkt hij en hij glimlacht bij zichzelf.

Op de radio is een discussieprogramma. Het kost hem een minuut, terwijl hij verdergaat met het uitpakken van de etenswaren die hij heeft gekocht, om te begrijpen dat ze naar *1730* luistert. Hij had niet verbaasd hoeven te zijn dat hij de stem van Iver Gundersen hoort, maar toch voelt hij zich een klein beetje opgewekt. Hij luistert naar de presentator: *'Ja, Iver Gundersen, jij was degene die eerder vandaag deze zaak heeft ontrafeld. Denk je dat die nog een staartje krijgt? Denk je dat er hierna meer aandacht voor de sharia in de Noorse samenleving zal komen?'*

'Nee, Andreas, dat denk ik niet. Volgens mij zullen de meeste mensen wel begrijpen dat dit in Noorwegen geen dagelijkse praktijk zal worden, ongeacht de vraag hoeveel moslims hiernaartoe komen. Misschien dat dit ons bewustzijn voor wat de sharia in feite is, een beetje kan vergroten. Ik denk dat we daar allemaal profijt van kunnen hebben.'

Flinke jongen, denkt Henning. Hij wil zijn moeder vragen het geluid wat zachter te zetten, maar hij weet dat ze dat toch niet zal doen, dus probeert hij het maar buiten te sluiten. Hij ziet dat ze vergeefs probeert de dop van een van de flessen St. Hallvard te krijgen. Hij pakt haar de fles af en heeft na een fractie van een seconde de dop eraf. Hij pakt een borrelglas uit het kastje boven het aanrecht en zet dat voor haar neer. Schenk zelf maar in, denkt hij. Hij ziet dat haar handen trillen en dat ze morst als ze dat doet. Verdomme, wat trilt ze.

Een mengeling van medelijden en boosheid schiet door hem heen. Hij zucht terwijl hij haar een flinke eerste slok ziet nemen. Ze sluit haar ogen, hij ziet hoe de stroperige vloeistof haar verwarmt, via haar gehemelte, keel en borst. Hij weet absoluut zeker dat dit vandaag tot dusver haar beste ogenblik is, misschien wel van meerdere dagen.

De presentator verandert van onderwerp.

'Minister van Justitie Trine Juul-Osmundsen staat weer in de belangstelling.'

Zijn moeder zet het geluid harder. Hij wil om hulp roepen.

'Ze stelt voor het automatische recht op hoger beroep te beperken in zaken waarin de verdachte tot meer dan twee jaar gevangenisstraf is veroordeeld; dit naar verluidt vanuit het oogpunt van efficiency. Het initiatief botst op veel verzet van de kant van de oppositie. Bij ons in de studio is vandaag Karianne Larsåsen van Links, die vindt dat...'

Ze draait het geluid weer zachter. Dank je, zegt hij bij zichzelf.

'Verdomde journalisten,' mompelt ze. Hij blijft even staan, wil zich omdraaien en iets zeggen. Maar hij laat het erbij. Het heeft geen zin. Met een krachteloze beweging sluit hij de koelkast en kijkt om zich heen. Er liggen kruimels, gemengd met resten as, op de vloer. Overal. Zelfs vanuit de keuken kan hij het stof op de tv zien. De woonkamer, die bestaat uit een bruine driezitsbank, een Stressless-fauteuil met een poef ervoor, een donkerbruine salontafel en linnen behang op de wanden ziet er op het eerste gezicht opgeruimd uit, maar hij weet hoe het eruitziet onder de tafel, in het rode Perzische tapijt, onder de driezitsbank, in de tv-kast.

Hij haalt de stofzuiger uit een kast in de gang en zet hem aan. Hij zuigt snel de entree, de kleine, krappe badkamer en de slaapkamer en gaat dan als een wervelwind door de woonkamer. Hij staat op het punt de slang van de stofzuiger te verwijderen en het stof van de plint naast de open haard weg te halen, als zijn blik op de grijswitte schoorsteenmantel valt.

De schoorsteenmantel staat vol foto's. Hij heeft ze al honderd keer eerder gezien. Er staan foto's van zijn moeder, toen ze nog moeder was, de huwelijksfoto van zijn ouders, hij ziet foto's van Trine, Trine en haar man Pål Fredrik toen ze trouwden, foto's van Trine en Henning samen toen ze klein waren, op het stenen strand bij het zomerhuisje.

En hij ziet een foto van Jonas.

Hij pakt hem op en kijkt ernaar. Jonas glimlacht naar de fotograaf. Het is rond kerst. Dat ziet hij aan de kerstkaarten die achter de blonde lokken aan de wand hangen, aan een groen zijden koord. In plaats van alle kaarten op een tafeltje of een prikbord te verzamelen, hingen ze ze met paperclips aan een zijden koord, zodat het een boom van kerstkaarten leek.

Jonas was drie toen de foto werd gemaakt. Henning herinnert zich de aanleiding niet meer, maar de glimlach zit vol verwachting voor de komende kerstdagen. Hij kijkt lang naar de foto, terwijl de stofzuiger naast hem te keer gaat. Het lukt hem niet de foto weer weg te zetten.

Hij weet niet hoe lang hij daar staat, maar het is een eeuwigheid. Hij komt weer bij zijn positieven als zijn moeder demonstratief het geluid van de radio harder zet om de stofzuiger te overstemmen. Nu is het genoeg, denkt hij en hij legt de foto weg.

Maar hij legt hem niet ondersteboven.

Hoofdstuk 69

In het uur dat hij bij zijn moeder is, krijgt hij een heel pakje sigaretten binnen. Als hij de straat weer op loopt en ziet hoe het Sofienbergpark vol raakt met mensen die blij zijn dat het vrijdag is, piept zijn mobieltje. Hij opent het bericht onder het lopen en ziet tot zijn grote verbazing dat het van Anette is.

> Leef je nog?

Hij glimlacht bij zichzelf en toetst een antwoord in.

> Het scheelt niet veel. Ik zou jou graag dezelfde vraag willen stellen. Hoe gaat het met je?

Hij verlaagt zijn tempo, houdt het mobieltje in de hand terwijl hij ziet hoe mensen kleden, schouderkarbonades en klapstoelen uitpakken. Het antwoord van Anette komt snel. Het trilt in zijn hand, terwijl het tegelijkertijd piept. Vier korte stoten.

> Een beetje groggy, maar het gaat goed.

Hij heeft nog nooit een stoot van een stungun gehad. Die hoopt hij ook nooit te krijgen. Hij is ervan overtuigd dat Anette een herinnering voor het leven heeft gekregen.
Hij stuurt haar nog een bericht:

> Heb je trek? Zin om ergens een hapje te gaan eten?

Hij drukt op *verzenden* en hoopt dat Anette dit niet verkeerd interpreteert. Hij heeft alleen de behoefte om even te praten over alles wat er is gebeurd. En hij heeft vooral honger, de afgelopen dagen heeft hij vrijwel niets gegeten.

Het piept weer.

Graag. Heb reuzenhonger. Fontés in Løkka? Daar hebben ze lekker eten.

Hij antwoordt prompt.

Super. Tot zo.

Met een vastberaden beweging sluit hij het klepje van de mobiele telefoon en versnelt zijn pas. Ze heeft gelijk, zegt hij tegen zichzelf. Daar hebben ze echt lekker eten. En hij gaat zichzelf waarachtig ook een biertje gunnen.
Het is immers vrijdag.

Hij heeft zijn eerste pils al op als Anette verschijnt. Hij zit tegen de wand, vlak bij de open haard waar een houtblok hels ligt te branden, ondanks de juniavond, en waar mensen de trap op en af lopen om naar het toilet te gaan. Hij heeft een hele tijd naar het houtblok zitten kijken. Het was het enige vrije tafeltje.
Hij steekt een hand op ter begroeting. Anette ziet hem meteen. Ze komt glimlachend naar hem toe. Hij staat op. Ze omhelst hem.
Het is een tijd geleden dat iemand hem heeft omhelsd.
Ze gaan zitten. De ober, een grote, donkere kerel met de witste tanden die Henning ooit heeft gezien, is snel ter plaatse en vraagt of ze willen eten.
'Een zeemansburger met rundvlees. En een verdraaid groot glas bier,' zegt Anette met een glimlach. Iemand is opgelucht, denkt hij.
'Voor mij ook een,' zegt hij. 'Van beide, bedoel ik.'
De ober knikt en draait zich om. Kluns, denkt Henning, om je zo uit te drukken. Het is wel wat raar, want hoewel zijn bedoelingen het officiële milieukeurmerk hebben, heeft hij het gevoel dat ze een date hebben. En dat voelt merkwaardig.
'Zo,' zegt ze en ze kijkt hem aan. 'Is het een mooi verhaal geworden?'
'Redelijk,' zegt hij. 'Geloof ik tenminste. Ik heb het niet zelf geschreven. Kon het niet opbrengen.'
'Dus je hebt de een of andere bureauslaaf zover gekregen om dat voor je te doen?'
'Zoiets.'
'Het is veel leuker om zelf te schrijven.'

'Ik dacht dat je regisseur wilde worden?'

'Dat is zo, maar de beste regisseurs zijn ook vaak de beste schrijvers. Quentin Tarantino, bijvoorbeeld. Oliver Stone. Ik wilde Clint Eastwood zeggen, maar die schrijft zelf niet zo veel, nu ik erover nadenk. Wist je trouwens dat Clint Eastwood vrijwel alle filmmuziek zelf produceert?'

'Nee.'

'Dan weet je het nu. En het is ook goede filmmuziek. Veel jazz. Veel piano.'

Henning houdt van veel jazz. Van veel piano. Ze kijken elkaar aan zonder iets te zeggen.

'Wat gaat er nu met de film gebeuren?' vraagt hij dan en hij kan zichzelf wel slaan dat hij het onderwerp nu al te berde brengt.

'Welke van de twee?'

'Allebei, eigenlijk.'

'Tja, zeg het maar. Ik kan het niet opbrengen me daar nu mee bezig te houden. Mijn hartsvriendin is dood, ze werd vermoord door een gek. Ik zou willen dat ik hem nooit had leren kennen, en het laatste waar ik nu aan wil denken is wat er verder met de film gebeurt. Of de films. Op dit moment heb ik alleen zin om mijn burger te eten en de rest op zijn beloop te laten.'

Hij knikt. Anette draait zich om en kijkt of ze de ober ziet. Daar. Oogcontact. De ober knikt en verontschuldigt zich met een kokette hoofdbeweging.

'Heeft Bjarne je nog op de pijnbank gelegd?' vraagt Henning.

'Ja, ik ben flink toegetakeld.'

'Ging het goed? Was hij aardig tegen je?'

'Ja hoor. Het was een fluitje van een cent. Ik moet wel op nog een paar verhoren rekenen, maar dat vind ik best. Dat begrijp ik wel.'

De ober brengt verlossing. Anette bedankt hem en neemt een flinke slok, slurpt het schuim weg dat op haar bovenlip is beland.

'Ah, eerste hulp wordt geboden.'

Henning trekt zijn eigen glas naar zich toe en draait het tussen zijn vingers in het rond. Zo blijft hij een tijdje zitten.

'Ik heb hem gevonden,' zegt hij opeens. Hij weet niet waar de zin vandaan kwam. Hij ontschoot hem gewoon.

'Stefan?'

'Mm. Ik hoorde daar niet te zijn, maar ik had wat vragen voor Yngve. Ze waren niet thuis, maar de deur stond open en ik...'

Hij buigt zijn hoofd.

'Ben je naar binnen gegaan?'

Hij richt zijn blik weer op en knikt.

'Ben jij ooit bij de Foldviks thuis geweest?'

Anette moet slikken.

'Ik had er een keer een bespreking met Stefan – ja, wat kan het geweest zijn – zo'n zes maanden geleden of zo. We hebben over zijn script gepraat.'

'Waar jij een film van wilde maken?'

'Precies.'

'En dat was de enige keer?'

Ze neemt nog een slok en knikt.

'We hebben daarna een beetje met elkaar gemaild en gechat, af en toe met elkaar gesproken, over van alles en nog wat over de film. En de film zou toch nog wel een tijdje duren. Dat is met alles in de filmbranche zo. In het begin zijn er bijeenkomsten over de vraag of er bijeenkomsten nodig zijn, en op de bijeenkomst spreek je af nog een keer bij elkaar te komen om af te spreken dat er nog een bijeenkomst moet komen.'

Ze slaat haar ogen ten hemel. Hij glimlacht.

'Waarom vraag je daarnaar?'

'Ik vroeg het me gewoon af.'

'Mag ik jou dan ergens naar vragen?'

'Ga je gang.'

'Wat is er eigenlijk met jou gebeurd?'

Ze wijst op zijn gezicht, op de littekens.

'O, dat.'

Hij kijkt weer naar het tafelblad voor zich.

'Het hoeft niet,' zegt Anette vriendelijk.

'Nee hoor, het is alleen...'

Hij draait zijn glas weer even in het rond.

'Jij bent niet de enige die me er de afgelopen tijd naar heeft gevraagd. Ik weet eigenlijk niet goed welk antwoord ik moet geven zonder te...'

Hij stopt en ziet het balkon weer voor zich, de ogen van Jonas, voelt de handen die er plotseling niet meer zijn. Het is alsof hij zich in een geluiddichte kamer zonder lichtschakelaars bevindt. Hij kijkt haar aan.

'Misschien een andere keer.'

Anette houdt haar handen omhoog.

'Sorry, het was niet mijn bedoeling om...'

'Nee, nee. Het is wel goed.'

Anette kijkt hem lang aan, voordat ze een nieuwe slok neemt. Ze drinken een tijdje zonder iets te zeggen, kijken naar de etende gasten, draaien zich om naar de deur als die opengaat, kijken naar de vlammen in de haard.

Een vraag die hem al een tijdje dwarszit, komt weer aan de oppervlakte.

'Waarom ben je eigenlijk omgekeerd?' vraagt hij. 'Waarom dook je op in de tent?'

Anette slikt door en onderdrukt een boer.

'Zoals ik al zei: ik was nieuwsgierig. Het was niet zo moeilijk om te zien dat je met iets groots bezig was. Je gezicht sprak boekdelen. Je had jezelf eens moeten zien. Ik ben het natuurlijk gewend om verhalen te bedenken en ik begreep dat er een mooi verhaal aan zat te komen. Het was te verleidelijk om te laten zitten.'

Hij knikt stil.

'Sorry, sorry, het was niet mijn bedoeling om in andermans zaken te snuffelen.'

'Hoe lang stond je al voor de tent voordat je binnenkwam?'

'Nog helemaal niet lang. Maar luister, ik heb dit allemaal al met die vent van de politie besproken, die Brunlanes, of hoe hij ook maar heet.'

'Brogeland,' corrigeert Henning. 'Sorry, ik ben alleen een beetje...' Hij houdt zijn handen omhoog. 'Het kookt hierboven een beetje als ik bij zoiets betrokken ben geweest.' Met zijn vinger maakt hij een cirkelbeweging aan zijn slapen.

'*No worries*,' zegt ze, zoals ze dat in Australië doen. 'Proost.'

Hij heft het glas. Ze klinken.

'Waar proosten we eigenlijk op?' vraagt hij.

'Dat er niet nog meer levens verloren zijn gegaan,' zegt ze en ze drinkt. 'Proost.'

Hoofdstuk 70

Ze laten Stefan Foldvik en zijn ouders rusten terwijl ze de zeemansburger eten. Hij eet veel te veel, veel te snel. Het bier nestelt zich als een schuimende deksel boven in zijn maag. Hij weet zeker dat hij, wanneer ze na het betalen van de rekening uiteindelijk opstaan, buitengaats is met deinende golven aan alle kanten.

Maar hij houdt toch van golven.

'Hartelijk dank voor het eten,' zegt Anette en ze loopt de juniavond in. Het is weer gaan regenen, kleine, lichte druppels.

'Graag gedaan.'

'Heb je zin in een paar van deze?' vraagt ze en ze draait zich naar hem om als hij buiten komt. Hij laat de deur met een klap achter zich dichtvallen. Anette steekt een zakje Knott naar voren.

'Een paar Knott zijn heel lekker als je een paar biertjes op hebt.'

Ze laat een paar witte, bruine en gele parels in haar hand vallen en stopt ze in haar mond. Met een glimlach zegt hij: 'Ja, graag.'

Hij steekt zijn hand uit en krijgt een hele lading. Knott, o heerlijk jeugdsentiment. Hij heeft in de loop van de jaren heel wat zakjes van die naar drop, salmiak of pepermunt smakende snoepjes verorberd, maar durft niet uit te rekenen hoe lang het geleden is dat hij de op pillen lijkende, grijze, bruine en witte smaakbommmetjes voor het laatst heeft geproefd. Hij sabbelt op een bruine Knott en knikt goedkeurend naar haar.

'Je moet ze allemaal in één keer in je mond stoppen. Dat is nu juist lekker.'

Hij kijkt naar de pastilles, als je ze zo kunt noemen, het zijn er een stuk of acht, en brengt glimlachend een handvol naar zijn mond. Een ervan ontsnapt en belandt weer in zijn hand. Hij bijt de snoepjes stuk, sabbelt erop los en kijkt naar het ronde dingetje. De Knott lijkt op een tabletje.

Tabletje. Rond dingetje.

Klein, wit...

O, shit.

Hij slikt het door en kijkt naar Anette. Ze schudt nog wat tabletten uit het zakje in haar linkerhand en stopt ze in haar mond. Hij kijkt naar het ronde dingetje, denkt aan wat Jarle Høgseth altijd zei, over details, dat het geheel in de details zit. Dat klinkt als een enorm cliché, maar nu hij daar naar die kleine, witte snoepjes kijkt, is het alsof de sluipende onrust die hij al voelt sinds hij in de uitdrukkingloze ogen van Stefan heeft gestaard, de knoop die hij in zijn maag heeft gevoeld, plotseling serieus toeslaat en hem openscheurt.

'Wat is er?' zegt Anette. Hij kan niet praten. Hij kijkt alleen maar naar haar, herinnert zich het witte poeder onder zijn schoen, het kleine, ronde ding ernaast, hoe de vorm en de geur van de pil hem ergens aan deden denken. Hij herinnert zich de dichtgetrokken gordijnen, de deur die niet goed dichtzat.

'Vind je ze toch niet zo lekker?' vraagt ze met een glimlach. Hij merkt dat hij knikt. Hij probeert te kijken of hij iets in haar ogen ziet. De spiegel van de ziel, waar de waarheid zich bevindt. Maar ze staart slechts terug. Hij kijkt afwisselend naar het snoepje en naar haar.

'Halloooo?'

Anette zwaait met haar hand voor zijn gezicht. Hij neemt het snoepje tussen duim en wijsvinger en houdt het omhoog, kijkt ernaar, ruikt eraan.

'Wat ben je aan het doen?' zegt Anette lachend en ze kauwt door.

'Tja, ik...'

Zijn stem is tam, alsof hij onvoldoende lucht krijgt. Tram nummer 11 komt het Olaf Ryes plass op. De wielen piepen. Het klinkt als een mengeling van een gillend varken en een houthakkerszaag.

'Dat is mijn tram,' zegt Anette en ze begint achteruit te lopen. Ze kijkt hem onderzoekend aan. 'Bedankt voor het eten. Ik moet nu rennen. We spreken elkaar wel weer.'

Dan draait ze zich glimlachend om en zet het op een lopen. Hij blijft haar nakijken. Haar rugzak bungelt op en neer onder het hollen. Hij volgt haar met zijn ogen tot ze in het blauw met witte voertuig stapt. Als de deuren sluiten en de tram verder naar het centrum glijdt, gaat ze bij een raam zitten en kijkt naar hem.

Haar blik bijt zich in hem vast als een kaak vol vlijmscherpe tanden.

*

Het duurt een eeuwigheid voor hij thuis is. Het lukt hem amper zijn benen op te tillen en ze vooruit te schuiven. Het enige waaraan hij denkt, het enige wat hij voor zich ziet, is Anettes glimlach als ze zich omdraait, de rug-zak op haar rug, die niet goed hangt, die de beweging volgt als ze begint te rennen, hij ziet de stickers, allemaal, de exotische namen van de steden dansen een vreemde dans voor zijn ogen.

Hij ziet het, telkens weer, terwijl de schoenen zware geluiden op het as-falt maken. Ze klinken als cimbalen. Het geluid stijgt op, krijgt vleugels en vermengt zich met de regen die in hevigheid is toegenomen op het mo-ment dat hij de rij voor Villa Paradiso passeert. De mensen die binnen zit-ten, eten pizza, drinken, glimlachen, lachen. Hij probeert te denken, hij ziet Anettes ogen voor zich, de opluchting erin, de mate van tevredenheid, zelfs slechts enkele uren nadat ze bewusteloos was door een stoot met een stungun. En hij hoort de stem van Tore Benjaminsen, hoort hoe hij haar stem nabootst: *Wat heeft het voor zin om een genie te zijn als niemand dat weet?*

Anette, jij kunt best eens het slimste meisje zijn dat ik ooit heb ontmoet. Met de smaak van Knott nog in zijn mond loopt hij de Seilduksgaten in met het gevoel dat hij is beetgenomen.

Hij ook.

Hoofdstuk 71

Het is alsof het gevoel van nog maar een paar uur geleden uit hem is weggezogen. Toen was hij opgelucht, tevreden over zichzelf, blij dat hij een informatiebron had gekregen en dat hij Iver Gundersen een koekje van eigen deeg had gegeven.

Nu zijn zijn passen loodzwaar.

Hij loopt naar de toegangsdeur en vraagt zich af of Anette misschien Stefan in de waan heeft gebracht dat ook zij zich van het leven zou beroven. Misschien bevond hij zich daarom zo dicht tegen de wand, omdat ze naast hem had gelegen in het smalle bed.

Maar waarom?

Hij denkt weer aan Tore Benjaminsen, dat die eigenlijk dacht dat Anette lesbisch was, hoewel ze met verschillende vertegenwoordigers van het andere geslacht in de koffer was gedoken. Misschien is het wel zo simpel, denkt hij, dat Henriette ook met Anette had gespeeld, dat ze werd misleid en geloofde dat Henriette juist met haar serieuzere plannen had, enkel en alleen om daarna afgekeurd te worden. Anette was ongetwijfeld al eerder afgewezen, net als de meeste andere mensen, maar niet afgekeurd. Niet door iemand van wie ze hield. En misschien voelde ze voor het eerst hoeveel pijn dat kon doen. De dunne, gevaarlijke lijn tussen liefde en haat.

Wat een slimme meid, denkt hij, terwijl hij zich herinnert wat ze in de tent tegen hen zei: *Als je naar het script kijkt, zou het ook tamelijk vanzelfsprekend moeten zijn met wie hij had gevreeën.* Dat doet hem bedenken dat het script wellicht Anettes idee was. Misschien wilde juist zij dat gedoe met Gaarder erin hebben, zodat iedereen zou denken dat Yngve Foldvik overspel had gepleegd met Henriette. Foldvik zei het zelf ook toen Henning met hem op zijn kamer sprak, dat het script van Henriette was, maar dat Anette bij de vormgeving ervan vermoedelijk een vinger in de pap had gehad.

Maar wanneer is het begonnen? vraagt hij zich af. Wanneer had haar plan vorm gekregen?

Het schiet hem te binnen wat ze zei over haar eerste ontmoeting met

Stefan, nadat hij de scriptwedstrijd had gewonnen. Misschien was het plan die avond al geboren. Misschien besloot ze zijn script te verfilmen om nauwer contact met hem te krijgen, zodat ze hem geleidelijk aan kon leren kennen en manipuleren. Zij kon het meisje zijn dat zijn dromen vleugels gaf. Alles in de filmbranche kost immers tijd. Er zijn bijeenkomsten over bijeenkomsten en nieuwe bijeenkomsten over nieuwe bijeenkomsten. Het was relatief ongevaarlijk om zichzelf aan Stefan te verkopen, want hij zou toch dood zijn voordat hij het project kon realiseren.

Ik vraag me af wat ze tegen hem heeft gezegd, denkt hij, welke woorden zijn woede hebben opgewekt. Misschien zei ze dat meisjes als Henriette mannen tot verkrachters maken, gezinnen kapotmaken. Je kon Stefan vast gemakkelijk met dat soort logica ophitsen, als je bedenkt wat zijn moeder was overkomen. Hoe meer Henning erover nadenkt, hoe meer hij ervan overtuigd raakt dat Anette Stefan voortdurend op de huid zat. Als een echte regisseur.

Hij vermoedt dat zij, of misschien alleen Anette, probeerden de verdenking op Mahmoud Marhoni te laden door hem sms'jes te sturen vanaf Henriettes mobiele telefoon, net als in het script, sms'jes die moeilijk uit te leggen zouden zijn vanwege de suggesties over ontrouw, vanwege de foto in Henriettes mail. Het zou zijn woorden tegen sms'jes van een dode vrouw zijn. Niemand zou er problemen mee hebben om te geloven dat Henriette iemand voor de gek had gehouden. Zij was immers de grote flirt. Die 'iedereen' wilde hebben. Zelfs Anette.

Hij ziet Stefans dode gezicht voor zich, zoals hij in bed ligt, tegen de wand geperst. Zei Anette dat ze hem zou volgen? Sloten ze een zelfmoordpact? Hoe wist ze hem voor de gek te houden? Zag hij niet dat haar pillen anders waren? Waarom...

Maar wacht eens even, zegt hij tegen zichzelf. Hij krijgt een idee. En nu hij die gedachte heeft, doet hij snel de deur open. Hij neemt niet de moeite de post mee naar binnen te nemen voordat hij de trap op loopt, stoort zich niet aan de pijn die hij in zijn heup en benen voelt, hij gaat naar binnen en zet de laptop op de keukentafel. Zo snel hij kan, klimt hij op de trapleer en verwisselt de batterijen, voordat hij zijn jack uittrekt en een van de laden van de van drijfhout gemaakte kast aan de korte wand opent. Kwitanties, menu's, kaarsen, luciferdoosjes, die vervloekte luciferdoosjes, visitekaartjes, maar niet wat hij zoekt, hij pakt een fles rum, een slecht merk, nog meer menu's en daar, onder een mini-ijshockeydoel van het spel Siga dat hij om de een of andere reden heeft bewaard en daar heeft opgeborgen, ligt het kaartje waarvan hij wist dat hij het niet had weggegooid. Hij kijkt ernaar, ziet de naam van dokter Helge Bruunsgaard geoffset op een wit kaartje van gestructureerd papier.

Hij pakt zijn mobieltje weer, ziet dat de batterij leeg begint te raken, maar nog voldoende moet zijn voor het gesprek dat hij gaat voeren.

De telefoon gaat lang over voordat dokter Helge opneemt. Henning voelt hoe zijn ademhaling sneller gaat als de bekende stem zegt: 'Ben jij het, Henning?' verpakt in enthousiasme en optimisme.

'Hallo, Helge,' zegt hij.

'Hoe gaat het met je? Hoe is het om weer aan het werk te zijn?'

'Eh, goed. Zeg, ik bel niet zo laat op een vrijdag om het over mezelf te hebben. Ik heb hulp nodig. Vakkundige hulp, bij een artikel dat ik aan het schrijven ben. Mag ik je een paar minuten storen? Je bent zeker op weg naar huis?'

'Ja, inderdaad, maar het is goed, Henning. Ik zit in de auto en er staat een file voor me door een ongeval, dus zeg het maar, wat wil je weten?'

Hij probeert zijn gedachten te ordenen.

'Het zal een beetje raar klinken wat ik je nu ga vragen. Maar dit heeft niets met mij te maken, dus maak je niet ongerust.'

'Wat dan, Henning? Wat is er?'

De plotselinge zorg in de stem van de arts ketst op hem af. Daarom haalt Henning diep adem.

Dan stelt hij de vraag.

*

De laptop start op, ook al gaat dat wat onwillig, en het duurt zoals gebruikelijk zo'n dertig zandlopers om te starten. Hij loopt in het rond terwijl hij wacht tot alle geïnstalleerde programma's zich gereedmaken om nooit gebruikt te worden. De klok boven in de rechterhoek geeft 19.01 aan als hij gaat zitten en twee keer op het icoontje van FireCracker 2.0 klikt. Het duurt een eeuwigheid voordat het programma open is. Hij ziet dat *6tiermes7* is ingelogd. Hij dubbelklikt op de naam. Er opent een venster.

TinkyWinky:
Sticky.

Hij wacht een hele tijd, voordat het antwoord uiteindelijk komt. Zelfs *6tiermes7* kan niet altijd maar aan zijn toetsenbord zitten.

6tiermes7:
Fingers.
Hoor jij nu niet in de stad te zijn?

TinkyWinky:
Ik ben in de stad geweest. Dat was verre van aangenaam.

6tiermes7:
Je wilt veel liever met mij kwekken. Ik snap je wel.

TinkyWinky:
Ik vraag me iets af.

6tiermes7:
Je maakt een grapje. Nu?

TinkyWinky:
Nu misschien meer dan ooit.

6tiermes7:
Dat klinkt ernstig. Wat wil je weten?

TinkyWinky:
Een van de sms'jes die op de dag dat ze overleed aan Henriette Hagerup werden gestuurd, kwam vanuit Mozambique. Weet jij waar in Mozambique?

6tiermes7:
Wacht even, ik zoek het uit.

Hij laat zijn vingers op het toetsenbord rusten, klaar om toe te slaan. Een paar minuten gaan voorbij. Dan is *6tiermes7* terug.

6tiermes7:
Een plaats met de naam Inhambane.

Een nieuw, groot stuk van de puzzel valt op zijn plaats. Het is alsof het gapende gat waar hij de hele dag naar heeft gestaard, zich sluit. En het sluit met een dreun.

TinkyWinky:
Deze zaak is nog niet voorbij.

6tiermes7:
Wat bedoel je?

TinkyWinky:
Stefan Foldvik heeft geen zelfmoord gepleegd. Anette Skoppum heeft hem vermoord.

6tiermes7:
Waar heb je dat vandaan?

TinkyWinky:
Overal en nergens. Er zijn veel te veel dingen die niet kloppen. Ik moet je om een paar gunsten vragen.

6tiermes7:
Welke?

TinkyWinky:
De monsters die jullie in Stefans kamer veilig hebben gesteld – die komen nu zeker laag op jullie prioriteitenlijstje te staan?

6tiermes7:
Dat klopt.

TinkyWinky:
Dat mag niet gebeuren.

6tiermes7:
Je mag er niet vanuit gaan dat ik zo'n soort beslissing herzien kan krijgen.

TinkyWinky:

Nee, dat weet ik. Ik zeg alleen wat er nodig is om deze zaak op te helderen.

6tiermes7:

Als de zaak wordt opgehelderd op grond van wat de monsters ons vertellen, dan speelt de tijd toch geen grote rol?

TinkyWinky:

Nee, alleen is het zo dat Anette tegen die tijd misschien in geen velden of wegen meer te bekennen is. Het is binnenkort zomervakantie, en Joost mag weten naar welke godvergeten stad ze dan gaat. Ze is al de halve aardbol over getrokken. Ze kan overal wel zijn voordat jullie de bewijzen hebben verwerkt die haar kunnen nekken.

6tiermes7:

Ik begrijp het probleem, maar daar kan ik niet zo veel aan doen. Je moet dit met Gjerstad opnemen of je rechtstreeks tot Nøkleby wenden. Je moet proberen hen te overtuigen, dan zal ik je naderhand altijd helpen.

TinkyWinky:

Oké, ik snap het. Maar er zijn een paar andere dingen waarmee jij me volgens mij wel kunt helpen.

6tiermes7:

Wat dan?

Hij haalt diep adem voordat hij de volgende zinnen schrijft. Het heeft weinig effect op het galopperende beest dat hij in zijn borst voelt.

Hoofdstuk 72

De dag van de begrafenis van Henriette Hagerup begint wolkeloos, helder en mooi. Het is maandag en Henning Juul heeft het stof van een oud pak geborsteld. Nu bekijkt hij zichzelf in de spiegel. Hij trekt de zwarte stropdas recht. Hij haat dat ding en laat een paar vingers over de littekens op zijn gezicht gaan.

Het is lang geleden dat hij ernaar heeft gekeken. Er echt naar heeft gekeken. Maar nu hij dat wel doet, vindt hij dat ze niet meer zo erg zichtbaar zijn. Ze zijn als het ware in hem verzonken.

Hij haalt diep adem in de lucht van de badkamer, die nog vochtig en klam is na zijn douchebeurt van een halfuur geleden. Het scheerschuim en het scheermes liggen op de wastafel, met nog baard- en schuimresten rond de afvoer.

Voordat hij vertrekt, controleert hij of alles wat hij nodig heeft in zijn zakken zit. *Het belangrijkste dat je bij je moet hebben, is je hoofd,* zei Jarle Høgseth altijd. Misschien wel, denkt Henning, maar een paar hulpmiddelen zijn ook handig. Maar hij kan nu wel een scherp hoofd gebruiken, hoewel hij de afgelopen dagen goed heeft besteed. Alle gesprekken, alle ontmoetingen heeft hij opnieuw doorgenomen. Zowel dokter Helge als *6tiermes7* hebben een bijdrage geleverd met waardevolle hulp en stukjes voor de puzzel, alleen weet hij niet of dat voldoende is.

Over een paar uur heeft hij misschien het antwoord.

*

De kerk van Ris is gebouwd in 1932, als een lange kerk in Romaanse stijl. Alle drie de kerkklokken luiden al als Henning in een taxi arriveert. Hij stapt uit en mengt zich onder de rouwenden.

Hij gaat naar binnen en krijgt een gedenkkaartje met de naam en het glimlachende gezicht van Henriette Hagerup op de voorkant. Hij herkent de foto. Die hing op Henriettes gedenkplek voor de school, bijna een week geleden. Hij weet nog dat hij vond dat ze er intelligent uitzag. Zonder iemand aan te kijken vindt hij een plek op de achterste rij. Hij kijkt niet naar de mensen om hem heen, wil niemand in de ogen zien, met niemand praten. Nog niet.

De herdenkingsdienst is mooi, waardig, bescheiden, triest. De monotone stem van de dominee vult de kerk, slechts begeleid door voorzichtig snuiven en stil huilen. Henning probeert niet te denken aan de vorige keer dat hij in een kerk was, de vorige keer dat hij mensen om het overlijden van een kind hoorde huilen, maar de gedachten zijn onmogelijk tegen te houden. Zelfs wanneer de dominee zijn preek houdt, hoort hij de klanken van 'Kleine Vriend'.

Een kwartier voor het einde van de dienst staat hij op en loopt naar buiten. De sfeer, de geur van oude kerk, de geluiden, de kleren en de gezichten, alles neemt hem twee jaar mee terug in de tijd, toen hijzelf helemaal vooraan in een kerk zat en zich afvroeg of hij ooit weer een mens kon worden, of het mogelijk was hem weer op te kalefateren.

Wat is er sinds die tijd weinig gebeurd, denkt hij, als hij de gang in loopt. Hij heeft niet durven denken aan wat er daarbuiten op hem ligt te wachten, wat nog niet klaar is, wat hij niet aan de oppervlakte heeft durven laten komen. Maar nu hij weet dat zijn hoofd weer functioneert, is het onvermijdelijk. Ik kan er niet aan ontkomen, denkt hij, ik moet iets doen aan de kriebel in mijn borst, dat zeurende uurwerk dat ritmisch in de diepte van me werkt, dat me nooit loslaat zodat ik niet in een vredige modder kan wegzakken en de ogen met een gevoel van voltooiing kan sluiten.

Want ik weet dat ik gelijk heb.

Hij maakt zijn stropdas wat losser als hij buiten komt en de frisse wind op zijn gezicht voelt. Hij loopt een stukje van de ingang vandaan. De stem van de dominee draagt door de open deuren heen. Een tuinman verzorgt een graf vlakbij. Henning loopt het gras op, tussen de grafstenen. Het gras is kort, groen en fris van kleur, en alle planten staan er dankzij vaardige vingers keurig bij.

Hij slentert naar de achterkant van de kerk, waar de grafstenen als een rij tanden uit de grond steken. Hij wandelt rustig, bedenkt dat het lang geleden is dat hij een bezoekje aan Jonas bracht, maar hij zet de gedachte van zich af als hij haar ziet.

Anette staat voor het rechthoekige gat in de grond waar Henriette Hagerup te ruste zal worden gelegd. Zelfs nu heeft Anette haar rugzak op. Hij voelt een vlaag nervositeit door zijn lichaam gaan als hij besluit naar haar toe te lopen. Er zijn geen anderen in de buurt. Ze draagt een zwarte rok en een zwarte blazer op een even zwarte bloes.

Anette draait zich om als hij haar langzaam van achteren nadert.

'Dus jij kon het ook niet opbrengen om daarbinnen te zitten?' zegt ze en ze glimlacht kort.

'Hallo, Anette,' zegt hij. Hij gaat naast haar staan en kijkt in het gat.

'Ik haat begrafenissen,' begint ze. 'Ik vind het beter om op deze manier afscheid te nemen, hier buiten, voordat de hysterie toeslaat.'

Hij knikt stil. Geen van hen zegt een tijd lang iets.

'Ik had er niet op gerekend om jou hier te zien,' zegt ze ten slotte en ze draait zich naar hem toe. 'Weinig te doen vandaag?'

'Wat bedoel je?'

Hij zet een stap dichter naar de rand van het gat en kijkt ernaar, denkt aan de door de rockgroep Vamp op muziek gezette woorden van dichter Kolbein Falkeid:

> Dus als de avond valt en ik stil mijn lot aanvaard
> Mijn levensboot wordt neergelaten in zes voet met aard'

Drieëntwintig jaar, denkt hij. Henriette Hagerup is niet ouder dan drieëntwintig jaar geworden. Ik vraag me af of ze tijd heeft gehad om te voelen dat ze heeft geleefd.

Hij steekt zijn hand in zijn zak.

'Jij meent dat je overal aan had gedacht,' zegt hij en hij ontmoet Anettes blik. Haar voorzichtige glimlach smelt weg in een onrustig trillen van de ene mondhoek. Hij ziet dat zijn woorden haar overvallen, maar dat was ook de bedoeling. Hij wacht tot het dramatische effect ervan voltooid is.

'Huh?'

'Ik begreep niet helemaal waarom je opeens zo tegemoetkomend en zo behulpzaam moest worden. Me naar Ekeberg rijden en zo, midden onder de ergste regenbui aller tijden. Op dat moment was het niet bekend dat Stefan dood was. Maar jij wist het toch. Jij wist het omdat jij hem als laatste in leven hebt gezien. Jij wist het omdat jij hebt geregeld dat hij zichzelf het leven benam.'

Ze fronst haar wenkbrauwen.

'Wat sta je daar verdomme...'

'Jij hebt epilepsie, is het niet?'

Anette laat het zwaartepunt van het ene been op het andere overgaan.

'Mag ik in de rugzak kijken?'

'Wat... nee!'

'Epileptici gebruiken meestal een medicijn dat Orfiril heet. Ik gok dat jij daar een doosje of een potje met Orfiril in hebt,' zegt hij en hij wijst op haar rugzak. 'Of is het pillenpotje misschien leeg?'

Ze geeft geen antwoord, maar kijkt hem aan alsof hij haar diep heeft beledigd.

'Een tablet Orfiril lijkt sprekend op zo eentje,' zegt hij en hij haalt een zakje Knott uit de zak van zijn colbertje tevoorschijn. Hij schudt er een witte pastille uit en houdt het witte ronde dingetje omhoog terwijl hij ernaar kijkt.

'Stefan had tegenover zijn ouders zijn schuld al toegegeven, en er stond jullie beiden een lange veroordeling te wachten. Jij zag een mogelijkheid om Stefan in zijn eentje met de eer te laten gaan strijken. Of was dat misschien de hele tijd al jouw bedoeling?'

'Waar klets je toch over?'

'Ik trapte op zo eentje toen ik Stefan thuis dood in bed vond,' zegt hij en hij laat het snoepje weer zien. 'Orfiril gemengd met alcohol is een dodelijke mix. Maar alleen Stefan heeft Orfiril ingenomen. Zelf nam je niets anders dan een vuist vol Knott. Jummie. Je vindt het toch zo lekker om ze allemaal in één keer in de mond te stoppen. Het enige stomme met Knott is dat er wel eens een paar uit het zakje vallen of dat het je niet lukt ze allemaal tegelijk in je mond te proppen.'

Anette schudt haar hoofd en houdt haar handen omhoog.

'Dit wordt me te gortig. Ik vertrek.'

'Ik denk te weten waarom je me naar Ekeberg hebt gereden,' zegt hij en hij loopt achter haar aan. Ze blijft staan en draait zich weer naar hem toe. 'Je was nerveus. Je wist dat Stefan zijn mond open had gedaan, je was bang dat Stefan zijn ouders had verteld wat er écht was gebeurd, wie er nog meer bij de misdaad en de voorbereiding ervan betrokken was geweest. Je kon het Stefan die middag niet vragen, want dan had hij kunnen begrijpen dat je iets van plan was, dat het zelfmoordpact van jouw kant niet oprecht bedoeld was. Daarom bood je aan mij te rijden, zodat je erbij kon zijn en kon uitzoeken wat zijn ouders wisten. Daarom dook je op in de tent.'

Anette zet haar handen in haar zij. Ze staat op het punt iets te zeggen, maar houdt zich in.

'En wát een voorstelling,' gaat hij verder. 'Je begreep dat Ingvild niet wist wie je was. Je bevond je op veilig terrein. Je wist ook dat Ingvild verkracht was, want dat had Stefan je verteld. Je wist ongetwijfeld ook dat ze een cursus zelfverdediging had gevolgd, dat ze een stungun had en dat ze getraind was om instinctief te reageren als er iemand achter haar opdook, zoals jij in de tent deed. Het was in principe zo'n mooi gebaar, een hand op haar rug leggen, tegen haar nek, om medeleven te tonen, maar jij deed het omdat je wist hoe Ingvild zou reageren, ze zou je met de stungun uitschakelen, en er bestaat natuurlijk geen betere manier om jezelf vrij te pleiten dan zelf een soort slachtoffer te worden, ook al zou je er niet dood aan gaan.'

Anette wendt haar ogen af. Hij kan de waarheid aan haar zien, hoewel ze die goed verbergt. Hij weet ook zeker dat ze meer dan eens bij de Foldviks thuis is geweest. Dat was de reden dat ze de gordijnen dichttrok. Ze wist dat je gemakkelijk vanaf de straat, vanuit de appartementen aan de overzijde, naar binnen kon kijken, en ze wist ook dat de Foldviks nieuwsgierige buren hadden. Telkens wanneer er in het trapportaal een deur opengaat, steekt de nieuwsgierige mevrouw Steen haar neus naar buiten. Daarom ook zat de deur alleen tegen de deurpost aan. Zodat niemand Anette zou zien of horen.

Anette krabt aan haar wang en veegt een paar haren weg die in haar ogen terecht zijn gekomen. Henning gaat door: 'Na de moord probeerden jullie haar vriend erbij te betrekken, een man die het hart van Henriette had gestolen. Jullie probeerden hem erin te luizen, net als in het script, zodat jullie vrijuit konden gaan. Het ging niet helemaal volgens plan. Maar met Stefan uit beeld, nadat hij alles had bekend, zouden alle losse eindjes wat jou betreft bij elkaar zijn gekomen. Je dacht dat je aan alles had gedacht, Anette, maar je bent een paar dingen vergeten,' zegt hij en hij last weer een kunstmatige pauze in. Hij wacht op het dramatische effect, maar dat schijnt op haar af te ketsen. Ze staat met een uitdrukkingloze blik naar hem te kijken.

'Stefan,' zegt hij en hij wacht nog even. 'Hoe kon Stefan weten dat Henriette die avond in de tent zou zijn?'

Hij laat de vraag geruime tijd hangen. Anette geeft geen antwoord.

'Er werd die dag of avond geen bericht vanaf Stefans mobiele telefoon naar Henriette gestuurd. Of van haar mobieltje naar dat van hem. Ik weet dat omdat ik het heb gecontroleerd.'

Ze verroert zich niet, kijkt hem alleen maar aan. Geen mimiek in haar gezicht. Ze haalt onverschillig adem. Hij zet een paar passen.

'Er was daarentegen op de middag van zijn dood een oproep van zijn telefoon naar die van jou. Die duurde zevenendertig seconden. Vertelde hij je toen dat hij tegenover zijn ouders had bekend? Ging je daarom naar hem toe om te proberen de schade enigszins te beperken?'

Nog steeds geen antwoord. Hij denkt aan wat Anette hem bij de school vertelde, dat Henriette zei dat ze *Een shariakaste* per mail naar Foldvik zou sturen. 6tiermes7 of iemand anders bij de politie doorzocht de elektronische communicatie van Henriette en ontdekte dat ze het script nooit naar Yngve had gestuurd. Yngve loog niet. Daarom had Stefan het script nooit thuis kunnen vinden. Het kan maar op één manier zijn gebeurd: Anette toonde het hem of gaf het hem.

Henning bestudeert haar. Er zijn geen openingen in de vesting die ze om zich heen heeft opgericht.

'Ik vraag het nogmaals: hoe kon Stefan weten dat Henriette die avond in de tent zou zijn?'

Deze keer wacht hij niet op antwoord.

'Omdat jij hem dat vertelde. Ik geloof dat Henriette en jij al een afspraak hadden om elkaar die avond te ontmoeten. Waarom zou ze anders bij haar vriend weggaan? Het moest om een belangrijke reden zijn, om iets wat gepland stond. En jullie zouden de volgende dag met de filmopnamen beginnen.'

Anette reageert niet.

'Wat zei je die avond tegen Stefan?' gaat hij verder, onaangedaan door het feit dat ze niet reageert op de dingen waarmee hij haar confronteert. 'Dat jullie haar alleen een beetje bang zouden maken? Kreeg je hem op die manier zo ver dat hij de stungun van zijn moeder meenam?'

Hoewel Anette hem ook nu geen antwoord geeft, weet hij zeker dat Henriette verrast werd toen Stefan samen met Anette in de tent opdook. Dat maakte vast geen deel uit van de afspraak. Maar Stefan geloofde nog altijd dat zijn vader met Henriette had gevreeën. Perfect voor Anette. De kuil was al gegraven, omdat ze die de volgende dag voor de opnamen zouden gebruiken.

'Heb jij de eerste steen gegooid, of heb je hem opgehitst om haar te vermoorden?'

Hij zoekt naar tekenen van overgave of erkenning, maar ziet er geen. Hij kan hoe dan ook nu niet ophouden.

'Je had de moord goed voorbereid. En om Marhoni er nog meer bij te betrekken, stuurde je Henriette de dag dat je haar zou vermoorden een mail. Een mail met een foto. Henriette om de nek van een wat oudere man. Hoeveel kans zou je bij de lotto hebben dat de man op de foto Yngve was?'

'Ik heb Henriette nooit een foto van Yngve gestuurd,' snuift Anette.

'Nee. Dat heb jij puur feitelijk nooit gedaan. Maar je hebt je daarbij door een ander laten helpen.'

Hij wijst op haar rugzak.

'Inhambane.'

Ze draait haar hoofd om naar haar rugzak, maar beseft dat ze de sticker die hij aanwijst moeilijk kan zien. Er staat Inhambane op in zwarte letters op een witte achtergrond met daaromheen een rood hart.

'Dat is een stad in het diepe zuiden van Mozambique, aan de gelijknamige baai. Mooie stranden. De dag waarop Henriette werd vermoord, ontving ze een e-mail vanuit een internetcafé in Inhambane. Ook werd er vlak daarna een sms naar Henriette gestuurd via een gratis internetdienst, vanuit hetzelfde café, waarin haar werd gevraagd haar mail te controleren. Dat gebeurde toe zij bij Mahmoud Marhoni was.'

'En wat dan nog?'

'En wat dan nog? Het is dus volkomen toevallig dat juist jij een sticker op je rugzak hebt waarop Inhambane staat? Jij bent daar geweest, Anette. Je hebt er ongetwijfeld vrienden. Inhambane staat niet bepaald boven aan de Star Tours-lijst van populaire reisdoelen.'

Anette antwoordt niet.

'Het nadeel van met zijn tweeën een misdrijf plegen,' gaat hij verder, 'is dat je er nooit helemaal zeker van kunt zijn dat de ander zijn mond houdt. Daarom was je die dag dat ik je voor het eerst ontmoette bang. Je was bang dat Stefan zichzelf zou verraden, jou zou verraden, dat hij niet zou kunnen leven met wat jullie hadden gedaan. En dat bleek te kloppen. Daarom zette je hem aan tot het plegen van zelfmoord.'

Anettes gezicht ontspant zich in een beginnende glimlach. Het is een koele glimlach. Dan wordt ze meteen weer serieus.

'Ik zal je één ding over Henriette vertellen,' zegt ze. 'Henriette was niet zo heel slim. Al zegt iedereen naderhand nog zo dat ze "zo talentvol, zo bekwaam" was.'

Ze verdraait haar stem.

'De waarheid is dat ze uiterst middelmatig was. Ik heb het script gelezen waar ze geld voor had gekregen. Dat is niet erg goed. *Control+Alt+Delete?* Wat is dat voor een titel? De slimme delen van het script heb ik haar gegeven. Maar was ze van plan mij daar in de film enige credit voor te geven?'

Ze snuift.

'Dus daarom wilde je haar "werk voortzetten". Je meende een zeker recht op het script te hebben, vanwege die slimme delen. Heb je nog contact gehad met Truls Leirvåg?'

Anette laat een kort lachje horen, voordat ze rustig knikt.

'Jij en ik zouden samen een film moeten maken. Je hebt een goede fantasie. Maar ook jij vergeet één ding,' zegt ze en ze komt wat naderbij. Ze gaat dicht tegen hem aan staan en fluistert: 'De twee die alles wat je zojuist hebt gezegd hadden kunnen bewijzen...'

Ze houdt op met praten en last een kunstmatige pauze in. De kou in haar blik raakt hem als een ijzige klap op de wang.

'Ze zijn allebei dood.'

Ze zet weer een stap naar achteren. En weer glimlacht ze. Een kleine, geslepen glimlach.

'Wat zou het als ze een Knott op de kamer van Stefan vinden?' gaat ze verder. 'Wat moet dat bewijzen? Dat iemand die daarbinnen is geweest, gek is op Knott, misschien? En wat zou het als hij mij die middag belde? Ik zou zijn film regisseren. We spraken elkaar voortdurend. Niets ervan toont aan dat ik Henriette of Stefan heb vermoord. Niets!'

'Je hebt gelijk,' zegt hij. 'Er is geen direct bewijs dat je iets anders deed dan te proberen de verdenking op Mahmoud Marhoni te laden, maar...'

'Wat voor bewijs heb je dan daarvoor?' onderbreekt ze hem. 'Een sticker op mijn rugzak?'

'Dat is ook niet veel bewijs, maar wie genoeg lucifers naast elkaar legt en ze allemaal tegelijk aansteekt, krijgt een heel fraaie vlam. Als ik alles wat ik heb ontdekt samenvat en dat aan Bjarne Brogeland geef, zullen hij en de anderen bij de politie alles nagaan wat je de afgelopen jaren hebt gezegd en gedaan. Ze zullen alles wat ze vinden binnenstebuiten keren, elektronische post, sms'jes, kwitanties, rekeningen en proberen dat aan een moord en een verdacht sterfgeval te koppelen. En als het toxicologierapport klaar is en ze ontdekken dat er Orfiril in Stefans lichaam zat, zal de reeks aanwijzingen zo lang zijn dat er heel wat voor nodig is om niet in de gevangenis te belanden. Een snoepje is, zoals je heel terecht aangeeft, ook geen bewijs, maar kijk maar eens naar de zaak-Orderud. Vier mensen werden veroordeeld tot jarenlange gevangenisstraffen op grond van een *fucking* geiten-wollen sok.'

Anette antwoordt niet. Hij kijkt haar aan en probeert ook een koele glimlach te laten zien.

'Wat heeft het voor zin om een genie te zijn als niemand dat weet?' zegt hij en hij bootst haar stem na. Ze slaat haar ogen naar hem op. 'Alle mensen willen, op het een of andere vlak, erkenning voor waar ze mee bezig zijn. We willen applaus. Zo zitten we nu eenmaal in elkaar. Daarom heb je mij het script gegeven. Je wilde dat ik het zou begrijpen. En dat doe ik. Ik begrijp dat je alles had gepland, en ik ben ontzettend onder de indruk. Maar je krijgt geen applaus. Niet van mij, van niemand.'

Anette blijft hem aankijken. Hij draait zich om en ziet de begrafenisstoet uit de kerk komen.

'Zoals je zei, Anette, de hysterie begint nu.'

Ze lacht om zijn opmerking.

'Wauw', zegt ze terwijl ze afwisselend haar hoofd schudt en knikt. Ze loopt weer op hem toe, pakt het snoepje uit zijn hand en stopt het in haar mond.

'Weet je wie me heeft geleerd dat het het lekkerst is als je ze allemaal te-gelijk in je mond stopt?'

Ze sabbelt demonstratief op het snoepje.

'Ik weet zeker dat zo'n slimme vent als jij dat kan uitvogelen,' zegt ze zon-der op antwoord te wachten. Ze kijkt hem een hele tijd aan. Dan glimlacht ze weer en loopt langs hem heen, in de richting van de begrafenisstoet. Hij volgt haar met zijn blik als ze over het gras wandelt, langs de rouwenden; ze kijkt naar hen, knikt kort naar iemand die ze kent, maar sluit zich niet bij de menigte aan. In plaats daarvan loopt ze verder naar de voorkant van de kerk. Ze neemt ruim de tijd. Alsof ze zich absoluut nergens zorgen over hoeft te maken.

Het kan best zo zijn dat ze gelijk heeft, denkt hij als Anette uit het zicht verdwijnt en het kerkhof vol raakt met mensen in zwarte kleren. Het kan best zo zijn dat onmogelijk bewezen kan worden dat ze daden orkestreerde en ontketende die in de dood van twee mensen resulteerden. Want ze heeft nooit iets bekend, nu niet en niet in de tent op de Ekebergsletta, en de be-wijzen zijn in het beste geval mager.

Jarle Høgseth zei altijd: *Misdaden worden zelden voor de ingang van het politiebureau neergelegd, verpakt in zilverpapier met een mooie strik erom-*

heen. Soms is het eenvoudig. De bewijzen kunnen duidelijke taal speken, de dader kan bekennen, uit zichzelf of op grond van de bewijzen die tijdens het verhoor ter tafel komen, terwijl het niet zelden tot rechtszaken komt waarin de eisen van het openbaar ministerie in scherp contrast staan tot de verklaringen van de verdachte. Zo is het en zo zal het altijd zijn.

Maar de waarheid zal bij hem nooit verloren gaan. Hij zag haar in Anettes ogen. In de loop van een onderzoek kan er van alles gebeuren. Bewijzen kunnen opduiken. Getuigen kunnen zich melden met informatie die nieuw licht op de daden van Anette zal werpen. Ze zal zich voor veel zaken moeten verantwoorden en het is moeilijk om telkens weer precies dezelfde antwoorden te geven op gecompliceerde vragen, hoe slim je ook bent.

*

Tijdens de hele begrafenis blijft hij op het kerkhof. Hij slaat zijn ogen niet op, luistert niet naar wat er wordt gezegd, hoort het nauwelijks als er wordt gezongen:

Help mij, God, te neuriën dit lied
Zodat mijn hart kan leren
Op een dag, dat U het ziet
Tot Uw Rijk weder te keren

Hij verbijt de herinneringen en de pijn, ook al ziet hij Jonas de hele tijd voor zich. Het is alsof hij pas nu definitief afscheid kan nemen, pas nu is hij er klaar en ontvankelijk voor. Hij kon het destijds niet, want hij wilde en kon niet accepteren dat Jonas hem 's ochtends nooit meer zou wekken, veel te vroeg, nooit meer tegen hem aan zou kruipen om aan één stuk door met hem te knuffelen, voordat kinder-tv begon.

Het is moeilijk om dankbaar te zijn voor wat ik heb ontvangen, denkt hij, het is moeilijk om je elke dag, elk ogenblik te herinneren, in plaats van je te verliezen in de momenten die er nooit zijn geweest. Maar als het me lukt te denken dat de zes jaren waarin Jonas leefde de mooiste van mijn leven waren, dan is dat een begin.

Het is niet veel, maar het is een begin.

Hij laat het condoleren schieten nadat Henriettes levensboot in zes voet aarde is neergelaten. Hij weet dat het hem niet zou zijn gelukt, hij zou het niet op hebben kunnen brengen de ouders en de familie in de ogen te kij-ken zonder hun plaats in te nemen. Hij moet het verdriet niet wegstoppen, want hij moet het kunnen voelen. Maar niet hier. Niet nu.

Er komt een tijd.

Op een dag, dat U het ziet. Tot ik, Jonas, tot Zijn Rijk wederkeer.

Hoofdstuk 73

Vanaf de verdieping boven hem klinkt muziek als hij thuiskomt. Hij blijft voor de deur staan luisteren. De gedichten declamerende Arne luistert naar opera. Henning herkent meteen de aria. Het is 'Nessun Dorma', uit *Turandot* van Giacomo Puccini. Hennings favoriete aria. De onmiskenbare stem van Luciano Pavarotti vult het trapportaal:

Ma il mio mistero è chiuso in me
il nome mio nessun saprà!

Die declamerende Arne is een man met vele facetten, denkt Henning, of hij is een cynicus van formaat die bewust gedichten en opera gebruikt in zijn jacht op vrouwen. Daarom mag Gunnar Goma hem vast zo graag.

No, no! Sulla tua bocca lo dirò
Quando la luce splenderà!

De declamerende Arne draait het volume omhoog als de climax komt:

All'alba vincerò!
vincerò, vincerò!

Het gezang stijgt op, gaat door muren en beton, houten planken en gips, en raakt Henning midden op het voorhoofd, dringt door de dikke schedel heen en overspoelt hem, zijn wangen worden warm, en voordat hij er erg in heeft, voelt hij tranen biggelen, hij voelt ze glijden, over de littekens op zijn gezicht, opeens zijn ze er.

Hij heeft nergens anders om gehuild dan Dat Waar Hij Niet Aan Denkt sinds Dat Waar Hij Niet Aan Denkt. Een beetje raar om nu mijn eigen zout te proeven, denkt hij, na zo'n lange tijd, en te weten dat de declamerende Arne dat teweeg heeft gebracht.

Maar het verbaast hem niet dat de muziek hem weer aan het huilen heeft gemaakt. Hij voelt hoe graag hij weer eens de pianotoetsen zou beroeren. Maar hij weet niet of hij dat durft.

Hij gaat naar binnen als het applaus wegsterft en het boven hem stil wordt. Hij doet nieuwe batterijen in de rookmelders en gaat op de bank zitten, doet de klep van de laptop omhoog. Die verlaat onmiddellijk de slaap-modus. Het duurt een paar seconden voordat het apparaat de breedband vindt, maar als alles klaar is, start hij meteen FireCracker 2.0. Het duurt niet lang of *6tiermes7* antwoordt.

6tiermes7:
Nu ben ik benieuwd. Hoe is het gegaan?

TinkyWinky:
Zoals verwacht. Ze heeft niets toegegeven.

6tiermes7:
Slimme meid.

TinkyWinky:
De slimste die ik ooit heb ontmoet.

6tiermes7:
Heb je ook niets kunnen opnemen? Niets wat we kunnen gebruiken?

TinkyWinky:
Ik heb de opname nog niet afgeluisterd, maar ik betwijfel het.

6tiermes7:
Oké. Je hebt gedaan wat je kon. Laten we nu maar verdergaan.

TinkyWinky:
Zal het proberen.

6tiermes7:
Je bent toch niet van plan nog iets uit te pluizen?

Henning blijft zitten nadenken terwijl de cursor in het chatvenster knippert. Er is de afgelopen week iets met hem gebeurd. Hoewel er drie mensen gestorven zijn en gezinnen voor altijd kapot zijn, heeft het werken hem goed gedaan. Ook al bekende Anette niet en ook al zijn de dreigementen van Hassan niet zo gemakkelijk weg te duwen, Henning heeft tegenover zichzelf bewezen dat hij het nog steeds kan. De kleine grijze cellen zijn weer wakker.

Hij kijkt naar zijn vingers voordat hij formuleert wat al zo lang diep in hem ligt te gisten. Hij weet dat er, wanneer hij de woorden intikt, geen weg terug is. Dan heeft hij zichzelf het startschot gegeven.

Dokter Helge zou me ongetwijfeld hebben gevraagd te wachten, denkt hij, tot ik absoluut zeker weet dat ik helemaal klaar ben. Maar ik heb geen tijd om te wachten. Het is moeilijk te zeggen of Yasser Shah wordt opgepakt of niet, of het bewijs op de laptop van Mahmoud Marhoni en zijn vrijlating ertoe zullen leiden dat Hassan & co in navolging van Robert de Niro verdwijnen als de grond hun te heet onder de voeten wordt. Niemand weet of ik binnenkort over straat kan lopen zonder over mijn schouders te kijken of dat de nachten tot in de eeuwigheid vol zullen zijn van geluiden die me wakker houden.

Daarom schrijft hij:

TinkyWinky:
Er is eigenlijk nog één ding.

Hij krijgt het koud over zijn hele lichaam.

6tiermes7:
Je maakt een grapje. Wat dan?

Hij haalt diep adem. Bijna twee jaar geleden bleef ik midden op een heuvel staan toen ik naar beneden liep, denkt hij. Zette de handrem erop. Hij is als Ingvild Foldvik. Hij is schijndood geweest sinds Jonas stierf. Maar soms moet je de rem loslaten, jezelf helemaal tot aan de bodem loslaten, om weer naar boven te kunnen gaan. Hij weet niet hoe diep het is, maar deze keer zal hij niet stoppen voordat hij helemaal tot op de bodem is. Hoeveel pijn dat ook mag doen.

Henning ademt zwaar uit en zet zijn vingers op het toetsenbord.

TinkyWinky:
Ik heb jullie hulp nodig.

Hij richt zijn ogen op het plafond. Hij weet niet goed waarom hij dat doet. Misschien om iets mee te krijgen van wat Pavarotti op de verdieping boven hem bezong. Zijn kracht. Zijn wil. Hij kijkt lang omhoog, hoort Luciano's stem weer in zijn hoofd.

All'alba vincerò!
vincerò, vincerò!

Bij het aanbreken van de dag zal ik winnen.

Hij richt zijn blik weer op het scherm. Tegelijkertijd is hij vervuld van een kracht zoals hij nog nooit heeft gevoeld. Hij tikt de volgende woorden met een motivatie die hem kippenvel bezorgt.

TinkyWinky:
Ik heb hulp nodig om uit te zoeken wie mijn appartement in brand heeft gestoken.

Daar. De woorden zijn eruit, woorden die hij nooit heeft uitgesproken, omdat de politie tot de conclusie was gekomen dat de brand niet was aangestoken. Woorden die hij al bijna twee jaar lang heeft begraven.
Nu zijn ze eruit.
En nu ze geschreven staan, nu hij aan de moeilijkste zaak van zijn leven is begonnen, kan hij het net zo goed ronduit zeggen.

TinkyWinky:
Ik heb jullie hulp nodig om uit te zoeken wie mijn zoon heeft vermoord.

Dank

Schijndood zou nooit realiteit zijn geworden zonder kleine en grote bijdragen van vrienden, familie en anderen die bereid waren om te lezen, te luisteren, balletjes op te werpen en hun expertise en ervaring te delen. Jørn Lier Horst, Erik Werge Bøyesen, Johnny Brenna, Hege Enger, Line Onsrud Buan, Petter Anthon Næss, Torgeir Higraff, Nicolai Ljøgodt, Kristin 'Kikki' Jenssen, Vibeke Ødegård Nohr – hartelijk dank!

Extra veel dank aan Benedicte. Jij bent scherp. Jij bent goed.

De mensen die me goed kennen, weten dat de weg naar mijn eerste publicatie lang is geweest. Mijn laatste dank gaat daarom uit naar mezelf. Bedankt dat je nooit bent opgehouden met schrijven.

Oslo, december 2009

Thomas Enger